детектив
высшего
качества

Детективные романы
Татьяны Гармаш – Роффе:

Ангел–телохранитель

Частный визит в Париж

Роль грешницы на бис

Шантаж от Версаче

Тайна моего отражения

Королевский сорняк

Шалости нечистой силы

Ведьма для инквизитора

Вечная молодость с аукциона

Мертвые воды Московского моря

Голая королева

Е. Б. Ж.

13 способов ненавидеть

Татьяна Гармаш-Роффе

детектив
высшего
качества

Ангел-телохранитель

Москва
«Эксмо»
2008

УДК 82-3
ББК 84(2Рос-Рус)6-4
  Г 20

Оформление серии *С. Груздева*

Серия основана в 2007 г.

Гармаш-Роффе Т.В.
Г 20 Ангел-телохранитель: Роман / Т.В. Гармаш-Роффе. — М.: Эксмо, 2008. — 352 с. — (Детектив высшей пробы).

ISBN 978-5-699-25960-1

Люля еще не успела оправиться после смерти мужа, как новые беды свалились на ее голову. Кто-то настойчиво и методично пытается расправиться с молодой вдовой. Попытки следуют одна за другой, и у нее больше нет сил сопротивляться. Не будь рядом охранника Артема, она бы давно сдалась... Связаны ли покушения на Люлю со смертью мужа? Или с его бизнесом? Ответы на эти вопросы способен дать только один человек. Но, выйдя из комы, он потерял память, а после пластической операции — еще и внешность. И стал удивительно похож на... погибшего мужа Люли. А может, это он и есть? И теперь, прикинувшись беспамятным, Влад стоит во главе широкомасштабной операции по устранению всех возможных свидетелей? В которой главной жертвой почему-то назначено быть Люле. Никому, кроме частного сыщика Алексея Кисанова по кличке Кис, не под силу разгадать эту головоломку...

УДК 82-3
ББК 84(2Рос-Рус)6-4

Я смотрю на огонь и думаю о тебе, Люля. Огромный камин старинного аббатства, где ныне разместился ресторан-люкс, распространяет волшебный запах дров, вокруг суетятся официанты, наша славная компания шумит за большим столом; а я, забыв о собеседниках, смотрю на огонь и думаю о тебе, Люля.

Ты тоже смотришь на огонь и вдыхаешь запах дров. Ты мерзнешь, ты затопила печь и пытаешься согреться у ее раскрытой дверцы. Ты вскрыла банку тушенки и ешь прямо из нее. Без хлеба — тебе было не до него — сюда, на холодную зимнюю дачу, тебя пригнал страх. Ты отчаянно трусишь, и тебе неоткуда ждать помощи, потому что теперь ты только сама у себя, Люля...

Ты просишь бога тебе помочь, но и он тебе не поможет: его у тебя нет. У тебя есть только я, твой автор. Но автор не всемогущ, он не может одной фразой изменить судьбу персонажа. Нет, Люля, увы... Потому что однажды ты пришла в то же кафе, что и Принц. И все остальное столь же неизбежно, как «Аннушка пролила масло»...

                                                    * * *

«...Если ты существуешь, бог, то ты несправедлив. Ты множишь несчастья одних, методично прибавляя к старым новые, — и ты множишь уте-

6 хи других, щедро одаривая благами, уже им ненужными...»

Люля оставила печку открытой и, съежившись, смотрела на огонь. Сбегая поспешно из дома, она не взяла с собой почти никаких вещей. На даче, конечно, было кое-что, и она нацепила на себя два свитера. Тот, что поверх, был ее старый-престарый, просторный свитер, она его не выбросила, она его любила и потому сохранила для работ в саду.

«...А если ты существуешь и справедлив, если это не ты множишь мои несчастья, то помоги мне... Помоги же!»

Пространство ничем не отозвалось. Ее мольба жалко отразилась от деревянных стен и погасла. «Глас вопиющего в пустыне, — горько усмехнулась Люля, почувствовав безответность космоса. — Бога нет».

Хотелось есть. На даче были консервы, и она вскрыла банку тушенки, которую принялась есть, не разогревая. Без хлеба, конечно, — хлеб она, гонимая страхом, даже не подумала купить.

Огонь в печке выстреливал искрами, и поленья — их еще Принц наколол, — прогорая, шумно обрушивались вниз, в звонко-рыжие угли. Терпкий дым пощипывал глаза.

Она не могла поверить, что ее хотели убить. Это было слишком диким. Невероятным. Мозг тупо бастовал вопреки очевидности.

И все же... Две попытки наезда. Тогда, в первый раз, ей и в голову не пришло, что кто-то намеревался ее переехать. Решила, что какой-то козел спьяну... «Козел» дал деру, с трудом вывернув машину, почти заскочившую на тротуар.

Но когда ее едва не сбила машина во второй раз, она спросила себя: а случайность ли это?

«Да нет, — урезонила она себя, — конечно, случайность!» Это множатся ее несчастья, которых и без того хватает со смертью Принца. Говорят ведь: беда не приходит одна...

* * *

Принц... Они познакомились банально: в кафе. Ей пришла в голову идея; она достала из сумки блокнот с карандашом и, отодвинув чашку с чаем, принялась делать набросок платья: все мечтала, что ее талант оценят и возьмут в какой-нибудь приличный клан модельеров.

Он обходил ее стул сзади со стаканом сока в руке и с любопытством заглянул в блокнот.

— Ух ты, здорово! — сказал он. — Особенно вот эти косые параллельные линии, — он указал стаканом поверх ее головы, и капля сока упала ей на щеку, — шляпка, лиф, а потом вот эта вздернутая линия юбки... Вы, навсрное, думаете продеть в подол проволоку, чтобы удержать эту линию, словно вздутую ветром... Я прав?

Она обалдела. Постойте, это как же получается? Сидит она совершенно случайно в безвестном кафе и делает наброски... а к ней совершенно случайно подходит какой-то модельер... совершенно случайно оказавшийся в этом кафе... и начинает хвалить ее эскизы? Модельер — один из тех, до которых она так и не сумела достучаться за три года в Москве?! Помилуйте, но так не бывает! Нет, не бывает!!!

— Назовите вашу модель знаете как? «Унесенная ветром»!

Он снова махнул над ее головой стаканом, и новая капля упала ей на щеку.

Она решила разбить наваждение прямой наводкой:

— Вы — модельер?

— Нет.

Все правильно. Она же только что сказала себе: так не бывает.

— Но вы в этом что-нибудь понимаете? — с иронией, под которой все еще таилась надежда, она отправила вопрос куда-то поверх своей головы.

— Не-а. Ничегошеньки, — раздалось сверху. — Просто у меня предпоследняя любовница была манекенщицей — вот некоторые словечки в ушах и застряли... Но ваши эскизы мне нравятся. Честно.

Наконец они посмотрели друг на друга. Она — задрав голову, вверх и назад, он — опустив свою к ней. Что-то в соприкосновении их взглядов произошло, во всяком случае, мышцы шеи вдруг болезненно сжались в кратковременном параличе... Может, она просто слишком сильно закинула голову назад?

Он, словно догадавшись, вышел из-за ее спины и встал сбоку.

Они снова посмотрели друг на друга. Она, тощая дылда, у которой все свитера дырявились от слишком острых локтей, с небрежно забранными в «конский хвост» темными волосами и с глазами холодной синевы, за которой было очень легко прятать боль и тоску. И он — большой, плотный, кареглазый, лет на восемь-десять старше. Одет он был чрезвычайно просто: джинсы и небрежно выбивающаяся из них светло-голубая рубашка в темную полоску, под которой был заметен небольшой животик; рукава завернуты. Несмотря на кажущуюся простоту и небрежность, одежда его была качественной, неброско-дорогой — это она сразу приметила; а сам он был вопиюще уверенным в себе. Такими уверенными бывают либо полные дураки, либо добившиеся всего в этой жизни люди, окончательно расставшиеся со всеми мыслимыми комплексами... На дурака он никак не был похож, скорее он мог бы сойти за второй вариант...

Если бы не эта небрежная и даже нарочито небрежная манера одеваться...

И если бы не чертики, игравшие в пятнашки в его глазах!

Эти чертики заинтриговали ее. Она даже улыбнулась украдкой.

— Вы огорчились, да? А я, пожалуй, рад, — заявил он, — потому что иначе бы вы немедленно использовали мою постель как корабль... или скорее как плот... В общем, как средство въезда в мир моды. Вы ведь туда хотите попасть, верно?

Ну надо же! Какая наглость! Люда так опешила, что только хлопнула ртом, не найдя что ответить.

Чертики в его глазах притихли, насмешливо и внимательно наблюдая за сменой выражений ее лица.

— Я вас обидел? — Он улыбался.

— Вы... Вы просто хам! ...Самоуверенный хам, — подумав, добавила она, сердито убирая блокнот в сумку.

Он довольно кивнул — согласился. Чертики тоже закивали, дразнясь и строя рожи.

— Ваш номер телефона?

Она растерялась. Какой-то он странный, этот тип.

— Или вы для вступления предпочитаете порцию пошлостей?

— Вы мне их уже наговорили, — сухо ответила она.

— Да что вы, разве? Вы ошибаетесь. Это жизнь

10 пошла и люди пошлы, а я только констатировал факт. Разве женщины не спят с мужчинами ради карьеры? Впрочем, наоборот тоже.

Она не знала, что ответить. Схема, конечно, жизненная... Но зачем он ей все это говорит? Она совершенно не собирается с ним... Ни за карьеру, ни без!

Он отодвинул стул и сел за ее столик. Поставил свой стакан — грейпфрутовый сок, кажется, — немного наклонился к ней и негромко проговорил без всякого выражения:

— Я уже давно смотрю на вашу спину, и она мне нравится. Я недавно смотрю на ваше лицо, и оно меня не разочаровало. Я вас не соблазняю, не принуждаю и не обольщаю. Мне просто хотелось бы еще раз на вас посмотреть... Я бы пригласил вас поужинать со мной сегодня, но я занят. Поэтому давайте так: мы сейчас меняемся телефонами, потом договариваемся о встрече и знакомимся.

— Зачем? — Она взяла себя в руки. — И кто вы такой?! ·

— О, видите, вы уже начинаете знакомиться! Что же, рад представиться: Принц. Пребывающий в поисках Золушки.

Он произнес это с самым серьезным видом, но чертики куролесили в его глазах.

— Да вокруг Золушек пруд пруди, — огрызнулась она, не понимая, как относиться к услышанному. — Чего их искать? Они сами на шею готовы вешаться... Если вы, конечно, и в самом деле *Принц*. По крайней мере, размерами вашего кошелька. — И она несколько саркастически окинула взглядом его одежду.

— Я-то? Поверьте, я Принц вполне состоятельный... А те, о которых вы говорите, — они не

Золушки. Они мачехины дочки — охотницы за Принцами. Мне охотницы не нужны, — мне нужна Золушка. Скромная и бедная.

— Зачем?!

— Страшно хочется ее осчастливить... — Он посмотрел на часы. — Понимаете, очень трудно осчастливить такую, у которой уже все есть. Не бедную и не скромную. И не работящую.

— А, поняла, вы ищете домохозяйку! Или домработницу?

Он посмотрел на нее с усмешкой. Похоже, его забавляли ее маленькие атаки. Но чертики вдруг сделались серьезными.

— Работящая — это та, которая полагается на себя. Такой хочется помочь. А не работящая ищет, на кого бы положиться... Хм, на тему «на кого положиться» у меня сразу три шутки образовались в голове, но вы ведь опять скажете, что это пошлости? Не, не стану рисковать... Так вот, не работящей помочь невозможно, потому что она ничего не делает. А это скучно. Ну, так что? Меняемся телефонами?

— У меня телефона нет... — буркнула она.

— Живете на снятой квартире где-нибудь в Бибиреве, — он окинул ее внимательным взглядом, — в обшарпанной старой квартире... или даже комнате, которую вам сдала какая-нибудь старушка... Денег нет, телефона нет, мужчины нет, работы нет... И, скорей всего, московской прописки нет. В общем, первый экзамен на Золушку вы прошли!

Чертики догоняли друг друга.

Если бы не они, она бы давно отшила этого нахала!

Но чертики догоняли друг друга...

— В Химках, — пробормотала она.

— Спасибо за уточнение. Это что-нибудь меняет в картине Золушкиной жизни?

— Нет... — Она чувствовала себя совершенно подавленной. Как он ее обрисовал, этот наглец в небрежной одежде! Неужто от нее веет такой безысходностью и нищетой, что...

— Просто вы спрашивали телефон, — вдруг вскинула она гордо голову. — У меня его нет. Так что запишите адрес.

— Браво! — рассмеялся странный мужик, представившийся Принцем. — Говорите, я запомню.

Она вдруг догадалась: это у него такой отработанный прием знакомиться! Он наверняка давно придумал этот ход и не раз его испытывал на практике — действует безотказно. Вот теперь и она купилась, как дурочка! Может, он вообще маньяк какой-нибудь?

— Задумались, — констатировал Принц. — Испугались? Грабить вас неинтересно: у вас ничего нет, даже московской прописки... А вдруг я маньяк? — перебирал он с рассудительным видом варианты, объясняющие ступор, в который она ненадолго впала. — С этим труднее. А вдруг я и впрямь маньяк? — проговорил он озабоченно.

Чертики рухнули от смеха, хватаясь за животики.

— Знаете что, — вдруг обрадовался он. — Вы ведь сказки читали? Тогда вот вам доказательство: Принцы никогда не бывают насильниками! Да еще и помешанными! Они всегда добрые и благородные.

— А вы — Принц, — ехидно проговорила она.

— Ну да.

— В поисках Золушки, — уточнила она тем же тоном.

— Я же вам уже сказал!

— Тогда вам остается спросить размер моей ноги, — ответила она.

И чертики задрыгали ножками от радости.

— Я и так знаю: тридцать восьмой, верно? Мой самый любимый размер!

— А если бы он оказался тридцать шестым?

— О, это бы меняло дело! У меня ведь башмак уже приготовлен. Точнее, два. Очень хорошеньких итальянских башмака...

Чертики уже плакали от смеха, но лицо его оставалось серьезным.

— От позапрошлой любовницы остались?

— От манекенщицы? Что вы, у нее сорок первый! Нет, от прошлой... Но она их не носила, уверяю вас! Мы успели расстаться раньше... Совсем новые башмачки, чесс... слово!

Весь этот бред сумасшедшего ее не убедил нисколько. Но она поверила — *чертикам*.

— Валяйте, запоминайте.

И она назвала адрес.

Он приехал только в выходные, через пять дней, за которые она полностью успела забыть о той волне, утянувшей на мгновенье их взгляды в запредельные измерения. Он приехал и сказал:

— Ну, давайте знакомиться.

Только сейчас она сообразила, что даже не спросила, как его зовут.

— Владик. Паспорт нужен? Я не женат.

— Да я, собственно... — пробормотала она.

— Вы не интересовались, я понял. А вас как зовут?

— Люда. Людмила.

— Это нехорошо, — покачал он головой, — у

14 женщины должно быть нежное имя, вкусное и гладкое, как монпансье... Люда — слышите, как твердо звучит это «д»? Как удар об стенку[1]... Люда, Люся, Мила... — забормотал он.

Она подняла глаза и посмотрела прямо в его зрачки. Чертики махали хвостиками и строили рожицы.

— *Люля*! Я вас буду звать «Люля»!.. Вы не против? — спохватился он.

Она пожала плечами. Ей, по правде говоря, было все равно. Вернее, на самом деле ей даже стало приятно, что кто-то вдруг озаботился ее именем.

— У вас чертики в глазах, вы знаете? — неожиданно для себя произнесла она.

— Не бойтесь, Люля, они совсем ручные!..

Она давно так не ела: так вкусно и так много. Старалась есть не жадно, но ей все время казалось, что чертики с издевочкой подглядывают из-за его ресниц. Владик, к счастью, ничего не сказал, только заказал ей еще еды.

Потом расспрашивал. Она рассказывала. И про мать, спившуюся давно, и про несуществующего отца, и как шила, зарабатывая деньги на хлеб, и как у нее получалось оригинально, и как одна клиентка принялась вдалбливать ей в голову, что у нее настоящий талант, что надо ехать в Москву...

— Она говорила: такой талант с руками оторвут!

---

[1] Автор просит всех Людмил не обижаться и принять к сведению, что это личное мнение персонажа романа по имени Владик!

Но в Москве никто ничего не отрывал. Она пошла сначала к Бурову, звезде модных подиумов. До него не допустили, какая-то фифа попросила оставить рисунки. Их вернули через неделю со словами, что не подходят... А на следующем показе моделей три платья были по ее эскизам! Пресса всячески расхваливала Бурова, отмечая «свежесть новых идей», усмотренную в тех самых платьях...

Люля пошла снова к фифе. Предъявила эскизы.

— Вы их у меня украли, — сказала она. — Это подло.

— Вы что, девушка? — Фифа смотрела на нее с нескрываемо наигранным изумлением. — Да я вас в первый раз вижу! Вы срисовали платья из коллекции Бурова — по телевизору небось видели? А теперь пытаетесь шантажировать уважаемого модельера?! Убирайтесь вон, пока я милицию не вызвала! И больше никогда здесь не появляйтесь, от души вам советую! — с презрением закончила она.

Пережив этот шок, Люля взяла себя в руки и отправилась дальше пробиваться: ведь для этого она и приехала в Москву! В приемной следующего модельера («кутюрье», извините) Люля была осторожнее: эскизы оставлять не захотела. Ей отказали сразу.

В третьем она решилась оставить, но попросила расписку. Очередная фифа сходила куда-то и сообщила, что никаких расписок не будет. Либо она оставляет, либо убирается восвояси. Люля выбрала последнее.

Больше она никуда не ходила. Повезло — через соседку стала получать немножко заказов на пошив-перешив... Чем и зарабатывает.

— Зачем я вам? — спросила Люля.

Она себя не считала красавицей, да и не была ею. Ее довольно высокий рост и излишняя худоба всю жизнь вызывали у нее комплекс неполноценности. Она всегда сутулилась, съеживалась, обхватывая себя руками, словно озябла... И лицо так себе, среднее, ни два ни полтора. Одним словом, товара под названием «женская привлекательность» у нее не имелось. И продавать этому странному Владику ей было нечего. Разве только костюм на заказ.

— Вы даже не поверите, как все просто, — усмехнулся он. — Я ищу женщину, в которую мог бы влюбиться. Ужасно хочется влюбиться, по-настоящему так, до одури. Я слишком долго искал себя, пора найти кого-нибудь себе.

— Вы что, хотите сказать, что вы в меня можете влю... — Она так опешила, что даже не отважилась повторить слово.

— А вот мы и посмотрим. Я же сказал: давайте знакомиться. Познакомимся, а там... как получится. Может, выйдет у нас такая печальная история, что я влюблюсь, а вы нет!

Чертики немедленно зарыдали в голос, театрально припадая друг к другу на плечи.

— Да чем же я вас заинтересовала? Ничего такого во мне...

— Есть, есть, — заверил Владик. — Вы просто кокетничаете, на комплименты напрашиваетесь. Я большой знаток женской природы, к вашему сведению, — нахально заявил он, откидываясь на спинку кресла, и чертики одобрительно засвистели, засовывая кружочки пальцев в рот.

— Да нет же! Вот если бы я была топ-модель или какая-нибудь там...

— Да я ж влюбиться хочу, а не обрамить свое

несовершенное мужское тело совершенным женским! Кстати, вас не смущает мой лишний вес?

Люля наконец улыбнулась.

— Если наш вес сложить, а потом разделить на два, то как раз идеальный и выйдет...

Они «знакомились» еще месяц, влюбляясь стремительно и смертельно. Все Золушки мира могут отдыхать — такого Принца, как Владька, они даже в мечтах не видели. Он и впрямь оказался далеко не беден — принц не Принц, но вполне состоятельный, как он выразился...

Господи, какая ерунда, главное, что у него оказалось очень-очень много любви. Для нее.

И потому она стала красавицей. И потому все признали ее талант. И потому она начала работать на один из лучших домов моделей. И потому она стала намного уверенней в себе и научилась носить красивые платья, и не стесняться своей худобы, и не сутулиться, и...

Она любила его, боже, как она его любила! Она бросалась на него, когда они возвращались домой, она стаскивала с него рубашку, целуя показавшийся в разрезе «лишний» живот, и он, смеясь, отбивался, и чертики веселились и ликовали, шкодливо подсматривая за ними... То, что у них было, не называлось сексом, то, что у них было, называлось *любовью*, и все возможные на свете ласки служили всего лишь языком, на котором она изъяснялась.

Все было так, именно так — сказочно красиво, до одури счастливо, пока он не погиб. Разбился с другом на машине.

Друг выжил. А ее Владька, сокровище, ее счастье, ее Принц, — погиб...

18 Она чуть руки на себя не наложила. Всего два, крошечных два года счастья из всей ее несчастливой тридцатилетней жизни. И все, и больше нету. И уже никогда не будет. Потому что второго такого, как Владька, не существует во всем мире.

Она почти забросила работу. Она снова стала дурнушкой. Она снова стала зябнуть и обхватывать себя руками, наклоняясь немного вперед, будто у нее болел живот.

Она, лишенная его любви, перестала любить себя.

* * *

...От солнца никуда не деться. Он закрыл глаза, но оно сверкающим острым лезвием вскрывает веки, как створки устриц, и больно надрезает роговицу. Кажется, выступили слезы.

«Он плачет!»

Вот ведь странные люди — казалось бы, ну пришли уже на пляж, так купайтесь, загорайте, играйте в волейбол, наконец! Но нет же, кому-то есть дело до него, кто-то на него смотрит: «Он плачет...»

Зачем он лежит на пляже под раскаленным солнцем? Он не любит пляжи, ненавидит валяться без дела, надо открыть глаза, встать и уйти отсюда!

Но во всем теле такая слабость, нега, оцепенение... Лень пошевелиться. Он, кажется, заснул ненадолго. А на пляж, вдруг вспомнилось, он потащился из-за жены. И лежит теперь, как мешок...

На какой пляж? Он что-то никак не сообразит, где он. На пляже, это понятно, но на каком?

Где? В Пицунде? На французском Лазурном берегу? В итальянском Милано-Маритимо?

Это потому, что он спит. Не проснулся еще. Если проснуться и аккуратно, под козырьком руки, осмотреться... А, вон и жена. Стоит, руки раскинула под солнцем, чего-то ей не лежится. Ну ясно, это она свое тело показывает народу. Чтоб никто мимо не прошел. Показывать есть что: длинное, стройное, золотистого загара... У них с дочкой красивый загар, ровный, с золотым отливом, без плебейской черноты. И три микроскопических треугольника ярко-бирюзовой ткани спереди да две ниточки сзади: одна поперек спины, вторая в попе. Купальники нынче такие в моде странные — ниточка в попе и маленькая нашлепочка на эпилированном лобке, да две тряпочки едва соски прикрывают. На дочке такой же срам, только черный с золотом. Вон и она, рядом, на животе валяется, ногами болтает в воздухе. Ее круглая золотистая попа приковывает к себе взгляды всех особей мужского пола от одиннадцати до восьмидесяти лет. Книжку читает какую-то, любовный роман, поди. И глазом аккуратно косит по сторонам: собирает мужские вздохи. Ох-хо-хо, семейка...

Когда-то он мечтал именно о такой женщине, как его жена. Красивой, породистой, знающей себе цену. Вспомнилось, как пацаном, черным от анапского солнца аборигеном, он бегал на пляжи, где под присмотром вожатых выпасались беленькие москвичи — у них там было несколько пионерских лагерей на отшибе города, со своими пляжами. Какие там были девочки, московские девочки! Вроде и ничего особенного, в Анапе вроде такие же, разве что москвички незагорелые, — а все же разница! Как они сидеть умели прямо; как ходить умели, покачивая бедрами; как голову держали навскид; как смотрели на него с любезным презрением... Лагерь Большого театра и театрального общества какого-то — там балеток было много, из училища балетного. Ножки так ставили — вразлет, бровки так вскидывали — насмерть... А пацаны? Ему ровесники, шелупонь, — а уже ручку крендельком сворачивали, барышням подавали, а сами зенками шасть-шасть по купальникам, по вчера наклюнувшимся округлостям... А вожатые? Ему-то с шелковицы хорошо было видно: сидели кучкой и неприкрыто обсуждали девчонок, даже пальцем иногда показывали...

...А он им однажды корову на пляж пригнал. Вот уж позабавился, сидя на шелковице! Москвичата-то в жизни коровы не видели! Визгу было да писку! Корова-то всего ничего: телка двухлетняя. Она сама их испугалась до смерти! Но эти, эти, московские мерзавчики, которые ручку крендельком, ох как прытко бегали! Двое даже на крышу навеса залезли, барышень своих побросали! А барышни, вереща, сиганули в море и торчали там, по пояс в воде, пока он корову не увел. Одна даже ему «спасибо» вдогонку крикнула, благодетелю...

Вот такую он себе жену и нашел. Как те девчонки. Чтоб ходить умела, и смотреть умела, и сидеть умела...

Умеет. Да толку-то? Смотрит все не на него, все по сторонам смотрит Ленка. Да и то, чего на него смотреть? Его лица за животом и не видно. Когда он лежа — так посредине гора. А за горой — ступни с одной стороны, да уши с другой. Смотреть не на что. И незачем. Лишь бы деньги давал. А он дает. Леночка ему давно по фигу, а он ей — еще давнее. И дочке тоже. Она вся в маменьку: и сидит, и стоит, и ходит, и смотрит...

Как те москвички гордые... Да нынче они и сами москвичи, чего там! И получше коренных устроены. Квартирка на Патриарших, дом в три этажа на Рублевке...

                                              * * *

Первый несостоявшийся наезд в некотором смысле пробудил ее от горя. «Я все еще хочу жить», — грустно усмехнулась Люля, вспомнив, как ловко увернулась она от машины.

Вторая попытка наезда ее испугала. «Я все еще хочу жить... Как ни странно», — подумала она, но уже без усмешки. Второй наезд — это совсем не смешно. Это похоже на намерение ее убить.

Но Люля еще колебалась, еще не могла поверить, что это не случайность. Она уговаривала себя, что просто совпадение, потому что беда не приходит одна. Потому что со смертью Владьки все рухнуло... Он был не просто ее счастьем — он был ее талисманом, охранявшим ее от зла.

И теперь все разрушительные силы мира вырвались на свободу и набросились на нее, оказавшуюся без защиты, без магического талисмана по имени Владька. Принца с чертиками в глазах, игравшими в пятнашки...

Вся мистика вылетела из ее головы, когда поздним вечером она услышала за собой топот и увидела компактное стадо подростков, сосредоточенно мчавшихся к ней. Длинные ноги хоть чему-то послужили — почти скачками Люля добежала до подъезда и захлопнула за собой дверь с кодовым замком. Консьержки в этот час не было, да и разве спасет она Люлю, если парни знают код?

Люля, не дождавшись лифта, рванула наверх

22 через две ступеньки на третью: дверь-замок-ключ — и она внутри квартиры!

Она подержала в руках телефон, готовая вызвать милицию при малейшем подозрительном шорохе за дверью, но все было тихо, и из окна никого не было видно.

С трудом отдышавшись, она рухнула на кровать и долго плакала. «Владька, Владька, зачем ты меня бросил одну?! У меня ведь никого нет, никогда и не было, кроме тебя...»

Наплакавшись, она задернула поплотнее занавески и зажгла свет. И думала, заваривая чай, о том, что подростки могли помчаться за ней и просто так, но после двух попыток наезда уже не верилось... Одета она была скромно, после смерти мужа совсем не хотелось носить дорогие платья, и они·висели в шкафу, как мемориальная экспозиция его подарков. Так что мысль об ограблении Люля отбросила напрочь. Изнасиловать? Всякое может быть. Обкурились и пошли «развлекаться»...

Но мысль о связи между наездами и табуном подростков не выходила из головы. Они мчались молча и сосредоточенно. Если бы они были просто случайными подростками, пусть даже обкурившимися, они бы вступили в какой-нибудь гнусный разговор, типа: девушка, куда вы так торопитесь? А они, едва ее завидев, помчались за ней *молча и целенаправленно...*

Кто-то их на нее натравил... Кто-то хочет ее убить?!

На вопросы «кто?» и «почему?» у нее не было даже тени ответа.

Она пошла в милицию.

— А номер машины заметили?

Она не заметила. Не до того ей было, жизнь спасала... Ненужную жизнь, но инстинкт оказался сильнее.

— А с чего вы взяли, что подростки — не случайные мальцы, которые помчались вслед, завидев одинокую женскую фигуру ночью?

С чего она взяла... С того! Впереди нее прошла через двор женщина, вполне одинокая и, судя по одежде, молодая, но ее никто не преследовал... Они появились из-за гаражей, как только Люля (и именно она!) вошла во двор (и именно тогда!).

— Маловато будет, — говорил следователь. — Из местных были, из дворовых? Или чужие? Лица запомнили?

Какие, к черту, лица? Она от страха даже обернуться не посмела!

— И что же вы от меня хотите? — удивился милиционер.

— Не знаю, защитите меня как-нибудь!..

— Нету у нас таких средств, чтобы приставить к вам охрану! Покушения на вас никак не доказаны— номера машины не помните, в моделях не разбираетесь, подростков описать не можете... И чего мне расследовать?

— Что же делать? — недоумевала Люля. — Меня ведь пытаются убить!

— А доказательства, где они? — разводил руками милиционер в приемной ближайшего отделения.

— А если меня убьют?!

— Вот тогда доказательства и будут, оставьте пока заявление. В случае вашей смерти будем разбираться, — произнес он, с ненавистью глядя на ее кольцо с крупным изумрудом, Владькин подарок.

Она пошла к выходу, сутулясь и обхватывая себя руками, словно у нее болел живот.

— Людмила Афанасьевна! — окликнул ее вдруг милиционер и поманил пальцем. — Обратитесь в частное бюро охраны, мой вам совет. — Его голос звучал уже мягче, надо думать, сутулая ее спина чуть разжалобила. — Мы тут связаны процедурой, правилами, а они только деньгами. Если можете заплатить, — его взгляд снова нашел кольцо с изумрудом, — то никто вам на мозги капать не будет, что да почему. Хозяин барин. Хотите, чтобы вас охраняли, — будут охранять.

Деньги были. Люля долго и придирчиво выбирала охранника, задавая себе вопрос, каким таким образом он может ее охранить от озверевшей машины, к примеру...

Предлагали ей и женщин — их было двое в агентстве. Их лица вполне освоились со стандартом «непроницаемости», но взгляд остался типично женским, любопытным. Вместе это плохо сочеталось, казалось, глаза подсматривают за ней из засады каменных лиц. Эти глаза все хотели знать о ней, они лезли в ее душу и в ее историю.

Она остановилась на мужчинах: если взгляды тех куда и лезли, то только под юбку. Это было куда менее чувствительно, чем в душу.

Она выбрала одного, плечистого и большого.

Плечистого и большого убили через два дня бесшумным снайперским выстрелом. Именно в тот момент, когда он обходил Люлю, решив занять положение справа от нее.

Милиция не сумела установить, откуда он был произведен, — сказали только, что стреляли с небольшого расстояния. К примеру, из припаркованной к обочине машины.

— Непрофессионал, — подытожили в милиции. — Был бы грамотный киллер, вы бы от него не ушли!

Они умеют утешить, эти люди в погонах!

Люле стало ясно одно: маскировка под несчастный случай больше не прельщала раздосадованного убийцу. Он перестал прятаться, он заявил недвусмысленно, что хочет ее убить. А в том, что метили в нее, она не сомневалась.

И тогда она сбежала на дачу. Думая о том, что ее найдут и тут.

У Владьки было две дачи — Люля за два года так и не приучилась говорить «у нас», — новая каменная и старая деревянная. Она больше любила старую развалюху, пахнущую деревом, с настоящей печкой, а не с центральным отоплением. Та, другая, — она не была дачей, она была *загородным домом*. А Люля любила *дачу*... Владька обещал привести ее в порядок, он вдруг вместе с ней тоже полюбил приезжать сюда. Они возились на участке, сгребая ветки и листья, а потом жгли терпкий костер и пили чай. Или вино. Или пиво.

Наверное, потому она и рванулась сюда, на *дачу*, не успев подумать как следует. *Загородный дом* — он был на охраняемой территории, да и в самом доме запоры были нехилые, сигнализация... Ах, как глупо она поступила! Конечно, надо было ехать туда! Здесь-то замков всего ничего — одна радость, внутренний засов, который нельзя открыть снаружи. А на участок даже младенец проберется.

Пока, за последние три дня, — свят-свят! — ничего не случилось. Но завтра же надо будет переселиться в дом. Там она будет в безопасности!

Однако мысль о том, что понадобится выйти из старой, ветхой дачи, пугала ее. Эти стены хоть как-то ее защищали. А в открытом пространстве она станет легкой мишенью. Машину Люля не водила, значит, добираться до станции, ехать электричкой... А там ее труп обнаружат на железнодорожном полотне?

Неожиданно она придумала: надо связаться с охранным агентством и попросить прислать к ней охранника с машиной. Он и перевезет ее в дом!

Рано утром, с началом рабочего дня, она обо всем договорилась. Обещали назавтра: раньше агентство не могло выполнить ее заказ. Услуга стоила очень дорого, но деньги были. Это единственная малость, что осталась ей от Принца: его деньги...

И еще имя *Люля*.

* * *

«*Что делать, когда тебя убили?*»

Нет, не так. Сила — дурень из Сибири со смачным именем Силантий — вот как хохмил: «*Что делать, если тебя насилуют?*» — «*Расслабиться и получить максимум удовольствия*». — *А что делать, когда тебя убивают?*» — «*Расслабиться и умереть*».

Как давно это было — мехмат, сокурсники, университет, экзамены... В другой жизни и в другой стране. И в веке другом, между прочим. И Сила, дурень сибирский, полный тупица, хоть учился вполне прилично, приехал из своей тайги наверстывать упущенное, к культуре и цивилизации столичной приобщаться. В основном в виде дешевых анекдотов и еще более дешевых пьянок в общежитии с грошовым портвешком и грошовыми девочками...

Кой черт он вспомнил Силу? Он его сто лет не видел и, бог даст, еще столько же не увидит! А-а, вот почему: что делать, *когда тебя убили?*

Черт, он опять заснул. И бред какой-то приснился: Сила, дурень сибирский... Надо проснуться. Кажется, сейчас ночь... Никак не сообразить... Он дома, спит в своей кровати и даже слышит тихое дыхание жены — отдаленное дыхание: у них кровать на шесть персон, так она последние годы спит на месте шестой, если его считать первым...

Что у нас сегодня — выходной? Рабочий? Скоро ли вставать?

Господи, да надо ж наконец проснуться!

И он открыл глаза.

— Ну наконец-то!

На него умильно смотрит женщина средних лет в белом халате.

— Вот уже вторые сутки ресничками моргаете, а я все жду-жду: когда же пробудиться изволите? Дежурю тут у вас, чтобы не пропустить! Ну вот и ладненько, проснулись! Добро пожаловать, дорогой Владислав Сергеевич, с возвращением вас!

Он неуверенно пошевелился. Он ничего не понял из речей женщины в халате.

— Вы кто? — разлепил он с трудом губы.

— Вот водичка, попейте!

Она приподнимает его голову вместе с подушкой и поит его из кружки с носиком. Теперь он замечает капельницу, иглу в вене его левой руки. За окном садится солнце.

— Я в больнице?

Голос совершенно чужой. Это не его голос, не его! Он не может говорить таким голосом — хриплым, словно Высоцкий. Еще один сон, только и всего. Он никак не может проснуться.

Он откидывается вместе с подушкой обратно, ловит на себе умильный взгляд женщины и закрывает глаза.

— Вот и хорошо, — доносится до него. — Поспите, поспите, вам необходим сон. Вы еще очень слабы после комы...

Вкус воды во рту. Настоящий. Свежий вкус воды, омывшей его залежалые десны.

— Вы сказали — комы? — Он не открыл глаз.

— Да вы поспите, теперь это будет нормальный, хороший сон, а потом поговорим. Ладно?

— Я был в коме?

— Послушайте, Владислав Сергеевич, — неуверенно произнесла женщина, — если вы не собираетесь спать, то я тогда завотделением позову — он велел позвать, когда вы выйдете...

— Из комы?

— Да, из комы, — несколько раздраженно ответила женщина. — Я не должна говорить с вами, тут нужен психиатр. Подождите, раз спать не хотите.

Он открыл глаза и приподнялся на локте.

— Я не Владислав Сергеевич, — крикнул он вдогонку белому халату и увидел, как мелькнуло ее обернувшееся недоуменное лицо в проеме двери.

Он провалился в сон, на этот раз без сновидений, но неглубокий, должно быть. Потому как услышал шепот:

— Не будем его будить. Отложим на завтра.

— Вы меня извините за беспокойство, Валерий Валерьевич, но он проснулся и стал задавать вопросы...

— Не страшно. Вы правильно сделали, что позвали меня. Но сейчас не имеет смысла его трогать. Введите ему успокоительное, Зина, пусть поспит до завтра...

— Не надо успокоительное, — сказал он, открыв глаза. — Я хочу узнать, почему я в больнице.

Его вопрос застал доктора уже в дверях. Тот расплылся в радостной улыбке.

— С возвращением, дорогой Владислав Сергеевич! Мы рады вас приветствовать...

Какая-то туфта. Он поморщился.

— Ближе к делу можно? Что со мной произошло? Почему я в больнице?

— А вы не помните?

— Нет.

— Нет, — удовлетворенно подтвердил доктор. — В вашу машину врезался грузовик. После чего вы потеряли управление. Вы вылетели от удара через переднее стекло и весьма неудачно приземлились на пень... Не помните?

— Нет.

— Вернемся к разговору завтра. Вы только что вышли из комы. Выводы делать не будем — память вполне может вернуться к вам завтра. Договорились, Владислав Сергеевич?

— Я не Владислав Сергеевич.

— Хорошо, — согласился доктор. — А кто вы?

Он подумал. На ум ничего — ничего! — не приходило.

Доктор кивнул, будто примерно такой реакции и ожидал.

— Не исключено, что у вас амнезия. Но выводы будем делать завтра, ладно? Постарайтесь пока что уснуть.

— Не хочу. Я давно в коме?

Медсестра Зина, женщина в белом халате и с умильным лицом, протирала его руку ваткой и уже навострила шприц.

— Около десяти месяцев. Это не так уж много, знаете ли... Завтра, дорогой Владислав Серг...

— Я не Владислав Сергеевич.

— Хорошо. Пожалуйста. Скажите, как вас зовут?

Он морщил лоб. И видел почему-то снова пляж. И жену в рост, и дочку — попой кверху.

— Не помню... У меня есть жена и дочка... Вы им сообщили?

— Завтра, все завтра. Зина?

— Через минуту заснет...

Яркое солнце в большом чистом окне. Оно нагрело его скулу и слезит глаза. Это из-за него ему приснился пляж?

Он больше не хотел снов про пляж.

— Можно задернуть занавеску?

— Проснулись? Отлично! Зина, опустите штору! Давайте знакомиться. Меня зовут Валерий Валерьевич. Я ваш врач. А вас как?

Молчание. Он разглядывал врача в оцепенении.

— Я в коме? — наконец проговорил он не своим, странным голосом.

— Нет, вы уже не в коме. Уже нет, понимаете? Вы из нее, слава богу, вышли.

— Да... — Он соображал с трудом, мысли разбегались и прятались в щели, как ящерицы на старой, прокаленной южной жарой каменной стене. И ни одну нельзя было ухватить за хвост. А если и удавалось, то в пальцах оставался только его обрывок. — Раз я говорю с вами — значит, вышел... Я ведь не сплю?

— Не спите, дорогой Владислав Сергеевич. Вы вышли из комы практически без потерь, с чем я вас от души поздравляю! У вас сохранились все моторные рефлексы!

— Я не Владислав Сергеевич!

— Хорошо, — согласился врач. — А кто вы? Как ваша фамилия?

Он молчал. На ум ничего не приходило.

— В каком году вы родились?

Молчание.

— По какому адресу проживаете?

Молчание.

— Не расстраивайтесь, — произнес врач сочувственно. — После комы это часто бывает...

— Амнезия?

— Она самая... Удивительно, что вы помните слово.

— Я много чего помню, — буркнул он недовольно.

— Только не все, — кивнул врач. — Частичная амнезия. Что ж, будем восстанавливать память потихоньку.

— Почему я здесь? Что со мной произошло?

— Вы, Владислав Сергеевич, попали в автокатастрофу. Вас выбросило из машины...

Врач внимательно вглядывался в его лицо, словно собирался зафиксировать каждую перемену в его выражении. Но лицо пациента ничего не выражало. Тяжелые черты остались неподвижны, только в глазах светился требовательный вопрос.

— Вы получили серьезное сотрясение мозга, множественные локальные кровоизлияния в мозг... Я говорю понятно? Вам эти слова знакомы?

— Дальше!

— Что именно вы хотите узнать?

— Что значит «попал»? Кто в кого попал?

— Вы врезались в грузовик. Это не ваша вина, водитель грузовика нарушил правила движения. Он был пьян.

— Я был один в машине?

— Нет.

— Кончайте тянуть резину! — раздраженно распорядился пациент. — Если вы будете после каждого слова ждать, что я что-то вспомню, то я до вечера не услышу, что со мной произошло! Рассказывайте все подряд! Кто был со мной в машине? Что с ними?

— Ваша жена... — И врач опять замолчал, будто ловя его реакцию.

— Доктор!

— Извините. Ваша жена и ваш друг...

— Ну?!

— Они погибли... Оба.

Пытливый взгляд доктора раздражал неимоверно: он просто лез в кишки.

— У меня есть кто-то еще из близких?

— Есть, дочь. Она учится в Англии. Ей сообщили о вашем выходе из комы, но она, к сожалению, приехать не сможет: у нее слишком плотный график учебы.

— И больше у меня никого нет?

— Насколько мне известно, других близких родственников нет. Возможно, друзья...

— Нет. Это был мой самый лучший друг.

— Ага, вы это помните! Как его звали?

— Не знаю. А жену — Лена. — Он прикрыл глаза. Врач надоел ему.

— Елена, — кивнул врач. — Что еще припомните?

— Дочь... Купальник черный с золотом... Красивое тело, золотистая кожа, пляж в Анапе...

— По нашим сведениям, в последний раз вы отдыхали на пляжах Италии с семьей в прошлом году. В Анапе вы с семьей не бывали. Вы там родились.

Анапа. Белый город, черный загар. Бледные москвички, чья кожа постепенно озолачивалась солнцем...

— Дочь как зовут?

Тихо. Он молчит, только напряженно и недружелюбно смотрит на врача.

— Вы не помните вашу семью?

— Помню. Смутно...

— В некотором смысле это даже хорошо: сильные эмоции могли бы вам сейчас повредить! А так мы можем сконцентрировать наши усилия вокруг восстановления памяти... Расскажите все, что вы помните о семье.

Он наморщил лоб.

— Она москвичка. Жена, в смысле. Я женился на ней давно... — И он замолчал.

— Верно, — кивнул доктор. — Вы с ней познакомились, когда заканчивали институт. И вскоре поженились.

— А вы откуда знаете? — неприязненно спросил пациент.

— Ваши друзья рассказали. Для того чтобы определить, возвращается ли к вам память, мы должны знать факты вашей биографии.

— У меня нет друзей. Был один. Но вы сказали, что он погиб.

— Хорошо, коллеги, — не стал спорить врач. — Вы их помните?

Молчание.

— А друга вашего? Что можете о нем рассказать?

Не дождавшись ответа, врач продолжил:

— Вы дружили с детства. Оба родом из Анапы. Его зовут... — Врач снова подождал, но подсказки не последовало. — ...Владилен!

— Владилен? Вот! Вот как меня зовут, понятно?

— Сожалею, Владислав Сергеевич. Посмотрите, вот ваш рабочий пропуск, можете сами убедиться.

Руки дрожат и плохо слушаются, но слушаются. Пластиковая карточка с фотографией: «Владислав Сергеевич Филиппов».

— Но это не я!

— В каком смысле?

— Фотография не моя!

Врач посмотрел на него внимательно и тихо распорядился: «Принесите зеркало».

Принесли зеркало размером с книжку. Он посмотрел в него. Потом на фотографию.

— Не похож, — он резко бросил на пол и то и другое.

— Зря вы так, — обиделся доктор.

Он нажал на кнопку, и через десять секунд явилась Зина. Врач кивнул ей на осколки зеркала, и Зина принялась немедленно их заметать.

— А паспорт у меня есть?

— Разумеется. Только вы его сдали на обмен... Кроме вас, никто не может его получить. Но это ваша фотография, Владислав Сергеевич, поверьте! Мы вас собрали по кусочкам! Вы, можно сказать, влетели в пень лицом на хорошей скорости. Что от него осталось — страшно рассказать. Мы вас восстановили по фотографиям... Если какое-то отличие есть, не обессудьте. Мы старались изо всех сил.

— И голос не мой, — заявил он. — Вы меня обманываете. Что со мной случилось на самом деле? Я обгорел в машине? У меня повреждены связки?

Врач покачал молча головой и доверительно присел на краешек его кровати.

— Незначительные надрывы от удара, не более... Как вам ни трудно смириться с этим, но я вам рассказываю правду. Я перечисляю факты — в надежде, что ваша память отзовется на них... Вашу жену звали Елена. Вашу дочь зовут Полина. И вы сами — Владислав Сергеевич.

— А Владилен кто?

Врач почему-то радостно кивнул.

— Вы знаете, откуда это имя, «Влад-и-лен»? «Владимир Ильич Ленин». Так назвали вашего друга из Анапы его родители, в честь, так сказать, вождя пролетарской революции... И вы наверняка сейчас вспомните это... Ну же! Вы все детство дружили... В одном дворе росли! Припоминаете?

Он не припоминал. Какие-то обрывки, фрагменты, черно-белый калейдоскоп. Анапа, выбеленная солнцем, почерневшие от сладкой шелковицы губы, белый древний песок и два худых, до черноты загорелых тела на нем: его дружок Владька и сам он Владька, два задиристых галчонка... Владька не бегал с ним подсматривать за москвичками: он был помладше, девчонки его тогда еще не интересовали...

Тогда, в Анапе, в детстве... А теперь? Он ничего не понимал. Он попросил перенести разговор на завтра.

Но назавтра ничего не прояснилось. Он твердил, что фотография не его, что голос не его и лицо не его, что он не Владислав, что...

2*

— А кто же вы? Чье это лицо, если не ваше?

— Оно мое... Но не совсем.

— А вы помните свое лицо? Закройте глаза и попытайтесь представить его. Ну как, получилось?

Он старательно закрыл глаза и попытался вспомнить... Ни черта не получалось.

— Вот видите, — укоризненно проговорил врач. — Вы себя просто забыли! На опознание мы пригласили ваших сотрудников, и они в один голос заявили, что вы — это вы. А вашего друга опознала его жена. Зина, пора инъекцию делать, на сегодня хватит!

* * *

...Ей снилось, что она сидит у печки и смотрит на огонь. Он рыжими лохматами ластился к закопченным стенкам печки. «Лохматы» — это мать ей так говорила в детстве: «Людка, прибери лохматы!»

Пахло гарью — пришлось закрыть печку. Но почему-то перед глазами все равно пляшут рыжие лохматы. И пахнет гарью. И поленья — они потрескивают со странным стеклянным звоном... У нее уже режет глаза и щиплет ноздри от дыма...

Очередной стеклянный взрыв поленьев заставил ее открыть глаза.

За окнами ее дачи плясал огонь.

Собственно, окон уже не было: стекла лопнули от жара. Поленья со *стеклянным звоном*!..

Она помедлила в кровати, никак не соображая, но уже догадываясь... Хотелось натянуть одеяло с головой, и больше не видеть этой кошмарной реальности, и поверить, что это сон...

Но это был не сон. Ее дом горел. Горел, подожженный *снаружи*.

Люля рывком поднялась, приказывая себе не впадать в истерику. Быстрее: одежда, сумка, что еще?! Ничего! Надо спасаться!!!

Она, кашляя и задыхаясь, оделась за полминуты и, прижав к боку сумку, кинулась к двери. Раскаленный засов обжег пальцы. Схватив тряпку, она отодвинула его. Повернула два обычных замка.

Вот оно что... Как же она сразу не сообразила, почему подожгли снаружи...

Дверь не открывалась! Люля не знала, чем ее заперли, но дверь не открывалась!

Она вернулась на середину комнаты. Огонь лез во все четыре окна старой дачи, дышать было нечем, она старалась удержаться от кашля и вдыхать неглубоко, осматриваясь по сторонам в поисках выхода. На кухне небольшой подпол, там можно спрятаться. Но он тоже деревянный: он прогорит, и Люля если не сгорит заживо, то задохнется...

Больше ничего не оставалось. Она схватила с кровати одеяло, завернулась с головой, разбежалась на четыре шага и выбросилась через горящее окно на снег. Сдирая с себя загоревшееся одеяло, она проползла еще несколько метров вперед и зачерпнула снегу, прижав его к голове: одеяло в прыжке соскочило с головы, и волосы подпалились. На безопасном расстоянии от дома Люля села прямо на снег, глядя, как огонь подбирается к крыше. Еще бы лишних десять минут сна или паники, и она бы уже не выбралась из огня.

Она отползла чуть подальше и вдруг подумала, что тот, кто поджег ее дачу, может сейчас наблюдать за ней из темноты, досадуя, что она

38 опять увернулась от смерти. С чем на этот раз он выпрыгнет из тех кустов, что у нее за спиной? С ножом? С удавкой? Или просто выстрелит ей в спину?

В ней все смерзлось от снега и от страха. Замедленно оборачиваясь, она приметила какое-то движение. И поняла, что на этот раз ей не спастись. Черный силуэт приближался к ней, а в ней все смерзлось от страха и снега. Ни встать, ни побежать, ни на помощь позвать.

Все. На этот раз он добьется своего.

— Людочка!!! — истошно кричал женский голос. — Людочка, вы же горите!!! Вы где?

За женщиной, перешагивая сугробы, пробирался мужчина в валенках, вглядываясь в огонь.

— Если она еще не выскочила, то уже все, поздно, пропала... — произнес он. — Ты пожарников вызвала?

— Да куда там! Я как увидела в окошко, что Людочкин дом горит, так только тебя в бок толкнула, пальто на ночнушку накинула и выскочила. И в тапках — полные ноги снегу теперь! Неужто ничего нельзя сделать, а, Миш?

— Ты поди домой, вызови пожарников и переоденься. И милицию вызови на всякий случай. Иди, Валь, поторопись! А я пока посмотрю тут.

— Что ты посмотришь? — испуганно проговорила женщина. — Ты же не полезешь в огонь? Сам сказал: если она не выскочила, так уже поздно... Ты не вздумай, слышишь, Миш!

— Да не бойся ты, иди, переоденься, позвони! Мобильный на зарядке, на столе. Я только круг сделаю, погляжу, что к чему. Странное тут что-то...

Мужчина двинулся, держась на расстоянии от огня, в обход дома.

— Что? Что странное? — заволновалась женщина, семеня за ним.

— Я же тебе сказал: поди позвони как человек в пожарную часть! И в милицию тоже! А наговориться успеем. Ты прям, Валя, как...

Он не договорил. Голос у него вдруг пропал: Люля лежала перед ним на снегу, и снег возле ее головы был красным.

Он застыл на месте. Жена, шедшая за ним, толкнулась в его спину. Он молча ступил в сторону, открывая для нее картину. Валя охнула и со стоном присела на корточки, обхватив руками голову.

— Быстро, Валя, быстро домой! Звони! — очнулся мужчина по имени Миша, и голос его тоже очнулся.

— А ты что? — беспокоилась Валя за мужа.

— Звонить, я сказал! — рявкнул Миша, и Валя, пятясь некоторое время задом, не в силах оторвать взгляда от лежащей женщины и небольшого красного пятна на снегу, хорошо видного в свете огня, вдруг развернулась и припустилась изо всех сил к своей даче, загребая тапками снег.

Пока приехали пожарные, дом сгорел почти до основания.

Пока приехала милиция, Люля уже основательно напилась водки на кухоньке у соседей.

Миша принес ее на руках в дом, как только, собравшись с духом, приблизился к ней и убедился, к своей немалой радости, что она жива. Они с Валей привели ее в чувство, осмотрели голову: на коже имелся длинный, глубокий, корявый порез.

40 Видимо, об острый осколок оконного стекла, когда прыгала. От него же и одеяло соскочило с головы, и теперь от Люли пахло паленым: волосы обгорели.

Порез обработали йодом, Люле налили водки.

— Пей, Людочка, — распорядился Миша. — Огурчика дать? Валь, достань ей.

Люля опрокинула стопку по-мужски, целиком. Хрустнула огурчиком, глядя в клеенку стола.

— Давай джинсики твои посушим, а? — заботливо спрашивала Валя. — На попе ведь мокрые совсем, нехорошо это для женских дел...

Люля молча опрокинула в себя еще одну стопку. Снова хрустнула огурчиком.

— Оставь ее, мать, — негромко сказал Миша, глядя на неподвижную Людочку. — Сейчас водочка ее везде прогреет, и в женских ваших делах тоже.

Но сам все же сходил куда-то и притащил старую куртку, набросил Люле на плечи. Та даже головы не повернула.

— Вот горе-то какое... — прошептала Валя. — Муженек ее сначала, а теперь сама чуть не померла... — Валя всхлипнула от жалости.

— Жива же, — возразил муж. — Ничего, оклемается. Это у нее ступор, пройдет. Пусть пока водочки попьет.

Люля так напилась «водочки», что была не в состоянии ответить ни на один вопрос милиции. Впрочем, как знать, была бы она в состоянии без водочки...

Миша вызвался дать самые подробные показания и ушел с капитаном к останкам дачи, от которых курился горький дым.

— Вот тут ее и нашел, Людмилу, — видите пятно крови? — а прыгала она точно через окошко, что вот примерно тут где-то было. У них дачка старая, всего ничего: комнатка побольше да комнатушка поменьше. Печка — кухня как бы — в сенях, и еще верандочка была, вот тут. А скажу я вам, товарищ капитан, что дом снаружи подожгли. Дело ясное: когда изнутри пожар, так огонь изнутри и валит. А тут дом снаружи горел, будто его бензином облили и подожгли, точно вам говорю! И Люда, когда в себя пришла, сказала: дверь кто-то снаружи запер. Оттого она в окошко и прыгала, голову порезала, волосы опалила... А кто поджег, никакой идеи у меня нет, товарищ капитан, я их дел не знаю... Муж вот у нее в автокатастрофе погиб, год тому уже скоро или около того, — так я уж теперь думаю: может, нарочно кто подстроил ему смерть в машине? Где же это видано, чтобы женщину живьем в доме жечь! Тут что-то нечисто, товарищ капитан. Вы там приложите силы, что за изверги такие, надо их поймать...

Люля провела у гостеприимных соседей еще три дня, не выходя из прострации, а на четвертый день засобиралась. Стесняясь, выложила им все наличные деньги, несколько тысяч рублей. Как ни махали они руками, сумела настоять. Миша работал машинистом в метро, Валя — нянечкой в детском саду; московскую квартирку они сдавали, потому и жили на даче круглый год. Хоть в этом повезло Люле: если бы не соседи...

Она так и не знала, был ли тогда кто-то в саду или нет. Если был, так его спугнули соседи... А может, она как раз дядю Мишу и увидела?

42 В том полуобморочном состоянии она понять не успела. И уже не узнать: пожарники так затоптали снег и затерли его брандспойтами, что никаких следов на нем теперь не разобрать.

Одно было ясно: это поджог. Экспертиза установила, как и предположил сосед Миша, что дом облили бензином и...

Чем заперли дверь снаружи, с точностью сказать невозможно, но не исключено, что подперли ее тем черным, но все-таки сохранившимся толстым бревном, что нашли на пожарище.

* * *

...Через три дня им овладело такое безразличие, что он больше не спорил. Владислав так Владислав. Жена погибла, дочь не может навестить отца, у нее есть дела поважнее — надо, наверное, переживать... Это близкие люди... Или нет?

И лучший друг погиб.

А он, он жив почему-то... Надо, наверное, переживать...

Но у него не было никаких эмоций. Никаких. Только где-то на дне мозга, в самой его глубине шевелился жалкий червячок, силясь проложить ходы и связать между собой фрагменты воспоминаний.

Жалкий, ничтожный червячок! Он никогда не преодолеет твердыню его окаменевшего от рубцов мозга — никогда.

Через пять дней он научился без запинки отвечать, что его зовут Владислав Сергеевич, что в машине были жена по имени Елена и друг по имени Владилен и что они погибли. Он один остался жив, но от удара вылетел через переднее стекло из машины (ремень, конечно же, не пристегивал!) и попал лицом прямо в пень. После чего лицо пришлось восстанавливать по фотографиям...

И еще у него есть дочь Полина, которая не сможет приехать к нему: занята.

А ему, собственно, и не надо.

Он много спал и мало бодрствовал — успокоительные, которыми его пичкали, делали свое дело. Он сам себе напоминал разбуженного зимнего медведя, злого и одновременно вялого, ослабевшего. Он порывался настоять, что вполне может обходиться без лекарств. Врач не соглашался. Влад спорил. Тогда Валерий Валерьевич уступил:

— Хорошо. Вы убедитесь в моей правоте. Успокоительные на завтра не назначаю.

Весь день он провел в необъяснимой тревоге и истерике. Он плакал, дрожали руки и ноги, было отчего-то все время холодно, и он мерз и плакал — неизвестно почему. Может, потому, что вдруг вспомнил, как в последний момент, завидев громаду грузовика, развернул машину, стараясь обойти опасность, инстинктивно защищая от максимального удара себя. И двоих пассажиров своей машины невольно подставил под удар. Укокошил. А сам жив.

И он попросил успокоительных.

Протянулась неделя, лишенная вкуса и запаха. Он по-прежнему чувствовал себя злым разбуженным медведем, бессильным большим зверем, пойманным спросонку в капкан.

За это время его не раз посещали бессвязные обрывки воспоминаний, то в снах, то наяву, которые не желали связываться между собой и превра-

44 щаться в *память*. И к концу этой недели Влад снова затребовал снять лекарства.

— ...Все это вместе: ваше посткоматозное состояние и последствия кровоизлияния, — журчал врач, увещевая, — привели к тому, что некоторые участки мозга временно выключены. Вы подвержены излишней слезливости и нервозности — эти явления хорошо известны при инсультах. Поверьте мне, на данном этапе прописанные вам средства — лучшее решение, — мягко говорил врач, но в глазах электрическими искрами пробегало раздражение. — Зачем вы от них отказываетесь? Снова проплачете весь день!

— Они мешают мне вспоминать!

— Это иллюзия, — ответил Валерий Валерьевич. — Успокоительные средства никоим образом не могут влиять на вашу амнезию! Напротив, они поддерживают состояние психического равновесия, в котором у вашей памяти куда больше шансов вернуться!

— Давайте все-таки снова попробуем, — ответил Влад. — От ваших уколов у меня голова ватная. Как старое одеяло, в котором вата уже давно распалась на слежалые клочки...

— Это не уколы, а мозговая травма виновата!.. Ну хорошо. Зря вы мне не доверяете, — обиженно произнес доктор, — но пусть будет по-вашему. Завтра колоть не будем. Тогда и увидите, что я был прав...

Он был прав, доктор. Владу пришлось признать это к концу дня. Он снова плакал, где-то отстраненно, с удивлением констатируя, что ему это совершенно не свойственно, но удержаться от слез не было никаких сил. Он плакал от благодарности к заботливой медсестре Зине, которая пришла, чтобы ввести ему порцию витаминов; он плакал при мысли, что жена и друг погибли; он плакал потому, что, хоть и невольно, убил их... Он плакал оттого, что солнце садилось, и закат почему-то рвал душу; оттого, что Зина прощалась до завтра, и ему казалось, что нет более ни одной близкой души во всем мире...

Наутро Валерий Валерьевич ему мягко выговаривал:

— Ну, теперь вы убедились, что мой метод лечения верен?

Клиника была частная, наверняка дорогая; платила фирма Влада. Врач был воплощением вежливости, весь до пяток к услугам клиента — пациента то есть. Он ни на чем не настаивал, он только уговаривал...

Но Влад был вынужден признать правоту доктора.

Теперь он безропотно подставлял вены под уколы и больше не помышлял об экспериментах. Без успокоительных средств он превращался в тряпку, годную разве только для подтирания луж слез.

Что же до памяти, то она явно не собиралась уступить ему ни клочка информации. Впрочем, он, в кратком просвете ясного мышления, попросил фотографии друга. Ему принесли. Детские фотографии: ну, кто здесь кто?

Влад молчал, болезненно всматриваясь в черно-белый старый снимок.

— Родителей своих узнаете?

Родители... Вот эти двое, кажется, это его... мама и папа... Неужели он их позабыл? Да нет же, не позабыл — вот, это они, он помнит!

46   Странное дело, его сознание будто мерцало, то принося ощущения узнавания, то вдруг стирая все, как ластиком, оставляя широкую бесцветную полосу небытия на плотно исписанном полотне его жизни.

— Мои родители живы?

— Увы... Ваш папа умер шесть лет назад, мама — два года тому. Вы их узнаете?

— Вроде да.

— То есть вы не уверены, что это *ваши* родители?

— Кажется... Уверен.

— Прекрасно, Владислав Сергеевич! А это кто?

— Владькины родители?

— Отлично! А это? — Он ткнул пальцем в мальчика, неловко замершего под рукой другой женщины.

— Наверное, Владька? Мой друг?

— Он самый. Вы узнали или догадались?

— Не знаю. Ничего не знаю... А может, это я?

— ...Интереснейший случай частичного замещения личности. Пациент отождествляет себя со своим другом, погибшим в автокатастрофе. Он ощущает себя ответственным за случившееся, так как он был за рулем, — прошу всех обратить внимание на этот факт. Это и привело к замещению: подсознательное желание воскресить друга, в смерти которого он виноват, хоть и невольно. Ему хочется верить, что в автокатастрофе умер он сам, а друг выжил. Иными словами, попытка избавиться от тягостного чувства вины. Как мы видим, смерть жены у него подобных эмоций не спровоцировала. И это при том, что пациент обоих помнит крайне обрывочно и смутно. Что говорит о дифференциации его отношений и классификации ценностей, в которых однозначно дружба занимала более высокое место, чем семья... Вопросы есть?

Вопросов не было. У его аспирантов никогда не было вопросов: считалось, что вопросы могут быть только у тех, кто слушал невнимательно или отличается особой тупостью. Они почтительно плелись в хвосте во время обхода, с любопытством наблюдая из-за спины профессора за пациентами с последствиями различных мозговых травм. Впрочем, никто из аспирантов не сомневался: предстоит большая работа по изучению каждого конкретного случая, а все грядущие статьи по ним напишет их профессор, светило всех наук, предварительно собрав заключения у аспирантов. И, слегка перефразировав их тексты, Валерий Валерьевич выпустит труд под своим именем...

* * *

— Думайте, думайте! Кому вы мешаете, чем? Если бы ваши ценности-драгоценности были нужны, так вас ограбили бы! А тут — *хотят устранить вас*. Кто-то хочет ваше место на работе? Вы, как это, художник по костюмам...

— Можно и так назвать, — соглашалась Люля, — но только я дорогу никому не перебегала, никого не обидела, за что желать мне смерти?

— При чем тут обиды? — недоумевал следователь. — Это просто конкуренция. Кто-то зарится на ваше место и вашу зарплату, к примеру.

— У меня нет зарплаты, — объясняла Люля, — я получаю гонорары за каждую разработку. И конкурентов у меня нет: я не боец, не борец, — стоит

48 только мне сказать, что я не нужна, и я уйду. Все это знают.

— Ха! Это ваше начальство знает. Это по его слову вы можете уйти. А конкурент вам такого сказать не может. Потому и пытается от вас избавиться! Почему нет? Место небось тепленькое, блатное?

Он ковырял в зубах палочкой для аперитива, чем ужасно раздражал ее.

— У меня нет начальства, это раз. Я сочиняю, предлагаю — модельер берет или нет. На мое место попасть нельзя, потому что у меня нет *места* — это два. У меня есть талант, и любой другой талантливый человек имеет шанс занять место рядом со мной, совсем необязательно вместо меня!..

— Ой! — по-бабьи воскликнул следователь, прихихикнув. — Талант везде себе пробьет дорогу?

Люля вздохнула. И да, и нет... Талант обязательно нужен. В этой сфере без него не пробиться — это совсем не так, как, к примеру, в шоу-бизе, где вместо голоса сойдут смазливая мордаха и максимально обнаженные силиконовые запчасти...

Но чтобы талант заметили, оценили, для этого нужен еще один, особый талант: прорыва, взятия осадой или на абордаж! А люди, как правило, владеют только одним талантом: либо творческим, либо пробивным.

Она вспомнила свои первые, до Владьки, визиты в приемные известных модельеров, убийственно безнадежные визиты. Требовался мощный таран, чтобы вломиться прямиком к тому, кто оценит ее талант и при этом не обдурит. Владька и стал ее тараном. Он сказал как-то: «Никаких дружеских услуг не признаю, это лучший способ потерять друзей и нажить врагов. Деньги — вот единственный беспристрастный посредник в делах, который не подводит никогда. Поэтому я никогда не прошу — я плачу!»

Она имела возможность воочию увидеть, как Владька применяет теорию на практике. Он являлся к очередной фифе — не в джинсах, конечно, и не в небрежно заправленной рубашке, а в дорогом костюме. На пальце здоровый золотой перстень — «для козлов и козлих», говорил он дома, надевая перстень. Шикарная машина оставлена прямо перед входом, на виду. «С волками жить — по-волчьи выть», — говорил он, нагло паркуясь у стеклянных дверей.

Разговор был короток.

— У вас какая зарплата, милая? — говорил он ласково фифе.

Та удивлялась, мялась, но ласковые глаза с пляшущими чертиками делали свое дело, и фифа называла сумму.

— Я плачу вам премиальные в размере месячного оклада. Вы берете вот эти эскизы, выдаете мне расписку в получении — вот здесь распишитесь — и делаете все, чтобы ваше светило изволило их изучить. При этом бдите, чтобы у него не появилась мыслишка их слямзить. Скажете, что авторские права защищены, что автор много работала за границей, а сейчас в силу семейных обстоятельств вернулась на родину и готова поработать на благо отечества. Дайте понять, что принимать эскизы он не обязан, но идеи настоятельно не рекомендуется красть: дороже обойдется! Вы меня поняли? Вот диктофон. — И Владька совал обалдевшей фифе в руки крошечную штучку вполладони. — Вы его положите в карман — он сам включится на звук. Работы у вас на десять

50 минут, но, как только я получу запись вашего разговора, вы получите премиальные в размере месячного оклада. Вне зависимости от конечного результата. Идет?

Эскизы Люли взяли четверо из пятерых. Последний счел, что ее разработки решительно не в его стиле. Что ж, имеет право. Четырех Люле хватало за глаза.

Спустя некоторое время она определилась в своих вкусах и пристрастиях и стала работать только на одного, на Славу Мошковского. Ей нравились его утонченные фантазии, чувство формы и цвета, точное восприятие геометрии тело—одежда—пространство. И, самое главное, он был единственным, кто не подгонял манекенщиц под одежду, но всегда наоборот: одежду под их индивидуальность.

Именно в этом состояла его оригинальность, его вызывающая смелость, если не сказать — нахальство. На одном из показов он выпустил на подиум настоящую толстушку, и именно она удостоилась самых бурных аплодисментов. Слава тогда еще вышел к зрителям и заявил, что он устроил «праздник тела — самой совершенной одежды нашей души». Аплодисменты превратились в овации, а Слава после этого показа стал новой звездой русской моды и получил несколько соблазнительных предложений за границу.

Люлю он любил нежно — так, как могут любить женщин гомосексуалисты, когда почти женская дружба лишена всякой женской же мелочности... Люля отвечала полной взаимностью. Незадолго до Владькиной смерти Слава Мошковский начал ее уговаривать, чтобы она сама вышла на подиум. «В твоей угловатости и неловкости — море обаяния, — уверял ее Славка. — В твоей неуклюжести проглядывает душа, мое солнышко, весь твой нежный и колючий характер, а именно личность меня интересует больше всего! Я хочу, чтобы за одеждой было видно тело, а за телом — душа...»

Нет, никто не мог занять ее место возле Славы! Треть его коллекции была вдохновлена ее эскизами, и он никогда не забывал упомянуть ее как участника разработок. И занять место Люли можно только идеями еще более талантливыми, чем у нее. Так что убивать ее совершенно незачем: достаточно принести более оригинальные идеи...

Она попыталась объяснить это следователю. Она не знала, о чем он думает, глядя на нее водянистыми глазами без всякого выражения и ковыряя в зубах палкой для оливок.

— Ну, допустим, — прорезался он наконец. — Ну, а у мужа покойного — там что?

Она не знала. У нее остались какие-то бумаги, акции, но она в них ни разу не заглянула.

Следователь только хмыкнул, возмущенно тряхнув головой, и записал под ее диктовку название фирмы, где работал Владька: «Росомаха».

Он позвонил ей через неделю. И сообщил, что ее муж никогда не числился в фирме «Росомаха».

Люля уже перебралась в загородный дом, где новый телохранитель по имени Артем нес службу еженощно. Пока все шло без приключений, слава богу.

Просидев в прострации несколько часов после звонка следователя, Люля вдруг очнулась и позвала Артема ужинать. На столе стояла запотевшая бутылка водки «Абсолют» — Владька ее любил, и

52 ее запасов в подвале хватило бы на год. На кухне вкусно пахло жареной картошкой с луком и рыбой.

Артем, однако, пить отказался, сославшись на службу, и Люля пила одна.

До того, как напиться окончательно — что, собственно, и являлось ее конечной целью, — она успела спросить Артема:

— Вы когда-нибудь вели двойную жизнь?

Он не понял вопроса. Пришлось пояснять:

— Например, вы работали в одном месте, а жене соврали, что в другом?

— Зачем? — удивился Артем.

— Вот и я думаю: зачем?

— Только если он секретный агент, — подумав, предположил Артем. — У них всегда «легенды». Даже для семьи...

Она помнила эти слова утром. И они распирали ее мозг.

Она позвонила Славке.

... Люля не очень любила квартиру Славы Мошковского: ангар, а не квартира. Он зачем-то сломал все стены и сделал огромное единое пространство, где помещалось все на свете: кухня, гостиная, столовая, спальня... «У меня, как у всех маленьких мужчин, — мегаломания, неодолимая тяга к большим и великим вещам, — смеялся Славка. — Мне нужно огромное пространство и великие идеи. И если бы я был гетеросексуалом, то непременно завел бы себе подружку на пару голов выше себя, а с каблуками — так на все три!»

От стенки, где располагалась кухонная мебель, до противоположной было добрых метров тридцать в длину. И она едва слышала Славку, который жарил на разных сковородках креветки и капустные котлеты (он был вегетарианцем), пока она потягивала сок манго с ромом из высокого стакана за низким столиком. Женщин Слава до кухни не допускал — он и здесь был единоличным творцом и художником, и Люля сидела как идиотка одна за столиком посреди этого ангара, перекрикиваясь со Славой, суетившимся у плиты под шумной вытяжкой.

— А этот его друг детства — они же вместе работали! Если память не изменяет, он тезка твоего мужа, Влад! Так надо у него и спросить, как называется фирма!

— Следователь пытался с ним связаться. Но он не так давно вышел из комы, и у него потеря памяти... Бесполезно спрашивать.

— Амнезия, что ли?

— Она самая.

Наконец Слава закончил свой ритуал по приготовлению ужина и пригласил ее занять место за столом. Впервые со смерти Владьки Люля почувствовала себя хоть как-то, хоть более-менее уютно... Славка свой, очень свой, близкий, и теперь она удивлялась, почему не хотела его видеть все это время после похорон. Наверное, просто потому, что ей казалось, что жизнь закончилась. Закончилась совсем и навсегда.

Оказалось, что нет; оказалось, что ей не хочется быть раздавленной машиной или сожженной заживо... Оказалось, что еще можно ощущать если не радость, если не счастье, то хотя бы душевный комфорт... Со Славкой, к примеру.

— М-да, — сказал Слава, наливая ей белое вино. — Ерунда какая-то... А ты это откуда взяла — «Росомаха»?

Татьяна Гармаш-Роффе

54

— Мы встречались несколько раз с Владькой у выхода. Он говорил, что это его фирма.

Слава вернулся к плите, снял шипящую сковородку с тигровыми креветками под чесночным соусом, облил их коньяком, поджег и притащил это исчадие ада с синим пламенем на стол. Пахло до одури вкусно.

Разложив креветки по тарелкам, Слава наконец уселся напротив нее.

— А визитки у него были?

— Конечно. Но мне ни разу не пришло в голову посмотреть, что там написано...

— Так посмотри! И еще: ты говорила, что он большой спец по компьютерам? А «Росомаха» эта чем занимается?

— Пушниной. Мехами, в смысле.

— Может, он у них по компьютерам был главный?

— Следователь сказал, что он там не числился.

— Хм... А акции? Ты говорила, акции остались?

— Нескольких фирм. «Росомаха» в том числе. Славк, как ты думаешь, Владик мог быть секретным агентом?

— Владик? — Слава не стал иронизировать и честно задумался. — А акции? Это, хочешь — не хочешь, а бизнес. Секретные агенты не занимаются бизнесом... Или я сужу по всяким киношкам?

Он помолчал, соображая.

— Нет, Люлёк, вряд ли. Акции непременно оставляют следы. Где-то ведь записано, что они на него... Это же товар, а раз есть товар, значит, есть и сделка.

— А если это часть легенды? Типа, бизнесмен?

— Мы с тобой не с той стороны зашли, душа

моя. Он часто отлучался? Ездил в командировки? Приходил слишком поздно с работы?

— Нет.

— Тогда он на агента не потянет. В этой профессии нет нормированного рабочего дня. Опять же, я, может, штампами мыслю, но, по логике вещей... Знаешь что, Люлёк? Тебе нужен приличный частный детектив! Вот и все, и пусть у него голова болит! Погоди, я сейчас разузнаю.

Люля не успела даже ответить, как Мошковский уже набрал номер и ласково загудел в телефон:

— Александра? Здравствуй, дорогая. Помнится мне, твой полюбовник детективом работает, а? Да? И как с ним связаться? У меня-то? Ничего, бог миловал. А вот у одной моей задушевной подружки наметились кое-какие проблемы... Ага, записываю!

— Вот, — Слава протянул Люле листок бумаги. — Давай-ка прямо сейчас и позвоним. Не то, знаю я тебя, — как одна без присмотра останешься, так завернешься в свои свитера и отгородишься ими от жизни, как броней! А жизнь продолжается, Люлёк! Заканчивай-ка свои креветки, котлеты капустные истомились в ожидании! А я сам позвоню пока. Ешь, ешь! Пока я с ним поболтаю, ты уже дожуешь, не волнуйся...

Но ей даже не пришлось брать трубку, Слава обо всем договорился сам. Встречу назначили на завтра.

Ужин был закончен, несколько Славкиных набросков обсуждено, обещание вернуться к работе Люлей дадено.

Телохранитель Артем получил ее из Славкиных рук, и они вернулись в загородный дом, находившийся по Ярославскому направлению в прелестном местечке над речкой, носившем прелестное название: «Охраняемая зона номер 2».

На въезде охранник, узнав Люлю, поднял шлагбаум, но вышел из будочки и направился к ее машине, точнее, к машине Артема.

— У вас проблемы с канализацией, Людмила Афанасьевна?

У нее не было проблем с канализацией. Она удивилась вопросу.

— Тут приезжали двое. Сказали, что поступил сигнал — в нашей зоне якобы канализация неисправна. А я им ответил, что общей канализации у нас нет, у каждого своя. Тогда они назвали ваш дом. Я их не пустил, Людмила Афанасьевна. Смурные какие-то ребята.

Люля посмотрела на Артема. Тот кивнул.

— Вы правильно сделали, — сказал Артем охраннику. — Спасибо. Сами понимаете, одинокая женщина, вдова... Вы и впредь будьте начеку, ладно?

Люля вытащила из портмоне сто долларов и вручила их охраннику. Тот не отказался, хоть и принял деньги с видимым смущением.

— Что, Артем, подбираются ко мне, как вы думаете? — спросила она почти весело, когда они вошли в дом.

— Подбираются, Людмила.

— А если бы они догадались раньше меня сторожу стольник дать, что тогда? Взял бы он у них?

— Возможно.

Люля засмеялась.

— Воз-мож-но... — повторила она. — А если вас подкупать будут, вы как, продадитесь?

— Обижаете. Зачем вы так, Людмила? Я человек с понятиями. С меня Афгана хватит.

— Простите, Артем.

Он молчал.

— Пожалуйста, простите, — снова попросила она. — Мы ведь за все время парой десятков слов только перекинулись, согласитесь, я вас совсем не знаю. А в наше продажное время...

— Не извиняйтесь. Я понимаю, вам трудно сейчас. Не обижаюсь, не беспокойтесь. Особенно если ужинать дадите, — улыбнулся Артем.

— Господи, — спохватилась Люля, ведь, пока она ужинала у Славки, Артем сидел в машине голодный!

Она направилась на кухню, приготовила омлет на сметане с грибами и ветчиной и долго звала Артема, пока не поняла, что его в доме нет.

Ей стало не на шутку плохо.

«Я человек с понятиями. С меня Афгана хватит», — крутилось у нее в голове. Слова, это всего лишь слова... Всего лишь слова... Он ее бросил? Оставил территорию для убийцы?

Она рванула к входной двери, проверила запоры, включила сигнализацию. А охранник на въезде в *зону*? Он взял у нее сто долларов, но, как знать, может, он уже взял пятьсот у убийц?

Минут через двадцать раздался звонок в дверь.

Артем.

Люля до рези в глазах вглядывалась в глазок: один? Или кого привел с собой?

Открыла все-таки. Привалилась без сил спиной к стене прихожей.

— Я решил посмотреть, в целости ли забор, —

озабоченно произнес Артем на пороге. — Вы что, Людмила?!

Ее трясло от рыданий без слез. Ей было стыдно до обморока, и в то же время она понимала, что теперь шкурный страх за свою никчемную жизнь будет повсюду бежать впереди нее, подозревая и обижая всех тех, кто рядом с ней...

Кажется, она просила прощения. Что-то слишком сложно и длинно объясняла. Артем слушал-слушал, потом коротко перебил:

— Глупости какие. Поесть-то дадите?

И, уже наевшись, сообщил, что в одном месте, там, где бетонная стена прилегает к лесу, сделан подкоп. Точнее, подкоп находился в процессе: за стеной кто-то орудовал лопатой. Пока Артем выбрался с территории и добежал до места подкопа, там, разумеется, и след простыл от копателя.

Он охране уже сообщил, меры приняты немедленно. Владельцы дач в «Охраняемой зоне номер 2» платят за свою безопасность немалые деньги, так что ребята постарались: подкоп засыпается, а по «зоне» отправился наряд с намерением выявить любую несанкционированную личность...

— Не беспокойтесь так, Людмила, — говорил Артем, налегая на десерт, ванильное мороженое с орехами, которое он страшно любил. — Тут народ серьезный, я с ними потолковал. Я вам честно скажу: эти ваши железные двери вместе с сигнализацией — это все фигня, плюнь и разотри. А зато вот тот мужик, что охраняет въезд, — вот это и есть препятствие. Я с ним тоже поговорил — он человек, понимаете? Нормальный человек, с понятиями... Если будете подозревать всех, Люда, крыша поедет. Так что вы не нервничайте. Я с вами. И я — я тоже препятствие. Так-то, Людочка.

И он накрыл своей большой ладонью ее руки, **59**
сцепленные в отчаянии на столе.

Люля подняла на него глаза.

Он поспешно убрал руку.

Артем был холост, в силу чего располагал своим временем полностью. Да и то, его грубоватое и обычно угрюмое лицо с двумя шрамами (один поперек брови, черной и густой; второй по краю верхней губы) вряд ли вызывало бурный прилив женского энтузиазма. Его рабочими часами у Люли были ночные, днем он отсыпался. Проще было, коль скоро его никто и нигде не ждал, чтобы отсыпался он в доме у Люли. Она отвела ему комнату, ни разу не задумавшись о постоянном присутствии *мужчины* в доме. Только сейчас, в первый раз, когда он поспешно снял теплую, большую ладонь с ее сжатых кулачков, она вдруг подумала о том, что он мужчина, который фактически живет в ее доме.

После этой мысли ее ночь осложнилась. А что, если он — вдруг! — неправильно понял ее любезное предложение жить в ее доме? А что, если он...

Но он — *ничего*. Ничего не подумал, не предпринял, не сделал ложных выводов.

И Люля, беспокойно проворочавшись в постели полтора часа, благополучно заснула.

...Для того, чтобы проснуться в руках Артема.

Он полулежал рядом, поверх одеяла, поглаживая ее по плечу.

Встреча их взглядов была трудной: ее недоумение, в котором вот-вот родится негодование; его

60 напряжение, вот-вот готовое перейти в чувство вины...

— Вы плакали во сне, — сказал он, поднимаясь. — Я хотел вас успокоить.

Люля провела рукой по подушке: она была влажной.

— Спасибо, Артем. Я оценила... Но...

— Я понял.

— Я хочу сказать...

— Я понял, — резко повторил Артем.

...«Измена — это понятие, постороннее чувствам. Оно проистекает из морали, то есть от ума, а не из чувств, которые свободны по своей природе. Люди накладывают понятие измены на чувства, как вериги. Как обязательство, как долг, — *вопреки* чувствам. Но разве можно обязать чувства? Кто имеет право лишить другого человека бесценного опыта для души и для тела? Только потому, что в нем говорит ревность и собственническое чувство? Я бы никогда не стал тем, что я есть сейчас, если бы я не прошел свой опыт, Люля. Если бы я его не пережил, то Золушка осталась бы для меня навсегда посудомойкой. И разве я могу тебе вменять в обязанность *верность*? Нет, Люля, таких прав я не могу себе присвоить. Ты свободна, помни это...»

Она тогда очень удивилась. Даже неприятно удивилась, ей совсем не понравилась свобода, которую он ей предоставлял. Она была достаточно ревнива, но видела, что Владька свободы от нее не искал: он ее успел поиметь в избытке до нее. Нет, Люля знала, что подвоха в его словах не было, в том смысле, что он не пытался ничего выгадать для себя. Он действительно готов был предоставить свободу *ей*, но ей это не нравилось. Она не хотела свободы от него. Она его не понимала.

А вот сейчас поняла. Артем нисколько не привлекал ее как мужчина, но, боже мой, как легко было бы сейчас замкнуть его сильные руки на себе! Руки, явно истосковавшиеся по нежности, по женщине...

Это было бы легко и почти естественно в данных обстоятельствах: ей остро требовалось тепло, поддержка — мужская поддержка, конечно, не дружеский бабский треп... Да и не было у нее подруг, если честно. Люля всю жизнь полагалась только на себя и к задушевным отношениям с детства не была приучена. «Ты дикая, — говорил Владька. — Ты никогда не знала ласкающей руки и не веришь ей. Мне нравится тебя приручать, дикарка моя...»

И Владька ее приручил. Она доверилась *ласкающей руке*, и теперь ей было плохо без нее. А в руках Артема ей почудилось то самое тепло, та бережная уверенность, в которой она так нуждалась сейчас... И у нее все было, чтобы позволить этим рукам замкнуться на себе: и желание ощутить их нежную опеку, и великодушное разрешение Владьки.

Все, кроме одного: женским чутьем она уловила, что Артем готов ее любить. А она могла ему только позволить сомкнуть руки у нее на спине. Так всучивают фальшивую пачку денег: сверху купюра, в середине газетная бумага. Одно ее слово, одна ночь — и она станет *кидалой* у обменного пункта.

Она бы себе не простила такой подлости.

— Мне нужно одеться. — Она натянула одеяло до подбородка.

— Извините.

Артем вышел из спальни, и Люля поспешно встала: на сегодня было назначено рандеву с частным детективом, которого звали Алексей Кисанов.

* * *

— На работу?!

Он так удивился, что зачем-то вскочил с кровати.

— За ваше лечение платит фирма. Они считают, что частичные провалы в памяти, касающиеся в основном вашей личной жизни, не помешают вам вернуться на службу.

Влад посмотрел на огромную корзину с фруктами, которую ему пару дней назад принесли три сослуживца. Их визит не произвел на Влада никакого впечатления: своих коллег он успешно забыл, они не оставили никакого, даже смутного следа в его памяти. Он поймал взгляды, которыми они обменивались между собой: надо думать, что он и его лепет представляли весьма жалкое зрелище. Визит утомил его и оставил неприятный осадок.

— А вы как считаете, Валерий Валерьевич?

— Я... Видите ли, у нас частная клиника. Вы провели у нас почти десять месяцев в коме и уже месяц после выхода из комы. Это большие расходы. И если нам больше не хотят платить... Вы понимаете?

— Да.

Он лег на кровать, подавив волну возбуждения. Даже глаза прикрыл, чтобы успокоиться. Он до сих пор ни разу не подумал о том, что будет с ним дальше, когда он выйдет из клиники. Мир сузился до больничных стен — по крайней мере, внутри их жизнь была узнаваема. А за ними — что за ними? Как нужно жить за ними?

— Дело в том... Валерий Валерьевич, я совершенно не помню, в чем состояла моя работа! Уговорите их... Скажите им, что я еще нуждаюсь в лечении!

Ему стыдно было признаться, что он боится.

— Вы будете ко мне приходить, амбулаторно. Не волнуйтесь, Владислав Сергеевич, вы останетесь под нашей неусыпной заботой и опекой! Как пояснили ваши коллеги, фирма маленькая, и работа у вас несложная. Если вы что-то забыли, вас обучат заново. Но в ней вся работа основана на доверии. Ваше имя, то есть ваша подпись, много значит для рабочего процесса. В ее отсутствие часть дел застопорилась. Ваши коллеги сказали, что вы им срочно нужны на рабочем месте.

— А я справлюсь? — растерянно проговорил он.

— Ваши коллеги уверяют, что да, — ответствовал врач, мысленно отметив, что Влад даже не спросил, в чем заключается работа.

Загадочная это штука — память...

При выписке врач подарил ему коробочку для лекарств — «недельку». В каждом из семи отделений по три капсулы: синяя, голубая и розовая. Синяя для улучшения памяти, голубая — для улучшения кровообращения, розовая — комплекс витаминов. И еще одна маленькая белая таблетка вечером: для успокоения расшатанных нервов. В придачу упаковки с аналогичными лекарствами и с наказом заправлять коробочку каждое воскресенье вперед на неделю.

Кроме того, два раза в неделю ему вменялось

являться к Валерию Валерьевичу на сеансы психотерапии.

«И не вздумайте заниматься самолечением, Владислав Сергеевич! Принимайте строго прописанные средства, и только их! Ни в коем случае не пропускайте прием лекарств! Если что-то вспомните, непременно проконсультируйтесь со мной!» — настаивал Валерий Валериевич, его лечащий врач.

Он рассеянно пообещал — все мысли были заняты тем, что он увидит, с чем столкнется в реальной жизни. В той жизни, что он основательно подзабыл....

Жизнь оказалась безрадостной.

Новая квартира — он совершенно не помнил ее покупку и переезд — была заставлена коробками и разобранной на доски мебелью. В первый день он не знал, куда сесть, куда лечь... По справочнику он выписал рабочего, который свинтил разнородные части, образовав мебель: шкафы и шкафчики, комоды и ящички, кровать и стол... Стало чуть легче дышать. Он не был уверен, что *узнал* мебель, — скорее просто принял ее как данность.

Следующим этапом была домработница: ее он заказал в каком-то бюро по найму.

Та пришла и принялась, как ей было поручено, разбирать коробки. Однако все оказалось не так-то просто: она без конца приставала к нему, что за вещь да куда ее класть. Женская одежда: жены, дочки... Влад велел оставить ее в коробках: ни малейшей идеи, что с ней делать. Жена похоронена во время его беспамятства в коме. Есть адрес и номер сектора на кладбище, но он туда не торопился идти. Что делать на могиле человека, к которому ты не испытываешь никаких чувств? Наверное, это потому, что амнезия?..

Что же до дочери, то с ней было проще. Она не пожелала приехать повидать отца в больнице, а он ее с трудом помнил. Зато почему-то прекрасно знал, что дочь его рассудила примерно следующим образом: если она пропустит занятия, то завалит экзамены; если завалит экзамены, то придется остаться на второй год; а оплатит ли еще один год отец? А вдруг он умрет? Надо пользоваться, пока жив и платит!

Все это было болезненно. Но следовало жить и обустраивать жизнь. И он диктовал: чашки сюда, рубашки сюда...

Он не знал, бывало ли с ним раньше такое, но сейчас он остро и беспокойно ощущал одиночество. Оно перло из этих коробок, успевших запылиться за время его отсутствия. Оно струилось от голых, необжитых стен. Оно таилось в углах недавно свинченных шкафов, в холодной широкой постели, в неуютной кухне, в пустой корзине для грязного белья в ванной... Пришлось научиться запускать стиральную и посудомоечную машины, пользоваться микроволновкой и духовкой... Запекая кусок свинины с чесноком — хватит на два, а то и три дня, — он задавал себе вопрос: делал ли он это раньше? И не знал на него ответа...

Временами мозг ослепительно ясно пронизывали вспышки видений: вот этот дубовый буфет он покупал вместе с женой — ей очень хотелось антикварную мебель; а дочка фыркнула: «На фиг вам этот хлам?»

Вот жена в красном в горошек фартуке с оборками поверх нарядного платья наклонилась над посудомойкой: складывает тарелки. А он колдует над маринадом для мяса... Дочь на пороге: «Я ухожу!» И раздраженное замечание жены: «Помогла бы на стол накрыть!..»

Но дочь не помогла, она ушла. А гости пришли. Ни одно лицо не прочерчивается из общего фона, все слилось в неразборчивый задний план... Чья-то бородка, чьи-то очки, чья-то лысина, чьи-то бриллианты перемигиваются с хрустальной люстрой...

Значит, он умел готовить... Да и то, откуда бы его руки знали, как надо сделать надрезы в куске мяса, влить туда маринад (винный уксус, аджика, кэрри, соль и чуть сахару на кончике ложки!) и воткнуть дольки чеснока, если бы он не умел раньше готовить?

Самым смешным было то, что назавтра это воспоминание больше не хотело вспоминаться. Оно снова захлебнулось в темной пучине небытия.

Остался только красный фартук с белыми горохами — как знамя его беспамятства.

...Работа оказалась и впрямь несложной. Как объяснили коллеги, его функция была чем-то вроде ОТК (отдел технического контроля): нужно было сверять в компьютере файлы. Новые откуда-то приходили, его задачей было тщательно проверить их идентичность с теми, что уже хранились в базе данных. Поставить свою подпись и переслать дальше.

Его удивила система защиты: каждый рабочий пост (всего было четыре компьютера, включая его собственный, и еще один стоял без дела в углу) запускался по отпечатку пальца. Нужно было приложить большой палец к специальной панельке, чтобы завести компьютер, — без отпечатка он просто не включался. Подпись же вводилась через специальную программу: он писал на особой электронной дощечке, подпись загружалась, компьютер сверял ее с оригиналом и давал «добро».

За первую неделю работы он так и не сумел понять, чем занималась фирма и чем занимался он в фирме.

— Мы делаем сверхсекретные компьютерные программы, — говорил ему Митя.

Митя не был главным — в этой своеобразной фирме не существовало директора. Правда, у Мити имелся свой кабинет, тогда как Влад сидел в крошечной проходной комнатушке. Еще двое сидели у компьютеров в следующей комнате.

— Мы работаем на государственные организации, отсюда и высокая секретность. И высокая степень проверки, контроля, — объяснял Митя.

Он припоминал Митю, хоть и смутно. Остальных двоих — нет, никак. И еще почему-то помнил кабинет с деревянными панелями по стенам. Большой стол и себя за ним...

— Верно, — говорил Митя. — Пока вы болели, наша фирма переехала. Тогда нас было пятеро: Владик Филипченко, ваш друг, он ведь тоже работал здесь. Мы его взяли по вашей рекомендации... Не помните? Не страшно, Владислав Сергеевич, — главное, что вы на месте, и процесс идет теперь без перебоев. Для нас очень важно, чтобы вы смогли вернуться на работу. Очень. Вы ведь тоже человек проверенный... Не помните? Это не страшно. Ваш врач уверяет, что память вернется однажды. А пока работа, которую вы выполняете, позволяет нашей фирме функционировать без сбоев...

Ну и ладно, ну и хорошо. Его больше заботили другие вещи. БЕССМЫСЛЕННОСТЬ всего — вот что его заботило. В этой жизни не было ни одного опознавательного знака. Даже одиночество было бессмысленным. Если у одиночества и есть смысл, то только в страдании. Или, может, в наслаждении им?

Он не страдал и не наслаждался. Он существовал бессмысленно, как овощ на грядке.

Жена Лена, дочь Полина, друг Владик... Сплошной хаос, мешанина обрывков воспоминаний, разрозненных кадров, лиц и сцен. Они путались, не выстраиваясь в связанный ряд и вскоре снова исчезали в мутных водах забвения... У него не было никаких ощущений при мыслях о жене и дочери, что его удивляло. Зато при мысли о Владьке в груди появлялось что-то теплое, родное...

Он слышал в больнице: Валерий Валерьевич говорил о замещении, о раздвоении личности. Якобы он потому и не может вспомнить своего друга, потому что ассоциирует себя с ним. И вызвано это его подсознательным чувством вины за смерть друга... В результате он не может его вспомнить как *отдельную* личность, потому что поселил ее внутри себя...

Этот бред он с трудом понимал, но где-то на периферии сознания и впрямь путалось: он кто? Который из двух Владов? Ему казалось, что его зовут Владилен, но врач объяснил, что Владиленом был друг, а сам он Владислав. Ему казалось, что в собственных чертах он узнает черты друга, но врач говорил, что он в результате пластической операции не похож ни на себя самого, ни на друга...

Лицо было новым, работа была новой, квартира была новой... Все переехало, сместилось, изменилось, не осталось никаких опознавательных знаков, и его мозг буксовал, пытаясь найти хоть какие-то узнаваемые приметы прошлой жизни.

В коробках оказались фотографии: он смотрел на себя, прошлого, на жену и дочь, и ему иногда казалось, что он все это помнит. А потом, что нет. Что это не *узнавание*, а просто новая информация, которая легко залегла в его беспамятный мозг, вписалась в чистый лист его памяти...

Он решил не насиловать память, просто махнул на нее рукой, не в силах больше следить за ее выкрутасами. Лучше спокойно запускать в мозг новую информацию и обрабатывать ее, только ее. Тем более что врач, Валерий Валерьевич, обещал, что память вернется однажды сама.

Поэтому он принял свое новое лицо как данность; свою новую квартиру — как данность, свою работу — как данность.

Потекли однообразные дни, в которые, кроме работы и квартиры, у него ничего не было. Ниче-го! И от этого было паршиво. У человека должны быть друзья, должны быть близкие люди, разве не так? И даже если самые близкие погибли, не может же быть такого, чтобы у него никого, никого, ну никого больше не было?!

Митя дал ему понять, что они раньше если и не были друзьями, то приятельствовали. Он был моложе Влада лет на десять, дело свое знал хорошо и хоть не считался директором, но явно руководил остальными. Незаметно, без гонору, но руководил. С Владом Митя был вежлив, предупредителен, от него струилось доброжелательное понимание... И даже намеки на то, что готов всячески помочь, подсказать, посидеть вечерком в баре...

Но Влад не понимал, зачем ему сидеть с Митей. Говорить ему с ним было не о чем, — как бы он ни приятельствовал с Митей раньше, сейчас он не чувствовал к этому человеку никакого особого расположения. Был, конечно, благодарен за помощь, но и все. И он сделал вид, что намеков не понимает.

Но сам все же надеялся, что где-то существует человек, которого он мог бы опознать как близкого не памятью, нет, на нее он не рассчитывал, а чувствами. Человека, с которым он мог бы посидеть за бутылкой водки (коньяку, шампанского) и который ему расскажет, что Влад раньше делал, где бывал, чем жил...

Да, именно! Чем он жил? Это был на сегодняшний день самый насущный вопрос. Потому что на сегодняшний день он совершенно не знал, чем ему жить.

Самое смешное, что в коробках и ящиках, сложенных при переезде (кем? Женой? Им самим? Нанятым человеком?), не нашлось ни одной записной книжки. Они исчезли напрочь, потерялись. Ни одного телефона, ни одного имени, ни одного адреса.

Но однажды он вдруг вспомнил: *Вова*.

Вова — как дальше? Память молчала. Вова — какие отношения с ним были? Кем был Вова? Память молчала, зараза!

Зато через пару дней всплыл адрес: Часовая улица, дом... И он поехал.

Поехал без звонка. Во-первых, телефона он не помнил. Во-вторых, что говорить по телефону?

Здрасте, Вова, я... Я сам не знаю, кто я? У меня, видите ли, раздвоение личности. Я всех на фиг забыл, а вот ваш (твой?) адресок вдруг вспомнил?

Он поехал, короче.

Лучше бы он этого не делал. Облом полный: Вова умер от инфаркта две недели тому назад. И все, что Влад получил, — это заплаканную вдову и ее заявление: «Конечно, я помню Влада... Но это не вы! Вы — не Влад!»

И добро ему было объяснять про пластическую операцию, про кому и амнезию как следствие травмы...

Она была категорична: «Я вас не знаю!»

И что он мог ей сказать в ответ, если он сам себя не знал?

Память, однако, спустя пару дней сделала ему еще один сюрприз: номер телефона. Он не представлял, чей. Но все же решил набрать.

— Куда я попал? — по-идиотски спросил он, услышав в трубке приятный женский голос.

— А куда вы хотели попасть? — насмешливо отозвалась женщина.

— Я... Видите ли... Этот номер у меня...

— Владька? — вдруг ахнула женщина. Так ахнула, что он похолодел.

— Да, — ответил он, чувствуя, как волоски на руках встают дыбом: вот сейчас, сейчас произойдет чудо и... — Да, это я, — выдохнул он в телефон. — То есть на самом деле я точно не знаю... То есть я Влад, но я вас не помню...

Женщина не ответила. Он чувствовал, как напряженно она вслушивалась в его голос. Он ждал.

— Как вы можете? — наконец хрипло прогово-

72 рила женщина. — Как вы смеете?! Это жестоко, так шутить! — Рыдания мешали ей говорить.

Он страшно растерялся. О чем она?

— Я не понимаю... Простите, но я действительно Влад... И ваш телефон...

— Влада нет! — выкрикнула женщина. — Он погиб! Забудьте мой номер навсегда, скотина бесчувственная!

Люля бросила трубку. Этот человек, с голосом, похожим на Владькин... Он, несомненно, ошибся номером... И — ну есть же такие идиоты! — на ее непроизвольное восклицание: «Владька!» — ответил, что он Влад и есть! Этим телефонным дебилам не приходит в голову, что они могут нечаянно попасть в сердце беды и боли!!!

Она выдернула шнур из розетки. На случай, если этот придурок вздумает снова позвонить.

Женщина бросила трубку. Вот так вот. Жизнь на его глазах слизывала, как корова языком, последние приметы прошлого.

Через несколько тоскливых дней на работе и невыносимых вечеров дома он решил, что жить не стоит.

И повесился на крючке для люстры в новой квартире, до сих пор так и пустовавшей.

*　*　*

Он оказался забавным, этот детектив. Роста среднего; непослушные, вьющиеся темные волосы, засветлевшие на висках первой сединой. Глаза светло-карие с зеленоватым оттенком — один чуть темнее, чем другой. Руки длинноваты, от крепкого худощавого тела веет ловкостью и неброской силой.

Люля была очень восприимчива к форме, к ее нюансам, к ее сути и потому быстро разглядела, что этот человек с выражением сухой сдержанности и строгой деловитости сыщика на лице был на самом деле нежнейшим и добрейшим существом. Она его раскусила в ближайшие пару минут и сразу же перестала бояться. С ним было совсем не так, как в милиции, где у нее слова застревали в горле под неприязненным взглядом, искавшим ее изумруд.

Поэтому она легко и как-то отстраненно, словно это происходило не с ней, описала Алексею Кисанову все события: и наезды неизвестной машины, и табун молчаливых подростков в темном дворе, и убийство ее первого телохранителя, и пожар на даче, и подкоп под забор и якобы забившуюся канализацию...

Алексей Кисанов слушал очень внимательно, изредка задавая вопросы и делая пометки в блокноте.

— Да... — сказал он под конец. — Досталась же вам, Людмила...

От него исходили тепло и сочувствие. А именно перед теплом и сочувствием она сейчас совершенно беззащитна.

Люля прогнала подступающие слезы. Когда-то она жила одна и полагалась только на себя, но Владька ее разбаловал. Счастье делает нас незащищенными...

Да нет, глупость какая! Разве несчастья делают нас защищенными? Разве она стала сильнее оттого, что ее уже месяц пытаются убить? Куда там — вон, от одного доброго слова готова реветь как

74 маленькая. Скоро она станет горячо благодарить каждого, кто не намеревается ее убить!

Нет, нет, ей не нужны ничье тепло и сочувствие! Ни этого детектива, ни Артема! Она самостоятельная взрослая женщина, она сама может справиться.

— Людмила, вы меня слышите?

— Люля... Мне нравится, когда меня называют Люля, — уточнила она, глядя в каре-зеленые ласковые глаза, подернутые, конечно же, завесой непроницаемости.

— *Люля?* Хорошо, пусть будет Люля... Ты, вы меня слышали?

— Нет, — беспечно отозвалась она. — Я все прослушала.

— Я говорил о том, что мне нужно просмотреть бумаги вашего мужа, — терпеливо повторил детектив. — Если разгадка в них, то мы ее найдем.

— Когда?

— Лучше бы прямо сейчас.

Они поехали в ее московскую квартиру. Люля повернула ключи в замках. Артем решительно оттеснил плечом Люлю и детектива: «Я первый».

— Погодите, — сказал Алексей Кисанов. — Продиктуйте мне номер вашего телефона.

Люля продиктовала. Детектив принялся набирать его на своем мобильном.

— И зачем? — спросила она, глядя на манипуляции детектива.

Артем, однако, легко уступил, как если бы признал правоту сыщика, ему одному понятную.

— Давайте отойдем подальше на всякий случай, — вместо ответа предложил Алексей Кисанов.

Артем только кивнул, ответив на вопроситель-
ный взгляд Люли.

Они спустились на один пролет лестницы, и
детектив закончил набор номера.

...Взрыв порадовал слух мужчин своей пред-
сказуемостью. Люля же села от неожиданности на
ступеньку.

— Я первый! — сказал Артем и поскакал наверх через две ступеньки.

— Вряд ли мы рискуем чем-то еще, — кивнул
детектив и поскакал вслед Артему. — Вы тут пока
посидите, Люля!

Минут через пятнадцать он возник на лестничной площадке.

— Людмила! Люля! Идите сюда, теперь никакой опасности нет... Огонь мы погасили, милицию вызвали, — объяснял он, пока Люля подни-
малась, — других взрывных устройств не обнару-
жено. Идите сюда, посмотрите: это обычное
место телефона?

«Телефоном» он назвал огрызок обуглившейся
пластмассы. Люля кивнула: обычное.

— Это была бомба? — все еще не веря в случившееся, спросила она.

— Да. Начинили взрывчаткой телефон, он
должен был среагировать на звонок. Мы их опе-
редили, к счастью.

— Но ведь могло весь дом снести! — Люля никак не могла прийти в себя от шока.

— Это же не террористы. Так сказать, «нормальные» убийцы... Положили взрывчатки ровно
столько, чтобы на вашу квартиру хватило. Вернее,
на вас, — смущенно уточнил детектив.

Люля мотала головой, не в силах произнести

76 ни слова. Подошел Артем, крепко взял ее за плечи.

Под его руками она наконец перестала дрожать.

— Вы за дорогой не наблюдали? — спросил Алексей телохранителя. — Как вы догадываетесь, коль скоро телефон был «заправлен», кто-то ждал прихода Люли. И намеревался позвонить в квартиру, когда она будет там.

— Я свое дело знаю, — ответил Артем. — За нами никто не следил.

— Стало быть, кто-то торчал у ее дома, — кивнул детектив, — поджидал. Вы уж постарайтесь ее никуда не выпускать. Сами понимаете...

— Не могу простить себе, что сам про телефон не подумал, — сердито проговорил Артем. — Стыдно. В теории все знаю, а вот на практике...

— А в ней все и дело! — легко отозвался детектив. — В практике, Артем. Один раз живьем столкнетесь с теорией на практике — больше не забудете!

— А вы, вы сталкивались?

— Ух, еще как! По полной программе! И совсем недавно, кстати...

— Спасибо, — произнесла Люля, — вам обоим. Если бы не вы...

Губы ее были серыми. Артем отпустил ее плечи, немного неловко, как бы застеснявшись своего жеста.

— Надо торопиться, Люля. Сейчас сюда приедет милиция и пожарники. Посмотрите пока, все ли на местах, — деловито распорядился детектив.

Люля сделала полуобморочный обход по частично обгоревшей, частично развороченной взрывом квартире: на первый взгляд ничего не украли...

— Бумаги мужа, где они?

Бумаги находились в шкафу спальни, в большом портфеле. Их не тронули ни те, кто пробрался в ее квартиру, чтобы заминировать телефон, ни взрыв. Все было в целости и сохранности.

— Собственно, особого смысла смотреть эти документы нет: если бы они представляли ценность, их бы уже выкрали. Тут явно другой расклад, Люля. Тут *вас* хотят убить. Очень хотят... Больше их не интересует ничего, — сообщил детектив.

— Я хочу знать, где работал Владька, — хмуро произнесла она, наклонив голову.

Портфель детектив забрал с собой — Люля еще в квартире добавила кое-что из сейфа, и Алексей Кисанов, измерив взглядом толщину стопки, испросил у Люли пару дней на изучение.

Но позвонил он только четыре дня спустя.

— Извините, Люля. Сам я в таких делах несведущ: пришлось задействовать специалистов. Ваш муж играл на бирже. Это однозначно.

— То есть он НИГДЕ не работал?

— Одно другого, в принципе, не исключает. Хотя для такой профессиональной игры, как мне объяснили, он должен был постоянно следить за биржевым курсом. «Постоянно» в данном контексте означает «ежечасно». Если он работал, то только в таком месте, где мог постоянно выходить на сайты бирж.

— Он работал с компьютерами... Почему бы и нет? — упавшим голосом проговорила Люля.

Владька никогда не говорил ей об этом... Почему? Было ли еще что-то в его жизни, о чем он ей не говорил?

— Вы знаете кого-нибудь из его сослуживцев?

Люля знала одного: того, который ничего не помнит.

Но детектив Алексей Кисанов нисколько не смутился этим обстоятельством и попросил номер его телефона.

У Люли, однако, его не было. Следовало найти записные книжки Владьки. Наиболее вероятным местом их обитания была городская полуобгоревшая квартира.

Детектив, получив ключи, отправился на поиски. Полтора часа спустя позвонил Люле:

— Нигде нет. Вы там в доме вашем загородном смотрели?

Еще как! Артем обшарил все, что могло хоть в теории оказаться местом обитания записных книжек. Их не было нигде.

— На даче были? — неуверенно предположила Люля.

На старую дачу Владьки они ездили нечасто, только в нормальный дачный сезон. Маловероятно, чтобы Владька мог оставить там записные книжки. И, во всяком случае, если они там невзначай и находились, то сгорели в пожаре...

«Ноу комменс, — подумал детектив. — У записных книжек ножек нет: сами уйти не могли. Кто-то им помог переместиться в пространстве...»

Алексей Кисанов осмотрелся. Оставался компьютер. Он его включил. Через несколько секунд на черном фоне экрана зависла фраза: компьютер сообщал, что не находит загрузочный диск.

Как это мило... Записные книжки выкрали, жесткий диск из компьютера изъяли.

Дело обещало быть сложным. И детектив почувствовал, что свой кайф он получит сполна.

Алексею Кисанову, которого друзья называли попросту Кис, нравились сложные дела. Они вызывали в нем интеллектуальный зуд; они бросали ему вызов. А какой мужчина не мечтает в душе о ринге? И, разумеется, о том ринге, где он станет победителем!

А он любит быть победителем, Кис.

Люля, увы, ничем не могла ему помочь. Адреса она тоже не знала. Так вышло, что с лучшим Владькиным другом она была едва знакома. Конечно, они встречались: Владька ее представил еще до свадьбы, они ужинали вместе в ресторане. Потом Влад Филиппов, так звали друга, был с женой на их свадьбе. Люле было не до него и тем более не до его жены, но ей хватило взгляда, брошенного на нее мельком, чтобы понять, почему Владька избегал встреч семьями: жена Влада была типичной *фифой*.

Наверное, поэтому два закадычных друга предпочитали встречи на нейтральной территории — в ресторане или дома у Владьки. Люля им никогда не мешала: она понимала, что присутствие *дамы* обязывает, а она не любила обязывать. Зачем? Им есть о чем поговорить без нее!

Посему они довольно быстро сорганизовались с Владькой таким образом, что его друг приходил в те вечера, которые Люля проводила со Славкой Мошковским за работой или за показами. Она им не хотела мешать — и в результате знала крайне мало об этом человеке.

Это никак не могло устроить Киса. Он учинил Люле допрос с пристрастием: потребовал, чтобы выложила все, что знала о лучшем друге ее мужа.

...Влад Филиппов был немного старше ее Владьки, кажется, года на три-четыре. Они росли в одном дворе, в Анапе. Родители их познакомились именно в силу схожести фамилий и имен сыновей: то медсестра перепутает пацанов, то участковый, к которому соседи обращались из-за неоднократно разбитых футбольным мячом стекол и прочих выходок мальчишек. Два Влада, один Филипченко, другой Филиппов, — два дворовых хулигана... Пацаны дружбу сохранили до взрослых лет, родители тоже.

Потом пацаны выучились — Влад-старший в Москве, а ее Владька в каком-то замызганном местном техническом институте. Потом началась взрослая жизнь. Влад Филиппов нашел Владика Филипченко перед окончательным переселением в столицу: он собирался жениться на москвичке...

И дружок его, Влад-младший, пообещал в скором времени нагнать приятеля.

Нагнал он его в горбачевскую перестройку. Вдруг объявили свободу предпринимательства, и Влад-младший очень быстро освоился с непонятным делом под названием «предпринимательство». Он много чего *предпринял*, тычась, как слепой кутенок, в новые формы деятельности, в непроглядный правовой туман и в как раз тогда начавшийся беспредел — что со стороны криминала, что со стороны органов правопорядка. Он перебрал множество затей, сменил несколько мест работы и наконец оказался в Москве: там свободы было больше и зависимости от местных властей меньше.

В столице, предприимчивый по натуре, он

снова с жаром ударился в предпринимательство. Открывал какие-то фирмы, закрывал их, открывал новые...

Надо признать, что ее Владька — любитель приключений и в некотором роде авантюрист. Причем успешный: деньги он заработал довольно быстро. Однако, заработав на хлеб, на масло и на икру, он вдруг остановился. И призадумался. По крайней мере, так он рассказывал Люле. Захотелось Владьке чего-то серьезного, надежного. «Всех денег не заработаешь», — говорил он.

И тогда он пошел в фирму к Владу Филиппову. За годы предпринимательских скитаний и авантюр Владька сам изучил компьютер и программирование: специалисты тогда были редки и малограмотны. И в результате Владька, который любил сам все уметь и знать, мог дать хорошую фору любому специалисту.

Как-то Влад Филиппов сказал, что им нужен толковый компьютерщик и надежный, проверенный человек в фирму. Владька был с детства проверенный, куда же больше? И так два друга стали работать вместе. Люля была уверена, что в фирме «Росомаха».

...А в «Росомахе» он не числился, вот в чем фокус. И на визитке мужа, которую отыскала Люля, значился только его мобильный телефон. И ясно, что только Влад-старший, который Филиппов, может пролить свет на эту странную историю.

Дело было за малым: найти его.

Собственно, милиция его уже нашла. Осталась, правда, несолоно хлебавши: Влад-старший не помнил ничего. Амнезия, последствие автокатастрофы. Но Кис уже однажды сталкивался с по-

82 добным явлением[1] и знал, что память может неожиданно вернуться в любой день. И он хотел бы оказаться рядом в этот самый день.

Задействовав все свои связи через бывших коллег по Петровке, он получил сведения о месте проживания Влада Филиппова.

Он жил в районе Октябрьской, недалеко от французского посольства. Незнамо как, но Кис издалека опознал его на подходе к дому. Может, по тяжелой походке человека, которому жизнь в тягость? Может, уже вблизи, — по потухшему, безрадостному взгляду?

Проследив за предполагаемым Владом (Владиславом по документам), Кис убедился, что он вошел в ту самую квартиру, которая обозначена в адресе; стало быть, детектив не ошибся.

Будучи человеком практичным, Алексей Кисанов выждал: человеку надо пописать, переодеться, поесть, и вот тогда уже имеет смысл его побеспокоить. Иначе разговор не получится: человек сделает все, чтобы выдворить незваного гостя.

Он исправно переждал почти час. И только потом поднялся на шестой этаж роскошной новостройки с эркерами и позвонил в дверь.

Дверь, однако, молчала. Детектив слышал, как разносились по квартире его бесплодные звонки. Казалось, там никого не было...

Но он с час назад убедился, что человек вошел именно в эту квартиру. Поколебавшись, Кис высадил хлипкую дверь: он знал, что квартира новая, хозяин только переехал и не успел защититься бронированными дверьми. Выбить ее ничего не стоило.

---

[1] См. роман Т. Светловой «Голая королева».

И не напрасно, как оказалось. Вовремя вынул хозяина из петли.

Ясное дело, вопросы пришлось отложить на потом — когда делаешь искусственное дыхание рот в рот, то беседовать, прямо скажем, неудобно. Приехала «Скорая» — Кис сам вызвал, и ему удалось сторговаться с врачами о сопровождении пострадавшего суицидника: так он хотя бы узнал номер больницы, куда увезли Влада-старшего.

Оставив его на попечение врачей — бог миловал, Влад был в сознании и быстро уснул в палате, получив хорошенькую дозу успокоительных средств, — Алексей вернулся в его квартиру. Связка из трех ключей — два от двери и один от почтового ящика — обременяла его карман без малейших угрызений совести. Он их спокойно прихватил с ключницы и теперь намеревался основательно покопаться в квартире потерпевшего.

Он копался в ней почти всю ночь. Хозяин недавно сюда переехал, и часть вещей находилась в еще не разобранных коробках. В шкафах царил тот идеальный порядок, который бывает сразу после переезда, когда из самых благих намерений хозяева продуманно раскладывают вещи на отведенные полки. Поэтому с содержимым мебели особых проблем не было: там все очевидно... Очевидно, что никаких записных книжек и иных бумаг, способных пролить свет на отношения двух Владов, там не имелось.

Компьютер был совсем новеньким, еще в упаковке, и, натурально, не содержал ни малейшей личной информации.

И Кис засел за коробки.

Уже утром, когда рассвело, а в начале марта светало поздно, он потер воспаленные глаза, зевнул и сказал себе: здесь искать нечего.

84   И еще он сказал себе: это ненормально. У нормальных людей есть какие-то записные книжки, хотя бы старые (если они уже перешли на ноутбуки); у нормальных людей есть какие-то сохранившиеся письма, счета, квитанции, бумаги, фотографии...

У Влада Филиппова, Влада-старшего, не нашлось ничего, кроме нескольких единичных фотографий. Выбросили старый хлам при переезде? Возможно, возможно...

А у Влада-младшего выкрали записные книжки. Любопытное совпадение, не правда ли?

Кис взял несколько фотографий с собой и, страстно мечтая о кровати, потащился в совсем противоположную кровати сторону: в больницу, навестить Влада-старшего. У него имелось несколько вопросов к нему. В частности, кто эти люди, изображенные на снимках? На некоторых детектив с трудом узнал Людмилу — в этой сияющей красавице почти невозможно было угадать черты сутулой, бледной женщины с погасшими глазами, которая хотела, чтобы ее называли Люля...

— Это имя — это все, что мне осталось от мужа, — сказала она.

Сонно взрезая колесами снежную жижу московских улиц, детектив сердился на себя за то, что едет не в сторону вожделенной кровати, а в сторону совершенно потерянного времени: человек с амнезией вряд ли сумеет ответить на его вопросы. И ехал он туда для очистки совести, хотя совесть уже, похоже, давно спала в его квартире на Смоленке, натянув одеяло по самые уши, и только такой дурак, как он, перся через мерзкое оттепельное утро к беспамятному мужику, которого он вытащил вчера из петли...

Короче, детектив всю дорогу ворчал.

Но ехал.

* * *

...Машину Артема обстреляли на проселочной дороге, когда они возвращались из магазина, набив багажник продуктами: надо же было заправлять холодильник, поддерживать жизнь в доме...

Артем настаивал, чтобы Люля осталась дома, но она категорически заявила, что уже *оборзела* сидеть взаперти. Она хочет хоть немножко проветриться, пусть хоть в магазине.

— К тому же, Артем, вы не сможете выбрать нужные продукты!

— Напишите список, Людмила, — упрямился Артем. — И я куплю все, что нужно!

— Ну как я вам опишу, какой кусок мяса мне нужен? Его надо *видеть*, чтобы выбрать! — упрямилась Люля.

В результате она одержала в споре верх, и они поехали вдвоем. И на обратном пути им дорогу перерезала невзрачная белая «Волга», и пули с визгом набросились на их лобовое стекло.

И Люля подумала, что купленное мясо уже не пригодится.

Их спасли два обстоятельства: во-первых, у Артема были пуленепробиваемые стекла. Во-вторых, Артем, собранный и напряженный, подав свой джип назад и приказав Люле лечь на пол у заднего сиденья, яростно рванул с места и пошел на таран белой «Волги». Казалось, с него слетает пена, как с обезумевшего быка на корриде.

Водитель «Волги» не выдержал зрелища приближающегося разъяренного джипа и поспешно съехал с дороги.

Артем промчался мимо на огромной скорости, и вскоре показались спасительные ворота «Охраняемой зоны номер 2».

— Больше вы за ворота не выйдете, — резко заявил Артем, поставив машину в гараж. — И не мечтайте, Люда, уговорить меня во второй раз. Это был первый и последний. Или увольняйте меня, — добавил он ледяным тоном.

Люля молчала. Он был прав.

— Вы заметили? Двое в «Волге», как они растерялись? Это был отличный момент для переговоров! — уже мягче говорил Артем, хотя все еще с упреком. — Если бы вас не было в машине, если бы я не боялся за вас, я бы непременно остановился и крепко переговорил с этими мужиками. И так бы крепко переговорил, что обязательно узнал бы, откуда в этом деле ноги растут!

— Если бы меня не было в машине, они не стали бы стрелять, — тихо ответила Люля.

На этот раз промолчал Артем. Она была права.

И от его согласного молчания на нее вдруг навалилось ледяное, мертвое безразличие. Не сегодня, так завтра, не тем способом, так иным, но ее в ближайшие дни убьют. Очень уж стараются, как сказал детектив. А кто хочет, тот добьется, как известно.

Люля уже устала бояться. Да и жизнь без Владьки уже никогда, никогда не будет наполнена счастьем. А зачем ей жизнь без счастья?

— Вы верите в бога, Артем? — спросила Люля, готовя ужин.

— Нет.

Артем сосредоточенно чистил картошку, и длинная бежевая лента кожуры медленно опускалась на кусочек старой газеты.

— А в судьбу?

— Пожалуй...

— А вот скажите: если судьба желает вас непременно уничтожить, стоит ли ей сопротивляться?

Артем помолчал. И потом ответил тяжелым, странным голосом — Люля не поняла, отчего:

— Судьба вас хранит, Людмила. Сами посудите: который раз от смерти уходите. Не грешите на нее.

...«Людмила». Почему-то она Артему не предложила называть ее Люля. Вот детективу Алексею Кисанову — предложила с ходу, хотя видела его в первый раз. А Артему, который практически жил с ней уже две недели, — нет... Что-то ее останавливало. Как если бы для Артема это могло оказаться предложением близости...

...Она поняла его тяжелый, странный голос только ночью, глядя без сна в темноту и слушая шаги Артема: он делал обход дома. Шаги странно легкие при его значительной массе, аккуратно-невесомые, как будто он ухитрялся частично перенести вес своего тела на воздух. Афган, вдруг вспомнила она. Их там учили и ходить, и ползать, и стрелять, и... И умирать.

И они умирали, его друзья, такие же молодые, только-только вступившие в жизнь мальчишки.

Их калечило, отрывало руки и ноги. А он — выжил и остался целым. Судьба его хранила...

Вот оно что, *судьба его хранила*! И он, Артем, как никто, имел право на это замечание: «Не грешите на судьбу, Людмила...» Артем знал, как выстраивать отношения с судьбой.

Шаги Артема замерли за ее дверью. Он прислушивался к ее тишине. Люля напряглась, даже на локте приподнялась. Войдет?

Она боялась. Боялась не его — *за него*. Артем не привлекал ее как мужчина, и дело было совсем не в грубоватом лице с двумя шрамами. Люля была стилистом и хорошо знала, что многие недостатки внешности можно превратить в *стиль*. Она бы сумела это сделать! А уж Славка Мошковский, тот бы просто завыл от восторга, приведи она к нему Артема! Он бы его и на подиум выпустил, да так бы подал, что в Артема влюбились бы все московские писюхи... А может, и сам Славка влюбился бы: с его половой ориентацией немудрено! У Артема было все, что помещается в определение «мужественный». «А таких любят не только женщины», — улыбнулась Люля в темноте, представив, как маленький Славка обходил бы большого Артема: так дети обходят наряженную елку в ожидании сюрпризов и подарков...

Да, дело было совсем не во внешности. Просто он не привлекал ее, у нее не было никаких желаний, они все умерли вместе с Владькой. К тому же у Артема нет *чертиков в глазах*... Может быть, единственное, чего ей хотелось, — это обнять его, почувствовать его тепло и заснуть спокойно, уткнувшись в него, как в большого игрушечного медведя...

Но она знала, что Артему будет этого мало. И она не имеет права его дразнить. По отношению к таким людям, как он, это преступно; с такими, как он, не играют... Это крайнее воплощение эгоизма: взять, чтобы ничего не отдать. Это было бы просто-напросто жуткое свинство.

Люля опустилась на подушку, обняла ее — за отсутствием большого игрушечного медведя — и услышала, как удаляются шаги Артема.

Вот и хорошо. Ей не придется ничего объяснять.

Ей удалось уснуть. Ей снились сны. Снился Владька, его горячее прикосновение, он всегда *дорывался* до ее тела так, словно боялся ее потерять...

И утром она не знала, было ли это сном — Артем на пороге спальни и его долгий, пристальный взгляд на нее, обнимавшую Владьку...

Нет, подушку. Нагретая ее щекой подушка, отдававшая ей ее собственное тепло, — это все, что у нее осталось.

Чужое тепло, мужское тепло — это больше не для нее. Нельзя грешить на судьбу, это верно. Но зачем она сделала так, что счастье ее длилось чуть больше двух лет?! В ее долгой жизни что такое два года? Крошка! Капелька! Малая малость, которую она не успела распробовать...

Впрочем, с чего она взяла, что у нее будет долгая жизнь? У нее будет *короткая* жизнь. Есть люди, готовые об этом позаботиться. А два года в *короткой* жизни — это уже кое-что...

***

В больнице Алексея ждал сюрприз: Влада Филиппова перевели в другую больницу, частную, — ту, где он лечился после автокатастрофы. Рано ут-

90 ром приехал врач и один из сослуживцев Влада. И, оформив необходимые документы, они забрали его.

Кис узнал адрес и, проклиная все на свете (кроме вожделенной кровати), потащился через весь город в клинику, находившуюся в районе Измайловского парка.

...Правильно, надо было ехать домой, спать, он ведь с самого начала чуял, что затея его безнадежна! К Владу его не пустили. Сказали, что выпишут вечером, в крайнем случае завтра утром. И попросили с вежливо-ледяной улыбкой оставить больного с суицидальными наклонностями в покое.

Ага-ага, фигушки вам! Если Кис и согласился оставить Влада в покое, то только временно. Пока он, Кис, выспится. А там уж извините...

И все-таки он почти решил ехать к Люле за город: хотел услышать ее комментарии по фотографиям. Однако, доехав до МКАД, он повернул назад. Домой. Спать. Глаза закрывались. Он, Кис, в таком состоянии за рулем представлял собой общественную опасность.

И сознательный детектив вернулся в центр, на Смоленку, где располагалась его трехкомнатная квартира в старом доме, построенном архитектором Желтковским.

Кровать встретила его ласковыми родственными объятиями, и он благополучно обнимался с ней до позднего вечера.

Вечером же на звонок в клинику он получил ответ, что пациент выписывается завтра утром.

И завтра утром Кис бдил у подъезда Влада-старшего.

Напрасно! Влад там не появился. Надо думать, что несостоявшийся самоубийца отправился прямо из больницы на работу...

Вечером Кис снова бдил у знакомого подъезда. На этот раз повезло: Кис узнал его высокую фигуру на входе в подъезд. Он высадился из черной «бээмвухи», кто-то его довез до дома.

Алексей подождал немного, пока машина отъедет. И нагнал Влада у лифтов.

— Мне без разницы, — ответил Влад-старший. — Ничего не хочу вспоминать. Не хочу узнавать, слышать и думать. Оставьте меня в покое!

Двери лифта открылись, и Кис просочился вслед за Владом вовнутрь кабинки.

— Дело в том, — Кис пытался поймать взгляд Влада-старшего, но тот старательно избегал его, — дело вот в чем: кто-то очень хочет убить жену вашего друга, Люду. Людмилу. Люлю. Помните ее? Мне сдается, что покушения на нее связаны каким-то образом с ее мужем и вашим другом Владиком... Мне нужна информация о нем. Вы его помните, он работал с вами? Вы работали в одной фирме? Как она называется?

Но Влад-старший только покосился на него, ничего не ответив.

Кис подождал. И вытащил из кармана фотографии.

— Вы можете сказать мне, кто на них изображен?

Но и здесь его не удостоили ответа. Лифт прибыл на нужный этаж, Влад быстро вышел из него, открыл дверь своей квартиры и тут же исчез за ней, оставив детектива без единого слова на лестничной площадке.

«Хам», — сказал себе Алексей Кисанов под нос. И ушел несолоно хлебавши.

Однако утром он уже был на посту у подъезда Влада-старшего. Он видел, как за ним приехал черный «БМВ», и сел ему на хвост.

«Бээмвуха» припарковалась у невзрачного серого здания в самом начале Дмитровского шоссе. Влад-старший и тот, кто был за рулем, выбрались из машины и направились в серое здание. Кис за ними, только чуть притормозил у входа: читал вывески. Но успел увидеть, что лифт остановился на шестом этаже, — всего в здании было восемь.

Он поднялся туда в то мгновение, когда одна из дверей этажа закрылась за Владом-старшим и его спутником. Кис приблизился: на двери не было никакой таблички. Никакого названия фирмы, ничего, даже звонка нет. Только номер: 603. И «глазок» в двери.

Кис осмотрелся. Здание было переделано под офисы — что в нем раньше находилось, бог весть. Он прошелся по коридору. Всего насчитал десять дверей. Все были разными, семь из них увенчаны табличками, иногда просто картонными, с надписью от руки: «Бухгалтерия». Чья бухгалтерия, неизвестно. Но людям, здесь обитавшим, было, видимо, понятно. Из двери под табличкой «Международный нотариус» выскочил какой-то мужик с бумагами и направился наискось в одну из необозначенных дверей. Кис вытянул шею: в щель видно пару девочек за компьютерами. Что-то вроде машинисток. Точнее, «компьютеристок».

Понятно. Значит, двери без табличек служат в

основном отделами тех, что с табличками. И к
кому же относится дверь номер 603?

Кис попытался отловить мужика с бумагами, но тот только пробормотал что-то неразборчивое и скрылся в глубинах кабинета международного нотариуса. Подумав, детектив нашел глазами дамский туалет и занял выжидательную позицию.

Он не ошибся в своих расчетах: за пятнадцать последующих минут ему удалось переговорить с семью женщинами. Три приходили мыть чашки, одна с лейкой для цветов, остальные с пустыми руками — надо думать, по прямому назначению. У всех Кис поинтересовался дверью номер 603.

Из них пятеро в общей сложности выдали ему следующую информацию: это помещение заняли недавно, чуть больше месяца назад; кто такие — неизвестно. Люди неприветливые, неразговорчивые, посетители к ним не ходят, звонка у них нет, а на стук они не открывают: как-то хотели у них сахару занять, так за дверью даже не отозвались. Утром приходят, вечером уходят. Даже в туалете их никто никогда не видел. Уж как они там устраиваются?..

Кис вернулся к двери, обитой простым черным дерматином, под которым наверняка скрывался металл. Его интересовал «глазок». Света в нем — за ним — не было. Что еще ничего не значит: за дверью могла находиться прихожая, в которую выходят другие двери. Женщины у туалета сказали, что помещение перестраивали перед въездом новых хозяев, но никто не смог описать его внутреннее устройство. И теперь Кис, привалившись к противоположной стенке коридора, терпеливо ждал: если одна из внутренних дверей откроется, то в «глазке» появится свет.

Полчаса бесплодного ожидания он счел доста-

94 точным сроком, чтобы сделать вывод: если это и был «глазок», то объектива *видеокамеры наблюдения*. Он сам себе установил такую же недавно дома, с объективом, имитированным под дверной «глазок»...

И Алексей Кисанов, который совсем недавно был преисполнен решимости ворваться в фирму и учинить допрос всем, кого встретит на пути, вдруг отказался от этой идеи. Раз народ так засекретился, значит, есть к тому основания. И нахрапом их не возьмешь. Кис и так уже засветился перед дверью, привлек к себе лишний интерес, напряг народ попусту...

Так что будет разумнее ему зайти с другой стороны.

...Влад вошел в квартиру и удивился, что в большой комнате горит свет. Но когда увидел этого наглого детектива в кресле, то сразу же перестал удивляться. Этот детектив, как наваждение, был с ним повсюду в последние дни. И вот теперь он сидел в кресле его гостиной. И как он сюда попал?

Впрочем, ему было совершенно все равно, как он сюда попал. Влад сделал вид, что нисколько не удивлен. Он даже попытался сделать вид, что вовсе не видит этого человека в кресле, может, он тогда и впрямь рассеется, как наваждение?

Но человек в кресле никак не хотел рассеиваться. Когда Влад, не повернув головы в его сторону, налил себе пятьдесят грамм водки, чертово привидение произнесло:

— Могли бы предложить и гостю!

Влад скосил на него глаза и ушел на кухню, оставив бутылку водки на столе.

Но не тут-то было. Наваждение явилось и туда — с бутылкой водки, прихваченной из гостиной.

— Если помните, я частный детектив, — сказало оно, бесцеремонно усаживаясь за кухонный стол. — И у меня к вам вопросы.

— Убирайтесь к черту. У меня никакой памяти не осталось. Ваши вопросы бессмысленны.

— Я в курсе. И все-таки... Как знать, вдруг вы помните Люду? Люлю?

— Я ее помню, — буркнул хозяин. — Я у них на свадьбе был.

Кис обрадовался и не замедлил вытащить фотографии:

— Не подскажете, кто на них?

Хозяин скосил глаза на фотографии.

— Не знаю.

Он не узнал фотографии, которые Кис взял у него прошлой ночью из коробок? Во всяком случае, никак не отреагировал, не воскликнул: откуда у вас *мои* фотографии?!

— Но как же, смотрите, Люля — вот она!

— Не помню, — буркнул Влад.

— Погодите, вы же только сказали, что помните!

— А теперь не помню, — отрезал хозяин. — Все? Тогда убирайтесь отсюда. Вы мне надоели.

Алексею вдруг подумалось, что Влад-старший валяет ваньку перед ним. Но зачем? Зачем ему прикидываться беспамятным?!

— Скоро уберусь, так и быть. Только еще один вопрос: где вы работаете?

— В одной конторе.

Кис вздохнул. И терпеливо продолжал:

— Чем она занимается?

— Компьютерные разработки. Секретные.

— На оборону?

— Я сам не знаю. Этого никто не знает. Нам заказывают — мы выполняем. Отвяжитесь от меня, убирайтесь. Вы сказали: один вопрос. А уже задали три!

— Так это я пошутил насчет одного... Можно я себе водки налью?

— Черт с вами, наливайте. Мне тоже...

Кис именно на это и рассчитывал. Влад достал рюмку для Алексея, и он плеснул водки в обе.

— До чего вы наглый, — Влад вдруг улыбнулся. — Ключи в коридоре взяли?

— Угу, — не стал спорить Кис.

— Ну, будем! — Влад чокнулся с ним. — Жрать хочешь?

Кис удивился внезапной перемене настроения Влада-старшего, но виду не подал. За его неожиданную фамильярность следовало ухватиться, и он был намерен ухватиться намертво, как питбуль.

— Хочу, — честно признался он.

— Сосиски пойдут?

— Да все равно... Особенно если есть горчица. С ней я могу съесть даже подошву, — Кис тоже улыбнулся. — Помочь?

— Чего, сосиски готовить? Да я уж как-нибудь сам... Тебе надо было недельку назад прийти, я тогда мясо запек, три дня ел один... Что, удивил я тебя, детектив?

— Есть немножко, — не стал врать Кис.

— Это ведь ты меня с крючка снял?

— Он самый.

— Ну... Не сказать чтоб я был рад... Но долг, как это, чем-то там красен. А, платежом!

— В виде стопки водки и сосисок?

— А ты чего, денег пришел просить? — удивился Влад.

— Не. Я вопросы пришел задавать.

— Вот поедим, и будешь задавать. А знаешь почему?

Кис не понял, что имел в виду Влад, но на всякий случай мотнул головой: не знаю, мол.

— Я, с тех пор как к жизни вернулся, ни разу ни с кем не ел. Все один. Тебе не понять, но это паршиво.

— Чего ж не понять... У меня такое тоже бывало. Паршиво, это верно. Лучше, когда есть друзья, жена... У меня вот, к примеру, ассистент есть, Ваня. Он у меня живет, мы с ним часто ужинаем вместе.

Кис решил не упоминать о том, что, помимо Вани, у него есть любимая женщина Алексапдра, с которой он ужинает еще чаще. Перед человеком, который оказался напрочь лишен не только близких людей, но даже и памяти о них, ему совсем не хотелось хвастаться полноценностью своей жизни, включая прелесть совместных ужинов.

— Я вот думаю, когда раньше писали: «разделить трапезу», то люди знали, о чем говорили, а? Вроде и пустяк, а не пустяк... Ты наглый, но хорошо, что ты сюда приперся. Так будешь ужинать со мной?

— Ну да... Сосиски. С горчицей. Слышь, Влад, — Кис шел напролом, подхватив нежданное «ты», — а ты их зачем надрезаешь?

— А вот смотри... — Влад кинул сосиски на сковородку, и их надрезанные накрест концы разошлись в шипящем масле толстыми розовыми лепестками. — Усек?

— Здорово.

— И вкуснее, — заметил Влад, вываливая на

98 сковородку отваренную лапшу, которая не замедлила громко зашипеть в масле.

— А в чем твои обязанности на работе?

— Контроль. Просто контроль за прохождением заказа. Смотрю в одну таблицу данных и сверяю с другой. И ставлю подпись. Все.

— Ты по специальности компьютерщик?

— Нет. Я и раньше работал контролером.

— А друг твой работал с тобой?

— Да.

— Ваша прежняя фирма называлась «Росомаха»?

Влад покачал головой.

— У нашей фирмы нет названия. Она не более чем абонентский ящик... Раньше мы сидели в другом месте, но недавно они сняли новое помещение...

— Кто — они?

— Не знаю. Дирекция.

Кис помолчал. Ему казалось, что сидящий напротив человек сейчас говорит правду.

— Ты, Влад, нелюбопытен, — бросил он, удивленно усмехнувшись. — Мне казалось, что человек, потерявший память, должен стараться разузнать максимум о себе и о людях, которые его окружают. Что-то вроде сироты из детдома, который пытается разузнать правду о своих родителях, найти свои корни, так сказать... Нет?

— Ты не понимаешь, — хмуро отозвался Влад. — Не понимаешь и не поймешь никогда!

Он повернулся к Алексею спиной, выключил газ, прихватил ухваткой сковородку с обжаренной лапшой и золотистыми сосисками с лепестками. Поставил ее на стол, сел, забрал щипцами изрядную порцию лапши и бухнул ее на тарелку детективу.

— Тебе сколько сосисок? — В голосе его звучало раздражение.

— Четыре.

На сковородке было восемь. Влад выложил ему в тарелку запрошенное количество, подвинул детективу горчицу.

— Я устал! — вдруг закричал он. — Вы знаете, что такое, когда человек устал?! Когда ваши мозги похожи на неисправный телевизор, где на экране только бегущие полоски цвета, перерубленные черным кривым зигзагом?! И шум, гадкий шум в ушах? И когда вдруг посреди этого бардака на экране появляется на мгновение нормальный кадр и нормальный звук — на мгновение! — чтобы снова утонуть в шуме и в полосках?!

Он поднялся и подался вперед, словно детектив был виновен в его неисправном «телевизоре».

Алексей немного помолчал. Он, признаться, терялся. Человек этот был явно неуравновешен... И потом, только что был на «ты» — теперь снова на «вы»... Кис решил сохранить панибратский тон.

— Не буду врать, это трудно представить... Не хотел бы я оказаться на твоем месте, — добавил Кис сочувственно.

Влад неловко сел обратно на табуретку, словно в крике оставил все свои силы. Положил руки на стол перед собой, сцепил пальцы.

— Я *очень* устал от этого, — произнес он тихо. — Мгновения воспоминаний, эти ясные кадры в испорченном телевизоре — они как взрывы в голове. Мне уже ничего не хочется вспоминать. Мне от этого больно...

У него появились слезы на глазах, которые так не шли к его большой фигуре, большой голове, к массивным чертам лица.

— У меня не осталось ни одного близкого человека, — надрывно проговорил он, — да и зачем мне, если я забыл тех, кого любил? А может, и не любил никого, а?

Нервы у него были явно не в порядке, да и сам Влад не выглядел здоровым. Желтоватая бледность, слишком сухая кожа, мешки под глазами.

Но было бы глупо уйти сейчас, когда он разговорился.

— Ты своего друга, Владика, совсем не помнишь?

— Хорошо помню Анапу, детство... Мы с одного двора. А дальше все вспышками... Одно лицо накладывается на другое... Я себя-то не помню...

Он утер большим пальцем слезы. Потом потянулся к полке, на которой висел отпечатанный на компьютере лист бумаги, где крупным шрифтом было указано расписание приема лекарств. Влад взял какую-то коробочку, выудил из нее неловкими пальцами маленькую белую таблетку и заглотнул, прихлебнув воды из стакана.

— Это у меня нервное... Я забыл лекарство принять, не обращай внимания, сейчас пройдет. Ты ешь сосиски-то... Тебя как звать?

— Алексей.

— Ну, ешь тогда.

Некоторое время они молча ели. Только один раз, когда Влад подлил водки в обе стопки, Кис поинтересовался, можно ли ему алкоголь с учетом лекарств.

— А что я, их еще спрашивать буду?! Да пошли они все!.. — И Влад услал «их», медиков, надо полагать, довольно-таки далеко.

Кис пожал плечами и выпил. Сосиски с горчицей и лапшой подходили к концу. Он решил, что перерыв в разговоре он выдержал достаточный.

— Ты все-таки глянь на фотки, Влад. — Он выложил их на стол. — Вдруг кого припомнишь? Смотри: вот это Люля. Ты ведь ее помнишь? Еще одна женщина рядом и два мужика... Кто такие?

— Вот это — я. — Влад наложил крупный мизинец с ухоженным ногтем на одно из мужских лиц. — Это Люлька. Это — моя жена. Она погибла в автокатастрофе...

И Кис снова спросил себя, что за человек перед ним. Совсем недавно он никого не узнавал на фотографии. Или не хотел узнавать? Теперь называет всех без запинки... Прикидывается?

— А это, — продолжил Филиппов, наложив палец на еще одно мужское лицо, — Владь...

Он вдруг задумался.

— Нет, наоборот: вот это Владька, а этот вот — я.

— Ты похож сразу на обоих, — заметил Кис.

— Так я же морду себе расквасил об пень! Мне пластическую операцию делали... И кто теперь я? Без памяти и с чужой мордой? Вот скажи мне: который тут я?

Алексей не мог ответить на его вопрос. Фотографий Владика-младшего он не видел. И вычислить методом исключения Влада-старшего он не мог. Надо будет у Люли посмотреть...

— Знаешь, чего врач выдумал? Что у меня раздвоение личности! Это ведь я всех... Я за рулем был, вот как. И теперь у меня чувство вины, и я, — это врач так говорит, — «поселил» Владьку в своем сознании, чтобы не думать, что он умер, и не чувствовать себя убийцей... Вишь как закрутил? Такое бывает, как думаешь?

— Честно говоря, не сталкивался. Наверное, бывает... Владик работал с тобой в фирме?

— Я его туда взял...

— «Взял»? Ты начальником был?

— Ну, порекомендовал... Не знаю.

— Где находилась фирма раньше? В чем были ее функции?

— Какая фирма? Ты что-то меня совсем запутал, детектив. Ты о какой фирме говоришь?

— Прошлой, которая была до этой, засекреченной. Как она называлась раньше? «Росомаха»?

— Какая росомаха? Кончай меня путать... Ты зачем у меня все выспрашиваешь? — вдруг встрепенулся Влад. — Кто ты такой?

— Частный детектив, ты забыл?

— Нет, не забыл! — обиженно ответил Влад. — Просто не обратил внимания... Ты у меня путаешься под ногами уже третий день. Думаешь, если я прошлое забыл, так и настоящее тоже? Не-е-ет, я тебя помню: ты меня из петли вытащил... Я понял теперь, зачем: чтобы вопросы твои дурацкие задавать!

— Что, не надо было вытаскивать?

Влад не ответил, глядя на свои руки.

— Ну, и что тебе нужно, детектив?

У Киса появилось ощущение, что Влад начал бредить. И все же Алексей попытался запрыгнуть в последний вагон его стремительно отъезжающей памяти.

— Вдову твоего друга Владика, Люлю, кто-то отчаянно хочет убить. Я пытаюсь понять, кому это понадобилось. И хотел бы разузнать как можно больше о Владьке, его работе, его бывших коллегах.

— Это ты куда-то не туда. Они жалеют, что Владик погиб. Говорят, что был специалистом высокого класса. И потом, он тоже был проверенный человек. Мы там все — *проверенные*. И нового найти трудно... Они никого не взяли на его место. Обходимся теперь своими силами...

...Кису еще удалось узнать, что в фирме всего четыре человека, все остальные программисты, директора нет, но фирма, конечно же, кому-то подчиняется. Что зарплату платят высокую, «о о очень высокую!», и за лечение в частной клинике заплатили, и отношение к нему очень хорошее, и люди хорошие... В общем, не жизнь, а малина.

Кис выудил эту информацию из речи собеседника, становившейся все более бессвязной. Ему наверняка нельзя пить, но Влад-старший наплевал на запреты и уже давно нес неразборчивую ахинею. Он рассказывал про какой-то пляж, где загорали жена с дочкой, и солнце сжигало их нежные московские (при чем тут *московские*?) тела, и они мазались пахучими кремами, чтобы не обгореть, а он лежал, закрыв глаза, пузом кверху... И еще про какой-то кабинет, отделанный ореховым деревом, где стоял большой стол, а теперь только три маленькие клетушки, и он в проходной, и позади его спины вечно кто-то проходит, а он этого не любит, когда за спиной...

Спустя некоторое время Алексей оттащил его, большого и неуклюжего, в кровать и оставил в покое, прихлопнув дверь за собой.

* * *

Она даже не попыталась настоять: Артем с таким решительным видом отправился к машине, что Люля поняла — уговаривать бесполезно. Список продуктов у него был, он его сам составил со всей добросовестностью: сделал досмотр холодильнику, затем подвалу, где хранились кое-какие консервы, бутылки с водой, соками, алкоголем. После чего выспросил все ее пожелания, внес их в список и направился в гараж, всем своим видом давая понять, что пререканий он не потерпит.

После его отъезда Люля решила принять ванну. Скинув одежду и прихватив с собой махровый халат, она отправилась в ванную комнату.

Она довольно долго лежала в пенной душистой воде, наслаждаясь теплом и покоем горячей воды, потом мыла голову — дважды шампунь и бальзам для волос. Она вспоминала, как однажды Владька прокрался к ней... Она тогда сидела точно так же в ванной, розовая, горячая, и втирала скользкий бальзам в волосы, закрыв глаза. Вода в этот момент была выключена, и она хорошо слышала его шаги по лестнице: дому уже исполнилось шесть лет, и дерево за время жизни в нем приобрело свои голоса. Затем его шаги по короткому коридорчику второго этажа...

Он вошел в ванную, Люля так и сидела, не открывая глаз, елозя руками по волосам, только счастливая улыбка выдавала ее. Она ждала: что он сделает?

И вдруг руки ее взлетели, схваченные крепкими Владькиными ладонями, и она почувствовала его губы на своих скользких, *бальзамных* руках...

— Ты скоро? — шепнул он.

— Я люблю тебя, — ответила она...

Злые слезы проползли меж ее крепко сомкнутых век. Теперь ей жить только воспоминаниями... Как он мог ее оставить, Владька? Как он мог! Он не имел права!!!

Она закрутила кран. С бальзамом надо посидеть минуты три. Ополоснула лицо и открыла глаза.

И именно тогда она услышала *шум шагов*. Он доносился с лестницы.

Владька шел к ней!!! Он услышал ее зов, он вернулся!

«...Люля, Люля, очнись! Иначе ты скоро станешь готовым клиентом для психушки! Владька умер. С того света не возвращаются!» Она глубоко вдохнула, потом медленно выдохнула... Но сердце все еще припадочно дергалось.

— Артем? — громко спросила она, машинально глянув на смешные голубые часы в виде рыбы, виссвшие в ванной. И вдруг ясно поняла, что Артем еще никак не мог вернуться: он уехал всего полчаса назад.

Ужас родился внутри ее тела, как смерч, высасывая все ее внутренности, скручивая их жгутом. Опустевшие легкие судорожно ловили воздух. Люля, усилием воли задержав панический вдох, прислушалась.

Шаги замерли. Люля тоже.

Они! Они пришли за ней!

Люля перешагнула через борт ванной. Не вытираясь — не до того! — накинула махровый халат и замотала голову полотенцем. Тихо, очень тихо приоткрыла дверь ванной. Где *они*?

Тишина... Люля высунулась — никого. Показалось?

Что-то ей подсказывало, что нет.

Она открыла дверь пошире.

До ее слуха донесся шаг, всего лишь один осторожный шаг по скрипучей лестнице. Сомнений не осталось: *они* здесь!!! Она не знала, кто такие

106 *они*, и не была уверена, что это *они*, а не *он*. В машине, в белой «Волге», из которой их обстреляли, было двое... Но какая разница, сколько человек хотят ее убить?! С нее и одного хватит...

Она враз задрожавшими руками тихо притянула дверь обратно, задвинула защелку и мгновенно пересекла ванную: в ней была вторая дверь, ведущая прямо в спальню. Так недавно бывшую *их с Владькой* спальней...

Из нее был свой выход в коридор, и Люля тут же бесшумно бросилась к дверям, чтобы закрыть их на ключ. И услышала сдавленный шепот где-то уже недалеко:

— Давай, чего встал?

— Да тут лестница скрипит, чтоб ее...

— А тебе чего? Главное, быстро надо! И х.. с ней, пусть скрипит!

Скрип. Шаги. Две пары ног.

Люля тихо повернула ключ в двери спальни. Она надеялась, что бандиты первый раз в доме и не знают расположения комнат. На втором этаже было три: их с Владькой спальня и две гостевые. Одна из которых мыслилась как будущая детская, годика так через два... Другую занимал Артем.

Несомненно, ткнувшись в незапертые двери, бандиты займутся запертыми. Но это давало ей хоть крошечную фору.

При их спальне имелся балкон. А на балконе, приделанная к перилам, складная алюминиевая лестница: предусмотрительный Владька позаботился на случай пожара. Люля, с полотенцем на мокрой голове, в халате на голое, распаренное тело, в шлепанцах на босую ногу, метнулась к балкону, стянув на ходу одеяло с кровати и сунув в карман мобильный телефон и толстые шерстяные носки, валявшиеся на полу, она сняла их как раз перед купанием в ванной.

На балконной двери был крючок с обратной стороны: когда Владька выходил покурить, он притягивал дверь, чтобы дым не шел в спальню. Люля набросила его: он не спасет, его вырвут с мясом одним сильным движением. Но он не сразу выдаст направление, в котором исчезнет Люля: балконная дверь покажется закрытой.

Одеяло она тут же бросила вниз, на снег, и, подняв над перилами легкий алюминий лестницы, опустила ее с наружной стороны балкона.

Махровые шлепанцы... Они были мягкими и влажными от ее мокрых ног. Они прогибались под ее тяжестью, в них имелось только жалкое подобие подошвы, и ледяные перекладины вдавливались в ступни.

Снег обжег. Носки она не надела, боялась потерять драгоценные секунды. Куда теперь? Пока она спускалась, у нее была смутная мысль: бежать к соседям, звать на помощь... Но, ступив на снег, она отчетливо поняла: несмотря на фору, которая у нее есть, бандиты нагонят ее в два счета. Почти босая, в шлепанцах и халате на голое тело, она далеко не убежит, а ближайшие соседские дома необитаемы: зима...

Люля схватила одеяло со снега, отряхнула и укуталась в него. Подумала еще мгновение и, нырнув под балкон, стараясь идти вдоль самой стенки дома (чтобы ее следы на снегу не бросались в глаза!), завернула за угол.

Входная дверь была открыта: бандиты вошли через нее. Как, она не понимала: она хорошо помнила, что после отъезда Артема закрыла дверь на замок... Правда, только на один, хотя Артем

108 велел на все... Но сейчас было не до размышлений. Люля тихо вошла в дом, прихватила в прихожей сапоги и пальто и свернула налево, к кухне. Рядом с ней находилась дверь в подвал. Люля прислушалась — судя по всему, дверь ее спальни уже вскрыли, сверху доносились шаги и раздраженные голоса. Она потянула дверь подвала на себя, скользнула вовнутрь, заперлась на ключи и на задвижку и пошла вниз по лестнице, боясь зажечь свет и нащупывая ступени в полутьме.

Мартовские сумерки скудно освещали подвал через маленькое высокое окошко. Люля сняла тапки, достала из кармана носки, натянула их на заледеневшие, мокрые ноги, надела меховые сапожки, на халат набросила пальто, а поверх пальто — одеяло и уселась возле теплой трубы отопления. Если они выбьют и эту дверь, то дальше ей бежать некуда.

Телефон!!! Она ведь прихватила мобильный с собой!!!

Она достала его из кармана халата, судорожно набрала номер Артема. Не ловит... Собака, не ловит! Она подошла к окну, снова набрала... И все-таки она услышала его «Алло». А он — нет, он ее не слышал! И кричать она не могла.

Люля еще попробовала 02 — с тем же успехом.

Она села обратно к теплой трубе, выключив бесполезный телефон, подтянула колени к подбородку и спросила себя, зачем она суетится. Она ведь знает, что ее убьют. Не сегодня — так завтра. Умирать страшно, да. Но разве жить не страшнее? Разве ее жизнь стоит того, чтобы за нее цепляться?

В подвал звуки едва доносились, но все же она определила, что бандиты, поняв, что она сбежала, решили не прятаться и теперь переговаривались во весь голос. И голоса их разносились уже недалеко от двери в подвал.

«Я, наверное, оставила шлепанцами мокрые следы в прихожей, — подумала она. — И они легко поняли, где я прячусь. Ну что ж...»

Она уперла подбородок в колени и закрыла глаза. Больше бежать некуда.

И незачем.

* * *

«Одним словом, много тут не надыбаешь, — заключил Кис, покидая Влада-старшего. — Итак, что у нас имеется в раскладе?»

Фирма засекреченная, работает по госзаказам (назовем это так) — что ж, бывает. Судя по всему, работают с компьютерными программами — ладно, тоже бывает. На сегодняшний день хорошие программы на вес золота, и потому зарплату платят «о-о-очень хорошую». Допустим.

До этого была другая контора. Логично предположить, что занимались ровно тем же: просто в другом месте. К Владику Филипченко коллеги относились хорошо, ценили его и теперь жалеют о потере ценного кадра. К тому же в этом заведении все сотрудники были супергиперпроверенные, и такими кадрами не бросаются.

Если они ничего не имели против Владика, то что они могут иметь против его вдовы? Дома остались секретные материалы? Но их можно легко выкрасть! Пробрались же они в квартиру, чтобы заминировать телефон... Вынесли бы нужные бумаги, и дело с концом. Нет, в этом направлении искать нечего.

Далее, у Влада Филипченко имелись разные

акции разных фирм. Кис нашел людей, разбиравшихся в подобных делах. Те сказали однозначно: играл на бирже. Хотя некоторые акции он в игру не запускал, и они представляли собой пакет, тянувший на члена акционерного общества. В частности, в фирме «Росомаха».

Тогда, если Алексей на верном пути, надо думать, что в «Росомаху» Владик время от времени ходил на собрания. А Люле сказал, что тут-то он и работает. Вообще-то греха в этом нет: если его собственное место работы было столь секретным, то... Понятно, в общем. Короче, надо туда подъехать, в «Росомаху».

Он и подъехал, прямо с утра. Слава те, господи, никаких видеокамер, никаких странных неопознаваемых дверей: щедрым золотом по черному фону: «РОСОМАХА» и золотая виньетка в виде лисьего хвоста.

Молодой румяный директор, представившийся Сергеем, лучился самодовольством и гостеприимностью.

— Владик-то? Да, конечно, он был нашим акционером!

Пакет акций, участие в собраниях, в обсуждениях стратегии и тактики предприятия — тра-та-та... Директор говорил громко и радостно, словно выступал на собрании. Красота, да и только! Но только Киса никуда не продвигала эта красота.

— Пожалуйста, все, что вы о нем знаете! — говорил Кис румяному директору. — До малейшей подробности. Были у него враги? Кто-то мог зариться на его пакет акций? Что он вам рассказывал о своей жизни? Семейной, служебной, личной? Все, прошу вас, все, что только вспомните!

— Ой, — сказал директор по-простецки. — Ну вы меня просто завалили вопросами. Давайте по порядку: о личной жизни ничего не знаю. Теперь: его пакет акций. В нашей фирме не вижу никого, кто мог бы позариться. На акции же денежки нужны, а они не у всех есть. А у кого есть, тот и так купить мог!

— Вы можете мне назвать порядок суммы, на которую тянул пакет Филипченко?

Директор замолчал на полуслове, словно его внезапно хватил паралич. Кис подождал.

Директор из паралича выходить, похоже, не собирался, а его напряженный взгляд — даже слезы на глазах проступили! — начал вызывать у детектива что-то близкое к сочувствию.

— Большая сумма, стало быть, — усмехнулся Кис. — И даже так: ОЧЕНЬ большая сумма. Возможно, не только в акциях, их легко контролировать, но в налике... — Он снова усмехнулся, несколько издевательски, глядя, как директор судорожно сглатывает. — Меха стоят дорого, и если не весь товар декларировать... А про налоги и вовсе молчу...

Сергей, хоть уже и был румяным, стал откровенно красным. Алексей даже не на шутку испугался, что его апоплексический удар хватит.

— Вы недавно тут директорствуете? — осведомился он. — Так вот что я вам скажу, голубчик: можете мне поверить, я здесь не для того, чтобы копаться в ваших делах. Я частный детектив, частный, понимаете? Ничего общего с органами. И пришел я к вам не по заданию налоговой инспекции, а по делу моей клиентки, столь же частного лица, — Людмилы Филипченко. И мне чихать, платите ли вы налоги, как продаете товар и откуда у вас первоначальный капитал. Но если что-то где-то имеется в ваших делах, что опасно разглашать, то интерес к доле Влада Филипченко мог быть вызван желанием устранить из фирмы человека, который приобрел права совать свой нос куда не следует... Хотя с ним как раз могли столковаться, а вот наследница-жена испугала.

Директор, откашлявшись, медленно и опасливо заговорил:

— Иными словами... вы предполагаете, что ее хотят устранить, чтобы она не сунула свой нос, совсем чужой, еще не «прирученный» нос, в наши дела? — догадался он, немного просветлев лицом. — И вы мне поверите, если я скажу вам «нет»?

— А вы скажите ваше «нет» поподробнее. Тогда, может, и поверю, — усмехался Кис.

— Прекрасно. Первое. В этом кабинете, где мы с вами сидим, имеется прослушивающее устройство. Вот оно, — румяный директор указал на старинный прибор с чернильницей. — Мне надо было вас сразу погнать из фирмы поганой метлой, да я вот лажанулся, сдемократничал... А теперь вас гнать поздно: базар уже пошел... И теперь у меня задача, господин хороший, не в том, чтобы вы мне поверили, а чтобы вот эти мужики поверили. И все, что я вам скажу, будет крайне ответственно с моей стороны, не то мне башку оторвут... Правда, ребята? — И он щелкнул по серебряной крышечке. — Так вот. Первоначальный капитал... Откуда бы он ни взялся — ни ваших, ни всех прочих сил не хватит, чтобы докопаться до истоков.

— Так я и не собираюсь, — заверил Кис.

— Правильно делаете, — одобрил директор. — Тому уже двенадцать лет, как существует наша фирма. И люди, стоявшие у истоков ее создания, уже давно уважаемые члены общества...

Алексей понял: в данный момент не он ведет следствие, а невидимые «мужики» за серебряной чернильницей: это для них Сергей, молодой румяный директор, выкаблучивается. Люди *из чернильницы* должны составить свое мнение: опасен ли им незваный детектив. Следовало срочно убедить их в том, что не опасен. Что к тому же было чистой правдой.

Он остановил Сергея.

— Меня не интересует история вашей фирмы. Меня не интересует происхождение ваших капиталов. Меня интересует только одно: видите ли вы интерес со стороны некой персоны из вашей фирмы или ее высшего эшелона в устранении Людмилы Филипченко?

— Значит, так, — важно ответил Сергей. — Если бы дело было в унаследованных ею акциях, то для начала кто-нибудь от имени нашей фирмы попытался бы эти акции у нее выкупить. Убивать — это, знаете ли, очень хлопотно. Помимо морали, конечно, все знают, что это нехорошо. Кроме того, это еще и рискованно. И дорого: милиция там, прокуратура: всех надо подкупать... Дорого это, понимаете? Проще уладить мирным путем. Правда, мужики? — И он снова щелкнул по крышечке чернильницы.

Кис вдруг понял, что «мужики» действительно внимательно вслушиваются (или будут вслушиваться в записи) не только в слова детектива и не только о нем хотят составить мнение, — они столь же внимательно внимали словам Сергея. Если директор, явно новоиспеченный, что-то напортачил со вдовой Владика Филипченко, будут ему крутые разборки с головомойками... Так что Сергей имел интерес говорить правду. Или врать с ходу, да так убедительно, чтобы ему поверили в *чернильнице*.

114 Что весьма проблематично: подобные таланты редки.

— А к его вдове никто не обращался с предложением выкупить акции, — продолжал директор, уже совсем оправившись от шока. — Выводы сами сделаете или помочь?

— Ну, уж вы меня совсем за дурака держите, что ли, — обиделся Кис для поддержания разговора. — Все понял. Значит, отсутствие попытки сторговаться со вдовой говорит об отсутствии интереса к пакету акций, который держал ее муж?

— Совершенно справедливо. Приятно иметь дело с умным человеком.

— Взаимно, — вымучил из себя улыбку Кис. — Не знаете, где работал Владик Филипченко?

— Как не знать? Тут же, в нашем здании! На третьем этаже. Фирма у них без названия была, так, а/я. Чего-то очень секретное, на государство. Да я никогда не интересовался — своих дел хватало. Но теперь они переехали!

— И давно?

— Да месяца полтора тому назад.

— Ваши акции есть у кого-нибудь из его коллег?

— Какое! Мы тогда были в кризисе... Владик только один отважился вложить деньги...

— Номер их бывшего офиса не подскажете?

Румяный директор подсказал, и Кис распрощался.

На третьем этаже помещение оказалось уже занято. Какие-то «Аксессуары и приклады». Кис понятия не имел, о чем речь. Плетя на ходу какую-то чушь, он проник в помещение и огляделся. Приемная, две двери из нее, налево и направо.

Он бесцеремонно открыл ту, на которой было написано «Директор». И увидел стены, обшитые панелями из орехового дерева и огромный стол.

Изобразив полного дебила, он пробормотал, что ищет фирму «Жестяные чайники» и ошибся адресом. После чего с насмешками был выдворен вон.

...Стало быть, не так уж подводила память Влада-старшего. Сидел он когда-то за большим столом в комнате, отделанной деревом... И Владик Филипченко не обманул свою жену: именно тут он и работал, в безымянной конторе. А то, что у входа красовалась вывеска «Росомахи», так это не его вина.

Что, впрочем, ни на шаг не продвигало его в расследовании покушений на Людмилу Филипченко. Румяному директору он поверил сполна: если бы дело было в акциях, то они бы попытались для начала их перекупить. И только потом, не видя иного выхода, пошли бы на крайние меры. Безмолвные *ребята в чернильнице* подтверждали, что это правда.

Короче, пустышка. Надо искать другие концы.

* * *

Артем не услышал ни слова по телефону, но узнал знакомый номер по определителю. Сразу заныло старое ранение в боку — казалось, что весь живот перекашивает, стягивая к шраму. Уродливому шраму, некрасиво сросшемуся, — пулю вынимали в полевом госпитале...

Потирая бок, он быстро вызвал все мыслимые службы спасения по адресу Люли и, бросив тележку, уже наполовину полную, посреди супермаркета, помчался к стоянке. Заводя свой джип, он не думал ни о чем, только пытался высчитать, через сколько долгих минут он может оказаться на «Охраняемой зоне номер 2».

И понимал, что их слишком много, этих минут, чтобы спасти Люлю...

...Она не шелохнулась, слушая возню и скрежет за дверью. Пусть войдут, пусть стреляют. Хватит пытаться обмануть смерть. Ей пора к Владьке.

И она готова. «Здравствуй, любимый, вот и я! Ты соскучился? Обними меня, мой Принц, теперь мы будем вместе. Всегда. Это такое длинное, такое бесконечное слово «всегда», потому что за ним вечность...

...Есть ли у душ руки, чтобы обнять? Можно ли почувствовать их тепло? Можно ли поцеловать родные губы? Или теперь им будет нечем целоваться, нечем обниматься, нечем любить друг друга? Только какие-то бесформенные токи: «Привет, это я, узнаешь?»

Может, пойти открыть им дверь? Надоело ждать смерти. Открыть: пусть стреляют сразу. Ждать смерти тяжело. И страшно.

Страшнее, чем умереть».

Она поднялась. Одеяло упало с плеч, но она подумала: «На кой черт мне одеяло, если я умру через две минуты?»

Люля перешагнула через него и направилась к лестнице. Поднялась, взялась за задвижку.

...Однако за дверью уже было тихо. Она не поверила своим ушам. Но было тихо, ей-богу, было тихо! Они сдались! Они не сумели открыть дверь!

«Не грешите на судьбу, Люда. Она вас хранит».

Артем... Это правда, Артем? Ты это *знаешь?* Меня судьба и впрямь хранит? Их что-то спугнуло? И они оставили свою затею убить меня, хотя бы сегодня?

Да, Артем?..

Но выйти она побоялась. И спустилась обратно.

И хрипло, истерично рассмеялась: на фоне подвального матового окошка вычертились два темных силуэта. Разбить стекло — это ничего не стоит. Это вам не массивная дверь с запорами.

Артем, милый Артем, ты ошибся. Судьба *тебя* хранила, да, но не стоит обобщать... Она у всех разная, судьба-то.

Через минуту ее убийцы будут здесь.

Звон разбитого стекла.

Нет, они будут здесь через десять секунд.

Люля села обратно возле теплой трубы, натянув одеяло на голову: она не хотела видеть, как ее будут убивать.

«...Владька, родной, я уже иду к тебе, слышишь?»

Они ничего не видели в темноте подвального помещения: сумерки сгущались с отчаянной быстротой. Но они были уверены: женщина там.

Один из них размахнулся и бросил гранату в дыру в окошке.

— На тебе подарочек, красавица! — хохотнул он. — Давай дуй к двери! Давай, голуба, мы тебя ждем!

И они рванули в дом, к подвальной двери.

118 Люля приподняла край одеяла. Посреди подвала, на полу, с шипением крутилось нечто, выпуская беловатую струю газа. Вот оно что... Они решили ее отравить газом... И теперь она должна, гонимая страхом и инстинктом самосохранения, ринуться к двери и открыть ее... Для того, чтобы ее убили!

Нетушки. Этот номер не пройдет, сволочи! Я предпочитаю умереть красивой, чем с дыркой во лбу. Мне ведь предстоит встреча с Владькой... Вам не понять, но я ведь женщина. И я хочу умереть красивой.

Люля так и не двинулась с места. Только натянула одеяло на лицо. Сколько еще секунд у нее осталось? Или минут? Она набрала номер Артема. Связи, конечно же, в этом углу не было... И тогда она просто сказала вслух, как будто стены подвала могли передать ему потом ее слова:

— Артем, слышишь? Спасибо тебе за все... Ты хороший парень... Прощай.

Потом она мысленно набрала номер Славы Мошковского и снова сказала стенам подвала:

— Славка, прощай. Я люблю тебя, ты самый чудесный друг на свете. Я ухожу к Владьке, слышишь... Я была счастлива и горда работать с тобой, но я ухожу...

Люля вдруг почувствовала, как обожгло глаза и остро защипало в носу. Слезы полились рекой по щекам, потекло из носа, защипало в горле.

Под ее одеяло пробрался газ — слезоточивый газ! Они хотят ее *выкурить* из подвала! Чтобы она в панике побежала прямо к ним в руки!

Не выйдет у них ничего. Она не сдвинется с места. Вы просчитались, убийцы.

Люля не знала, что будешь дальше: обморок? **119** Смерть? Или от этого не умирают?

Плотно закрыв глаза, она получше натянула одеяло на лицо, стараясь дышать редко и неглубоко.

...А если они, увидев, что загнанный зверь избежал ловушки, решат вернуться к окну, разобьют его окончательно и залезут в подвал? Тогда она от них уже точно не убежит: глаза болели и горели, их застилали слезы, она не могла их открыть...

Да и зачем? Люля знала, что сегодня ее последний день. Судьба явно была занята чем-то другим, но не охраной Люли... Для охраны у нее остался всего лишь Артем... Который покупает сейчас в магазине продукты и даже не догадывается о том, что ужинать он будет один...

Люля больше не могла дышать. Толстое одеяло не пропускало воздуха, но зато газ пробирался и сквозь него. Не открывая глаз, она откинула одеяло и вздохнула полной грудью — пусть газ, но организм требовал вдоха, и Люля была не в силах сопротивляться этому желанию.

У нее кружилась голова, горело в дыхательных путях, дышать было трудно, но и не дышать она не могла. Сознание мутилось.

Люля равнодушно подумала, что сейчас она упадет в обморок. А потом умрет.

Последним усилием воли она, по-прежнему не открывая слезящихся глаз, сбросила одеяло на пол и на ощупь сползла на него. Вытянулась и успокоенно вздохнула: не хватало только разбить себе лицо об пол, падая... Нет уж, она умрет красивой.

— Владька, родной, если у тебя есть хоть некое подобие рук, лови меня! Я к тебе лечу!..

...А домработница все приставала, что делать с оставшимися коробками. И Влад сказал ей, не слишком уверенный, что это правильное решение: «Заберите эти вещи себе».

Домработница была весьма довольна — еще бы, шмотки были исключительно из дорогих магазинов! — и унесла порциями, в три дня, вещи из коробок к себе.

На четвертый вернулась и принесла Владу бумажку: отпечатанный на компьютере мелким шрифтом список телефонов. Нашла в кармане какого-то пиджачка Лены, жены.

Влад покрутил его в руках. Впечатление было таким, что жена его носила с собой в кармашке небольшую шпаргалку с телефонами самых близких или самых нужных людей.

Ну что ж, для него это находка.

В последние дни он чувствовал себя чуть получше. Та случайная посиделка с чужим человеком, с детективом, как будто немного отогрела его, что ли. В пустыне его памяти, как и в пустыне его новой жизни, появился первый живой человек. И человек, к которому он чувствовал симпатию. Влад делил людей на тех, кто «сечет», и на тех, кто «не сечет». Что он подразумевал под этим словом, он и сам не знал и весьма затруднился бы кому-то объяснить. Но он определял это однозначно, на нюх, как собака. Детектив, по его разумению, «сек». А вот сослуживец Митя, при всех своих намеках на дружбу, — нет, Митя «не сек». Ему не хотелось дружить с Митей. Еще меньше с двумя другими коллегами по работе, которые смотрели на него как-то искоса, словно скрывая любопытство... Зато с детективом он бы, пожалуй, еще раз посидел вечерком. Ему даже захотелось позвонить Алексею Кисанову — тот визитку оставил, но он постеснялся. С какой стати?

Ладно, на этот вечер у него есть развлечение: список жены.

Первый номер.

— С вами говорит Влад Филиппов. Вы знали мою жену Елену...

И истеричный мужской голос:

— Зачем вам теперь? Что вам надо теперь? Лены нет, какая вам теперь разница?! Оставьте меня в покое!!!!

«Ленкин любовник», — безразлично подумал Влад. Но все-таки позвонил детективу Кисанову: Влад не был уверен, что правильно ориентируется в человеческих отношениях. Он слишком много всего забыл...

Пересказал содержание телефонного разговора.

— Любовник? — спросил он.

— Однозначно, — ответил детектив. — Надеюсь, что тебя это не слишком сильно...

— Нет, нисколько. Мне *все равно*, — ответил Влад-старший.

И набрал второй номер. Ответил женский голос. Влад представился.

— Мы с вами были знакомы? — спросил он после объяснений.

— С таким ничтожеством, как вы, не стоило и труда! — выкрикнула женщина. — Вы отравили жизнь Лене, вы погубили ее молодость!!!

— А что, я не давал ей развода? — глупо спросил Влад.

— При чем тут развод?! — возмутилась его собеседница.

— Ну как же, — попытался он объяснить, — если ей было плохо со мной, она, по логике вещей, пыталась со мной развестись?

— И куда она, по-вашему, могла от вас деться? Куда ей было идти? На что жить?!

— То есть она не разводилась со мной из-за денег? — удивился Влад. — Имея при этом любовника?..

— Вы ничтожество! Я никогда не видела вас, но теперь понимаю, как Лена была права: вы — ничтожество, полное ничтожество! Денежный мешок без чувств и без понятий!!

Влад повесил трубку в полном недоумении. В отсутствии всяких эмоций он просто пытался осмыслить ситуацию логически: он содержал семью, жену и дочь. Жена его тем не менее, если верить недавней собеседнице, ненавидела. Но оставалась с ним, потому что у него были деньги. При этом у нее имелся любовник...

И как в таком раскладе выходило, что «ничтожество» — это он, Влад Филиппов? Видимо, он что-то важное забыл в человеческих отношениях. Какие-то сложные нюансы. Ему все виделось упрощенно: не любишь — скажи. И уходи. Неужто он был такой скотиной, что не отпускал жену? Он ведь ее не любил... Давно не любил. Много-много лет не любил. Он это помнил. И он бы ее отпустил. Почему же она не уходила? Да к тому же винила в этом его, Влада? Загадка. Нет сомнений, он что-то важное забыл в человеческих отношениях...

Он набрал третий номер.

— Влад Филиппов? — сомневался мужской голос на том конце провода. — Не узнаю! Вы меня разыгрываете?

Он пустился в объяснения. Как въехал в грузовик, как влетел мордой в пень, причем так влетел, что даже связки повредились, и теперь не только лицо, но и голос чужой... И амнезия, будь она проклята, — ничего не помнит... Вот, звонит как дурак по старым телефонам в надежде найти кого-то близкого, кто может помочь его памяти...

— Мы с тобой были в ссоре, Влад, — сказал мужчина. — Ты меня и впрямь не помнишь? Я Лева, Лев... Не помнишь? Что-то мне слабо верится... Я парикмахер твоей жены... Неужели не помнишь? Такое может быть? Она познакомила нас... Я и тебя стриг некоторое время. Потом я у тебя попросил двадцать тысяч долларов в долг, хотел купить свою парикмахерскую, мне не хватало.... Ну ты даешь! А ты не придуриваешься? Как такое можно забыть? Ну, не знаю... Ты потребовал деньги раньше срока. Я встал на уши, чтобы тебе вернуть. Но мы с тобой год не разговаривали с тех пор... Неужели не помнишь? Хрен с тобой, приезжай, я не злопамятный... Тем более, раз амнезия... Завтра не могу, у меня две смены. Послезавтра. Пиши адрес.

Влад записал. И поехал послезавтра.

Напрасно он звонил в дверь: ему никто не открыл. Видимо, парикмахер Лева все еще держал на него зло за какой-то долг... Он у него потребовал долг раньше срока? Почему? Ему срочно понадобились деньги? Или он перестал доверять Леве? А может, он и впрямь был законченная сволочь?

Ночь он мучился неразрешимыми вопросами и все-таки отважился позвонить Леве снова.

Ему ответил незнакомый голос. И привязался: кто он да зачем звонит?

Через пару минут выяснилось, что с ним говорит следователь. Лева убит в своей квартире вчера выстрелом в голову.

Следователь желал с ним встретиться. Ну что ж, Влад встретился. Объяснил про амнезию, показал справки из клиники...

Его быстро оставили в покое.

Отойдя от шока, он как-то вечерком набрал следующий номер из списка жены. Маникюрша, черт бы ее побрал.

Еще один номер: массажист. Вот так, в мужском роде. Очередной любовник его жены?

Влад быстро понял, что этот человек никогда с ним не встречался, и мгновенно потерял к нему интерес.

Шестой номер. Не отвечает. Глухо.

Седьмой номер с пометкой: «Влад раб.». Его рабочий номер? Он сверился со своей новехонькой записной книжкой: телефон в списке его жены был другим.

Он снова позвонил детективу Кисанову: «Вы спрашивали, где я работал раньше? Вот номер, запишите...»

Но детектив ответил, что прежнее его место работы ему уже известно.

Скучно. Всем все известно, кроме него.

Он просмотрел оставшиеся телефоны в шпаргалке. Они были помечены женскими именами. Напороться на еще одну подругу жены, которая заявит ему, что он ничтожество? Только одно имя оставляло надежду, что за ним скрывается мужчина: Женя.

Нет, не повезло: ответила женщина.

— Будьте добры Женю...

— Это я.
— Женя?
— Да, я. Кто это?

Ладно. Раз уж он набрал номер... Влад объяснил все сначала: что амнезия, ничего не помнит, что и внешность не та, и голос не тот. Но он бы хотел, чтобы Женя рассказала ему, в каких она была отношениях с его женой — или с ним? — и вообще все, что она о нем знала.

Женя слушала молча. Так *молча*, что он забеспокоился: на линии ли она?

Она была на линии. Она внимала каждому его слову.

— Если вы говорите правду... Если это ты, Влад...

— Это я, Женя. Поверьте мне. Мне... Женя, мне очень хреново. Я ничего не помню, я потерял все ориентиры... Мне нужна помощь, Женя...

— Значит, ты теперь вдовец?

— Ну да, — растерялся Влад.

— И ты меня забыл?

— Извините, Женя, — это болезнь такая, амнезия... не обижайтесь...

— А откуда у твоей жены мой номер? Ты сказал, что звонишь по ее списку.

— А почему нет? Она не была вашей подругой?

— Нет, Влад. Я не была ее подругой. Я была твоей любовницей. Мы с тобой расстались год тому назад.

— Почему?

— По кочану, — отрезала Женя. — Поссорились. А твоя жена, выходит, обо мне знала?

— Теперь это вряд ли имеет значение, Женя... Мы можем встретиться? Поговорить?

— Хорошо... Давай завтра в нашем кафе, часиков в шесть.

— В каком кафе? Я не помню... Извините...

— Ну, ты даешь, Влад! — недоверчиво хмыкнула Женя.

— Клянусь...

— В «Ностальжи», на Чистых Прудах. В шесть, Влад, не забудь, а то ведь у тебя *амнезия*, — с издевкой проговорила она.

Она ему не поверила?

Женя не пришла в кафе. Напрасно Влад прождал ее, мусоля рюмку коньяку. Она не пришла.

В шпаргалке жены напротив Жениного имени — единственного из всех! — стоял адрес. И на следующий день он поехал. И думал по дороге о том, что адрес указан неспроста: видимо, Женя была и впрямь его любовницей, и Ленка прознала об этом. Откуда и адрес: жена за ним следила... Или наняла кого-то? Или звонила иногда Жене и безразлично спрашивала: «Мой муж у вас? Я сейчас за ним подъеду».

Что она чувствовала, его жена Лена, имевшая любовника (одного?) и жившая с ним, Владом, только ради денег, при мысли, что у него тоже есть любовница? Безразличие? Ревность? Страх, что он разведется и оставит ее без денег?

На его звонок в квартире зарыдала собака. Она скреблась в дверь. Ему стало физически плохо от этого: замутило. Затошнило. Собака была брошенной. Он не сомневался в этом.

И ему стало до одури жалко эту собаку. Она была такой же брошенной, как он. Его бросили все, даже память...

Он позвонил в соседские квартиры. Ничего

интересного, кроме того, что собака «плачет» уже
сутки, надоела хуже горькой редьки!

«*И никто собаку не пожалел*, — удивился он. —
Хуже горькой редьки... Люди бесчувственны?

А он, он каким был раньше? Таким, как эти
соседи? Или таким, как сейчас: когда в груди
больно от собачьего плача?»

Он вышел на улицу и позвонил детективу.

— Что делать? — спросил он. — Я могу взло-
мать дверь? Животное жалко...

— Не можете, — ответил детектив. — Ждите, я
сейчас приеду.

Его долго не было, очень долго. Но Влад ждал.
Да и то, куда ему торопиться? И потом, ему почему-то страшно хотелось забрать эту собаку. Он не
знал, что это за псина, какой породы и масти, но
какая разница? Она была так же одинока, как он.
И куда бы ни задевалась ее хозяйка, он заберет
собаку к себе. А когда хозяйка вернется, он животное вернет. Или... Ну, видно будет.

Алексей Кисанов появился в подъезде в сопровождении участкового.

— Вот, — кивнул он на дверь, у которой стоял
Влад. — Нарушение общественного порядка. Из-
девательство над животными. Все соседи готовы
написать жалобу.

Участковый послушал. Животное за дверью,
заслышав голоса, с новой силой кинулось на
дверь, отчаянно скуля.

— И чего делать-то? — хмуро спросил участковый.

— Как это «чего»? Дверь вскрывать, протокол
составлять! — невозмутимо ответил детектив. —
Постановление мэра Москвы знаете? О привлече-

128 нии к ответственности за жестокое обращение с животными? А о нарушении общественного порядка в вечернее время? Вот и вскрывайте дверь!

Участковый, деревенский малый с конопушками на крестьянском лице, снял шапку, почесал темя, крякнул и распорядился вскрывать дверь. К чему слесарь, предусмотрительно отловленный Алексеем, и приступил.

Дверь вскрыли; псина бросилась лизать руки Владу: видать, узнала его...

Кис мигом, опередив участкового, обошел квартиру.

— Никого, — сказал он, появившись в коридоре, где участковый с любопытством изучал суку-добермана, завалившуюся на спину и подставившую брюшко Владу, который неуверённо гладил животное.

— Пес вас знает, — кивнул Кис. — У собаки даже воды в миске нет. Не говоря о еде, — это он адресовал уже участковому. — Жестокое обращение с животными ныне преследуется по закону! Составляйте протокол, мы подпишем как свидетели!

Влад нашел поводок и ошейник. Закончив формальности, они вышли в морозную ночь.

— Куда хозяйка могла подеваться, по-вашему? — спросил Влад.

Кис поежился.

— В гости позовете?

— Конечно, — засуетился Влад. — Только я на метро: машину ведь старую в лепешку... Вместе со всеми пассажирами... А новой вот не купил пока....

— Не страшно. Я на своей.

Влад вместе с сукой забрались в высокую «Ниву»-джип детектива, и вскоре темная морозная Москва поплыла за окнами.

* * *

...И Владька поймал ее в руки, и они легко полетели в черном пространстве, и она чувствовала, как холодный воздух остужает ее горящие, воспаленные глаза, успокаивает боль, убаюкивает...

Она прижалась головой к его груди, и он нес ее, нес, а она еще всхлипывала, и слезы еще текли. На этот раз, кажется, от счастья... Ей так хотелось ему пожаловаться на все, что произошло без него, пока она была одна, и пожурить его за то, что он ее бросил... Но ее голова мерно покачивалась на его плече, и покой, в который она погрузилась, был так велик и так сладостен, что ей не хотелось делать усилия и говорить...

Но Владька почему-то вдруг остановился и выпустил ее из рук. И потребовал, чтобы она открыла глаза.

— Люля, ты меня слышишь? Люля, проснись!

И почему-то стал чувствительно хлопать ее по щекам.

— Пожалуйста, проснись! Пожалуйста, прошу тебя...

И снова шлепок по щеке.

— Люля! Люда! Проснись, нужно проснуться, слышишь?

Это был не Владькин голос... Это был Артем!

Он что, тоже умер? — испугалась Люля.

130   ...На нее наплыл гул. Переговаривались несколько мужчин. И громко, поперек гула, Артем:

— У кого-нибудь есть нашатырь?

— Да ты чо, откуда у нас? — почти над ее ухом раздался незнакомый мужской голос. — Вот «Скорая» приедет, так у них есть небось...

— Надо срочно привести ее в сознание, — тоже над ухом, только над другим, пробормотал Артем. И ее затрясли за плечи, затормошили: — Давай, Люля, давай, просыпайся!

...Свет был нестерпим. Глаза горели. Она тут же зажмурилась.

— Ну, наконец-то! — обрадовался Артем. — Ты не открывай глаза, не надо! Попробуй встать, я тебе помогу...

Странно, она жива. Странно... А как же Владька? Она ведь уже была с ним... И их снова разлучили!!!

— Осторожно, потихоньку... Вот так... Надо промыть глаза. Сейчас должна подъехать «Скорая», но пока хотя бы просто водой... Пойдем, моя хорошая, пойдем...

Он заставил ее набирать в горсть кипяченой воды и открывать глаза — сначала один, потом другой — в этой воде, и ей пришлось повторять это снова и снова, и втягивать воду в нос, и полоскать горло, и откашливаться...

Он ее замучил, совсем замучил. Она едва держалась на ногах. Но зато после этой долгой процедуры она сумела открыть глаза. Они были красными, воспаленными, но больше не слезились. Она даже увидела себя в зеркале...

Лучше бы не видела! Волосы, слипшиеся от бальзама и уже подсохшие, нос покраснел и распух, глаза тоже отекли — хороша же она!

— Спасибо, Артем... — Ей было неловко, что он видит ее такой. — Я приму душ, можно?

Артем подумал.

— Даже хорошо, я думаю. Горячий пар смягчит горло... Давай! — великодушно разрешил он.

После душа и впрямь стало полегче. Люля наскоро подсушила волосы, оделась и спустилась вниз. К ее изумлению, ее дом оказался заполнен целым отрядом мужчин в униформах... Пожарники! Что они тут делают? Ее дом снова подожгли?

Пожарники загудели, когда Люля вернулась в гостиную; кто-то даже присвистнул в знак приветствия.

— Ну и напугала ты нас, красавица! — проговорил один. — Мы думали, что ты неживая уже...

— Я тоже... — Люля закашлялась. — Я тоже думала, что я неживая, — хрипло закончила она. — А я — вот... пока живая... А здесь что, пожар был?

— Да нет, — весело откликнулся кто-то из пожарной команды. — Твой приятель Артем почуял неладное и еще из города всех повызывал наобум. Мы первые приехали. А «Скорой» все нет — тут, если б кто умирал, так уже помер бы давно! Во работнички! И милиция тоже хороша: человека сто раз убить успеют, пока они доедут, оперативные наши! — В его голосе звучала гордость за оперативность пожарной службы. — А мы ее тут ждем, придется рассказать, как чего... А ты ему скажи спасибо, Артему: он тебя спас. То есть спасли-то тебя мы, но если б он не додумался позвонить...

Все сидячие места в гостиной были заняты мужчинами. Ни один не сообразил, что ей трудно стоять.

— Можно, я сяду? — Люля улыбнулась.

Мужики повскакивали разом.

— Да мне одного места хватит, — усмехнулась она. — Сидите. На кухне есть табуретки, возьмите, кому не хватает.

Она увидела, что у всех в руках было по банке пива: Артем додумался скрасить пожарникам ожидание милиции.

«Скорая» заявилась еще через пятнадцать минут, милиция тут же следом. За это время Люля узнала, что пожарники, приехав, поначалу осерчали: ни дыма, ни огня — ложный вызов! Но все-таки решили обойти дом. Увидели разбитое подвальное окошко, посветили фонарем: женщина на полу, то ли мертвая, то ли без сознания... Они скорей к дверям. И тот, что первым завернул за угол, успел заметить два таявших в темноте силуэта. Их окликнули, но силуэты стали таять еще усерднее, удаляясь. Пара добровольцев хотела было пуститься в погоню, но их образумили: бандиты (или воры?) могут быть вооружены. Не с брандспойтом же их догонять...

Пожарники дружно ввалились в дом: входная дверь была не заперта. А вот дверь подвала, напротив, не поддавалась. Сначала хотели выломать, но потом решили через окошко влезть: хлопот меньше, да и убытку тоже. Выбили все стекла и спустились. На месте поняли, что подвал наполнен слезоточивым газом... Дверь подвала открыли, женщину прямо на одеяле вынесли, а тут и Артем подоспел, из рук в руки, можно сказать, принял...

Артем, который все это время стоял у окна, ожидая вызванные машины, вдруг подошел к Люле, присел перед ней на корточки, дотронулся до ее руки.

— Видишь, Люля, судьба тебя хранит... Я же тебе говорил — хранит!

— Не столько судьба, сколько ты, — тихо ответила Люля. — Спасибо.

— А я что, — легко ответил Артем, поднимаясь. — Я просто орудие судьбы. Инструмент, так сказать. Посланник.

Он направился к окну и вдруг на ходу обернулся: подумал, что последние его слова прозвучали слишком многозначительно.

Но Люля не ответила на его взгляд. И он отвернулся к окну.

* * *

Собака съела без остатка куски тушеного мяса, которые Влад щедро вывалил в глубокую тарелку за отсутствием миски. Вылизала тарелку и вопросительно посмотрела на Влада: может, еще?

— Хватит, — ответил ей Влад. — Вот вода, пей, если хочешь. А не хочешь — иди спать. Вот твое место, смотри!

И он указал на подушки, разложенные в коридоре под вешалкой. У него в квартире почему-то оказалось очень много подушек, и он решил, что собаке будет на них удобно спать.

Однако псина, сходив вслед за Владом и изучив предложенные ей подушки, явно решила, что место на кухне лучше. Она залезла под кухонный стол, поближе к стенке, и грозно рыкнула, когда Влад, забравшись под стол, протянул руку, чтобы взять ее за ошейник.

— Что, плохо быть брошенной, да? — спросил Влад под столом. — Дуреха, чего скалишься? Я тебя не обижу... Ладно, сиди тут, в компании. Все веселее...

— Видал? Она пытается установить свои правила, — с удовлетворением проговорил Влад, вылезая задом из-под стола.

Кис смотрел на эту сцену с веселым изумлением. Тяжелый, высокий, массивный Влад с барственной внешностью и начальственными замашками полез под стол, где вел совершенно человеческий диалог с собакой!

Эта личность никак не складывалась в единый, цельный образ в его восприятии. Он был раньше, до амнезии, другим? Жестким, властным, как его внешность? А теперь вдруг стал чувствительным и отзывчивым?..

Да нет, так не бывает. Вследствие амнезии он мог потерять только *маску*. Забыть о ней, о дурацкой маске, навязанной штампами коллективного мышления, в котором доброта воспринимается как слабость... И потом, его почти легендарная дружба с погибшим Владькой! Мифы о мужской дружбе — Кис это хорошо знал — это все мифы *доисторические*. Эта дружба выдерживала мальчишеские драки, ссоры из-за девушки, невозвращенную десятку, но она взрывалась под тяжестью денег. *Больших* денег.

Чтобы сохранить дружбу на долгие годы, нужно было ее *охранять*. И Влад охранял ее. Значит, в иерархии его ценностей дружба стояла на одном из самых первых мест. А это многое говорит о человеке...

Да и то его неожиданное приятельство с детективом свидетельствовало о том, как не хватает этому человеку дружбы, как саднит пустое место в душе... Правильно: и собака эта ему так остро занадобилась, чтобы заполнить саднящую пустоту.

— Ну ничего, пусть немножко отойдет, а там я

ей объясню, что почем в моем доме, — ласково усмехался Влад. — Хозяин тут я, пусть не сомневается! Знаешь, в Нью-Йорке, на Пятой авеню, есть такая смешная табличка: «Даже не думайте припарковаться здесь!» Так вот, пусть она даже не думает, что заведет свой порядок! Это я так, бонус для знакомства ей выдал...

И вдруг он остановился посреди кухни в удивлении:

— Гляди-ка, я про Нью-Йорк помню! Вот чудеса...

— Как ты собаку будешь звать?

Влад поднял брови.

— А вот ведь... А я даже не подумал! Верно, надо же ее как-то назвать!

— Не помнишь кличку? Ведь ты знал собаку...

— Не помню. А хозяйка-то вернется небось? Куда-то смылась, животное бросила, — он покачал головой. — Но приедет же, рано или поздно?

Кис не ответил. Он сомневался, что хозяйка приедет.

— У меня тут еще осталось тушеное мясо. Будешь, детектив?

Детектив ответил, что «будешь». Он был непривередлив в еде: мясо — хорошо, сосиски — тоже сойдет... В голове у него роилось множество мыслей и вопросов. И он не знал, с чего начать: с приведения мыслей в порядок или с вопросов?

Но вкусные запахи разогреваемого мяса мешали ему сосредоточиться.

— Что там у тебя такое? — поинтересовался он. Ноздри его трепетали от *букета*.

— Говядина. В красном вине, с корицей и медом.

— Говядина? С медом?!

— Да там только ложечка меду, чего ты! Не бойись, Алеха, вкусно будет. Что тебе к мясу? Макароны сварить? Картошку? Или горошек открыть?

Они столковались на горошке: мясо пахло так одуряюще вкусно, что сил не было ждать. Горошек нагрелся в мясном соусе одну секунду, и Влад поставил кастрюлю на стол, вложив в нее половник.

— Накладывай себе, — распорядился Влад.

И в этот момент у Киса зазвонил мобильный.

Это был Артем.

Кис молча выслушал повествование об очередном покушении на Люлю. И сказал, что к утру будет у них.

...Время идет, Людмилу Филипченко старательно и изобретательно пытаются убить, а у него пока ничего на руках, ни-че-го! Только самые смутные идеи, только самые общие догадки... Что бандиты теперь придумают? Насколько еще хватит Людмиле везения и бдительности Артема, чтобы увернуться от новых покушений, пока Кис топчется на месте?! А может, убийцы сдадутся? Оставят свою затею? Решат, что не судьба? Что черт или бог против них? Или, напротив, обозлятся еще пуще?!

— Расскажи-ка мне, Влад, про этот список жены, — произнес он, с остервенением закрывая телефон, словно аппарат был повинен в услышанной информации. — Кому еще звонил, с каким результатом?

Влад рассказывал, старательно припоминая и немного путаясь, пока Алексей ел подостывшую еду.

И Кис опять слушал. И опять думал о том, что время идет... Казалось, он кожей ощущает каждую истекшую минуту, а у него пока пусто. До отвращения пусто.

Впрочем, все же какие-то первые, пока еще неуверенные соображения у него намечались.

Парикмахера Леву убили. Бывшая любовница Влада, Женя, пропала. И Кис подозревал, что не просто так... Остальные же в целости и сохранности. Может, пока и рано обобщать, однако из всех людей, с которыми говорил Влад, беда коснулась только двоих: тех, кто согласился *встретиться с Владом*. И как раз *до того*, как они успели встретиться.

Значит, завтра Алексею после того, как повидает Люлю, придется заняться выяснением обстоятельств убийства Левы и исчезновения Жени.

— Больше ты никому не звонил?

Влад с трудом вспомнил: Вова. Который умер от инфаркта. Но кем ему был Вова, Влад сказать не мог. И еще какая-то женщина, обозвавшая его скотиной... К счастью, во всем, что касалось недавних событий, память Влада хоть и хромала, но все-таки функционировала.

Вова, значит... Его Влад не предупреждал о своем приходе — он поехал экспромтом. И к тому моменту Вова умер уже две недели назад. Вряд ли это событие того же тревожного порядка, что люди из списка жены...

Но все же Кис пометил в блокноте: «Вова».

К ночи Влада снова развезло. Он снова пил водку и снова принимал лекарство — Кис только головой качал. Попытка остановить Влада привела лишь к тому, что тот послал детектива ви-

Татьяна Гармаш-Роффе

138 тиеватым матом. «И как он только не забыл столь сложные конструкции? — подивился Кис. — Должно быть, они залегли в пластах глубинной, неприкосновенной памяти вместе с базовыми понятиями!»

Как и в прошлый раз, он помог Владу добраться до кровати и ушел.

* * *

— По-вашему, они перекупили охранника на въезде?

— Нет, — решительно отмел Артем это предположение. — Река — вот о чем я не подумал. Территория ведь не защищена со стороны реки... Машину на той стороне оставили, а сами сюда ножками... Следов на реке выше крыши, а вот ближе к дому вырисовывается интересная картина: следы в снегу оставлены... валенками! Гладкими валенками без галош. Так что с идентификацией следов милиции придется попотеть.

— На той стороне реки милиция смотрела? Есть следы покрышек?

— Сказали, что да. Следователь сегодня приходил — говорит, следы четкие, в тот лесок зимой почти никто не ходит, можно сказать, как на ладони.

— Боюсь, что в конце розыска они уткнутся в угнанную машину, — задумчиво проговорил Кис.

— И я того же боюсь, — ответил Артем. — Иначе бы они так беспечно не засветились на чистом снегу. Что делать, Алексей? Как уберечь ее?

Артем мотнул головой в сторону кухни, где хлопотала Люля. Она уже совсем оправилась, хоть глаза все еще были покрасневшими и припухшими, но уже значительно меньше. Врачи «Скорой», которую Артем вызвал наобум из супермаркета, прокричав в телефон, что человек при смерти, не имели под рукой нужных средств. Но они, похвалив Артема за учиненное им промывание, посоветовали делать ингаляции и велели съездить к офтальмологу. Офтальмолог выписал мазь и заверил, что катастрофы нет. И Люля повеселела.

— Впредь заказывайте продукты с доставкой на дом, — сказал Кис. — И хорошо бы усилить охрану. Вы можете позвать кого-то на подмогу?

— Это стоит очень дорого... Люля платит агентству большие деньги за меня. Мне неудобно ей об этом говорить.

— Тем не менее, Артем, я вам настоятельно советую. Вы ночью охраняете, а днем спите. Шансов, что придут днем, меньше, но они есть... И потом, обязательно закрывайте ставни, как только зажжете свет в доме: вдруг вздумают стрелять через окно. Следите, чтобы двери всегда были заперты... Если вам надо уйти, даже на четверть часа, то пусть Люля непременно включает сигнализацию. Очень уж хотят ее убить, очень... — задумчиво проговорил детектив.

— У вас есть хоть какая-то мысль?

— Хоть какая-то — есть. Но надо проверить. Возможно, скоро я вам ее скажу...

Кис решил начать с Левы, парикмахера. Через свои каналы он выяснил обстоятельства убийства. Они были более чем просты: позвонили в дверь, Лев открыл и тут же получил пулю в лоб. Жена его не сразу вышла в прихожую: выстрела она не слышала — смотрела телевизор, но зато слышала звонок в дверь. Спустя какое-то время она озадачилась: с кем это муж так долго общает-

140 ся в прихожей? Вышла и увидела: муж на полу, дверь открыта настежь...

Но Алексея интересовали не столько обстоятельства смерти, сколько ее возможные причины. Милиция пока негусто накопала: Лева не так давно сумел открыть собственную парикмахерскую. Он был должен довольно крупную сумму денег, а вот кому и в какие сроки, вдова не знала. И невозможно было понять, связана ли смерть Левы с долгом или нет.

— Кто наследует парикмахерскую?

Вдова сидела перед ним, нервно крутя в руках пустую чашку из-под кофе.

— Я еще не интересовалась, — безразлично проговорила она. — Знаете, у нас с Левой давно не было супружеских отношений, он погуливал на стороне, я на это смотрела сквозь пальцы. Но мы с ним дружили. Просто дружили, понимаете? Не спали, а дружили... — повторила она. — У меня отняли очень близкого человека, очень. А вы говорите — парикмахерская!!!

Она вдруг размахнулась и запустила чашечку в стену. Та звонко рассыпалась.

— Ирина, — так звали вдову, — прошу вас, сосредоточьтесь, вслушайтесь: я с вами не о наследстве говорю, не о деньгах! Я пытаюсь помочь следствию найти мотив убийства, понимаете?

Она взяла новую чашку с полки. Кис ожидал еще одного полета в стенку, но нет, она подлила себе кофе. И даже предложила детективу.

— Лева какую-то долю отписал на меня. Наверное, я наследница?

— Нет, — терпеливо пояснил Кис. — То, что отписано на вас, — то и так ваше. Наследовать вы можете только имущество вашего мужа... Кто-нибудь был еще в доле?

— По-моему, нет. Я устала, давайте закончим этот разговор.

— Хорошо. Только одно, Ирина. Вы меня слушаете? — Он посмотрел на ее вдруг ставшее отрешенным лицо. — Ирина, это очень важно! Пожалуйста, включитесь...

Ее взгляд наконец собрался, сосредоточился на детективе.

— Да... — откликнулась она безучастно.

— Вы в доле. Это означает, что к вам придут просить возврата долга, понимаете?

— И что с того?

— Если это убийцы вашего мужа, то вы тоже в опасности. Предупредите сразу милицию. И, пожалуйста, меня тоже. Вот мои телефоны. — И Кис подвинул к ней свою визитку.

День пролетел с удручающей быстротой. Пока он искал подходы к имевшейся у милиции информации, пока беседовал со вдовой убитого парикмахера, на Москву опустился морозный, искрящийся вечер. Начало марта — днем воздух слабо пахнул весной, как пустой флакон от духов, но к ночи зима все еще отвоевывала территорию в безраздельное господство, терроризируя все живое леденящим доказательством своего еще не ослабевшего могущества.

Кис был страшно голоден — выпитый кофе только усилил аппетит. Александра ждала его сегодня к ужину и обещала рагу из молодого барашка.

Они не виделись несколько дней — она уезжала в командировку по своим журналистским делам, и он соскучился, хотя почти не думал о ней в эти напряженные дни. Он скучал по ней всегда —

142 не головой, не мыслями, а на каком-то глубоком, подкожном уровне. И сейчас вдруг страшно захотелось все бросить и ехать прямо к ней. Сидеть с ней за столом, есть рагу, запивать его красным вином и смотреть на Александру.

Блаженство...

Они по-прежнему жили не вместе, каждый у себя. Это было во многих отношениях удобно, но во многом и напрягало. Отчасти физически: вещи путались и кочевали из дома в дом, теряясь по дороге. Отчасти, и куда важнее, психологически. Именно так: в их затянувшемся холостяцком образе жизни имелся психологический дискомфорт. Иногда Алексей спрашивал себя: так ситуация *сама* сложилась? Или ее так *сложила Александра*? Чтобы иметь свою свободу, независимость... От него?

Пережив пару ссор и вспышек ревности[1], они решили поговорить откровенно. Вернее, решила Александра. На прямые разговоры она была мастер, Кис это усвоил с тех самых пор, когда она сама предложила ему отношения[2].

Вот и теперь она взяла на себя инициативу:

— По-моему, нам надо объясниться, Алеша. Ты хочешь, чтобы мы жили вместе? — спросила Александра, не мудрствуя лукаво.

— Не знаю, — честно ответил Алексей. — А ты?

— И я не знаю... Давай тогда поставим вопрос

---

[1] См. роман Т. Светловой «Вечная молодость с аукциона».

[2] См. роман Т. Светловой «Шалости нечистой силы».

по-другому: тебя не устраивает, что мы живем раздельно?

— Не знаю.

— И я тоже, — призналась Александра. — Иногда мне это кажется обидным...

— Мне тоже.

— А потом я думаю: собственно, что же обидного?

— Я тоже.

— И не нахожу однозначного ответа.

— Я тоже.

Она усмехнулась.

— Алеша, мы с тобой в одинаковой ситуации. Каждый время от времени мучается этими вопросами, но не находит на них ответа. И в результате мы подозреваем друг друга в том, что *другой* не хочет. Да?

— Согласен.

— А что, если мы договоримся так: когда один из нас ощутит потребность — потребность, а не пустые сомнения, ты чувствуешь разницу? — в том, чтобы жить вместе, то он скажет. И мы обсудим. Идет?

Проблема, таким образом, рассосалась, и больше к ней они не возвращались. Высказанная, сформулированная и обсужденная проблема просто исчезла.

И от этого было легко. Легко было скучать по ней: к его потребности быть рядом с Александрой теперь не примешивались горечь, подозрения, недоумение. И от этого — вот парадокс — он еще больше скучал по ней. И до одури хотел бы сейчас все бросить и поехать прямо к ней. Ужин еще не готов, до их намеченного свидания еще полтора часа, но он бы ходил за ней на кухне, бестолково

144 пытаясь помочь, и урывал бы поцелуй или объятие между хлопотами по приготовлению ужина. И она бы его гнала с кухни: *он ей мешает!* А он бы не ушел: *ну он ведь просто хочет помочь!*

Это игра такая, да. Помощи от Алексея с гулькин нос: кроме приготовления полуфабрикатов, он полный ноль во всех остальных кулинарных премудростях... Но он бы мыл по ее распоряжению какой-нибудь салат или картошку и целовал бы ее мимоходом... И она бы сердилась... И прогоняла бы его...

Кайф какой...

Но вместо этого он поехал по адресу пропавшей Жени. Бывшей любовницы Влада и хозяйки безымянной собаки.

Ее квартира была по-прежнему глуха и нема. Кис разыскал участкового: конечно, дело по «отсутствию хозяйки домашнего животного» он передал в отделение. И, конечно, этому делу никто не дал хода.

Кис пустился обзванивать морги: пока что трупов, соответствующих описанию Жени — рыжей красотки (Кис, естественно, воспользовался пребыванием в ее квартире, чтобы изучить фотографии хозяйки), не обнаружилось.

Что ничуть не утешало: труп, совпадающий с описанием, может обнаружиться завтра, послезавтра или в конце марта, когда стает снег....

Впрочем, если он ошибся, тогда Женя появится не позже, чем завтра: это самые крайние, самые лимитные сроки для человека, который бросил собаку одну в доме.

Все продвигалось значительно медленнее, чем хотелось бы... Ну разве только еще к Вове съездить. Вернее, к его вдове.

Он взглянул на часы: уже пора было ехать к Александре. Он ее пять дней не видел! Не трогал, не слышал, не дышал ею...

Но он поехал к Вове. К его вдове то есть.

Выяснить удалось немного. Вову что-то (или кто-то) *испугало на лестничной площадке*. На испуг его больное сердце отреагировало острым обширным инфарктом, и он с трудом дополз до своего этажа, поскребся в дверь. К счастью, жена его услышала, открыла дверь и тут же кинулась вызывать кардиологическую «Скорую». Но та прибыла слишком поздно. Вова умер той же ночью.

С Владом Филипповым? Да, были дружны. Не сказать чтоб какая-то особая дружба, но все же. А вот недавно какой-то тип явился и утверждал, что он Влад Филиппов и есть! А он совсем не Влад, и зачем только этому прохиндею попадобился такой гнусный розыгрыш?!

Кис не стал ее разуверять: ей хватит переживаний в связи со смертью мужа. Он покинул вдову Вовы, думая на ходу о том, что ничего пока не проясняется, но в нем, однако, крепнет уверенность, что все эти смерти между собой связаны. Конечно, гипотезу еще следовало проверить. И придется ему попотеть... А все ж таки, шептала ему интуиция, все это неспроста.

Неспроста!

Он еще колебался: не заехать ли к Владу? У него появились к нему новые вопросы. Но все-таки решил, что они вполне могут подождать до завтра. И поехал к Александре.

И как только обнял ее, то сразу забыл о Владестаршем и о младшем, о Люле и об Артеме, о прочих персонажах этой драматической истории.

И даже о рагу из молодого барашка.

— Нет! — со смехом отбивалась Александра. — Сначала ужин, а *все остальное* — потом!

— Сначала *все остальное*, — категорически постановил Алексей, целуя ее шею, — а ужин потом! И в двойной порции — за растраченные силы!

* * *

Артем, прокрутив в голове предостережения детектива, призвал на помощь своего племянника: не хотел, чтобы Люля снова платила бешеные деньги за охрану.

Люля, однако, заявила, что будет оплачивать услуги племянника. Артем спорил, но она одержала верх.

— Артем, ты пойми: любая работа должна быть оплаченной. (Так всегда говорил Владька.) С какой стати твой племянник будет заниматься благотворительностью и охранять незнакомую ему женщину? Если бы я была бедной, я, быть может, приняла бы твой жест. Но деньги у меня есть. Не спорь, пожалуйста.

Он уступил в конечном итоге — уж больно Люля была решительна. Настоял только на сумме: учел питание, проживание, приплел еще какую-то белиберду — и в результате существенно снизил цифры: сколько бы ни было денег у Люли, он не хотел ими злоупотреблять.

Денис, сын старшей сестры Артема, недавно вернулся из армии и пока пребывал в состоянии счастливого ничегонеделания под условным названием «надо осмотреться, подумать и выбрать».

И Артем решил, что пусть пока пацан «осматривается» у Люли.

Племянник напоминал аллюром своего сорокалетнего дядю Артема, был так же широк в плечах и статен, тот же чуть узковатый овал лица, но лицо его было нежнее и живее. На нем война не оставила свои зарубки.

Теперь Денис нес вахту днем (пока Артем отсыпался после ночного бдения), с наслаждением дегустируя содержимое огромного двустворчатого холодильника на кухне, всегда набитого деликатесами. Щепетильному Артему даже пришлось сделать замечание племяшу: «Ты здесь на работе. Это холодильник не твой. Тебе разрешили есть — ешь. Но не наглей. И не торчи столько времени в кухне: твой пост у окон, у дверей! А то за ушами небось так трещит, что не расслышишь, даже если дверь гранатой подорвут!»

Денис насупился — дядя всегда был угрюм и суров не в меру! — но умерил свой гастрономический пыл и в кухню стал наведываться пореже и ненадолго.

С его появлением в доме их жизнь как-то напряглась. Словно разрушилась та интимность, которую Артем ощущал, будучи *наедине* с Люлей. Его тон невольно в присутствии Дениса сделался посуше, взгляд непроницаемее...

«Это к лучшему, — думал Артем. — Надо от нее отвыкать. Не хватало только влюбиться... Не для того меня судьба хранила, не для того пуля не разорвала мне сердце, чтобы его разорвала нелепая любовь!»

А Люля, казалось, ничего не замечала. Она жила сомнамбулой, подолгу смотрела в окно, иногда рисовала, но затем равнодушно рвала эс-

148 кизы. Слава Мошковский позванивал, звал к себе, но Артем воспротивился: Люля никуда не выйдет из дома. Пусть приезжает сам!

Но на загородные поездки у Славки времени не было. И Люля жила сомнамбулой. Дни текли размеренно и скучно, их не оживляло ничто. А двоих мужчин в доме она, казалось, не замечала.

Однажды Артем отважился:

— Люля... Нехорошо так жить. Вы бы хоть телевизор включили!..

С тех пор, как Дениска появился в доме, Артем вернулся к форме обращения на «вы». Но все-таки сохранил однажды самовольно взятое право называть ее «Люля».

— И потом, почему вы все время рвете рисунки? — продолжал он. — Я видел некоторые — мне понравилось! Вы бы их Славе Мошковскому переправили, я Дениску пошлю, пусть отвезет!

— Они плохие, Артем... — грустно ответила Люля. — Нет у меня больше вдохновения. Меня так долго пытались убить, что у меня такое чувство, что *уже убили*. Я уже не живу.

— Так нельзя! — горячо возражал Артем. — Вы живы. И вы молодая, красивая женщина. Понимаю, конечно: гибель мужа, все эти покушения... Но вы живы, Люля!

Она только бегло улыбнулась и попыталась уйти. Он схватил ее за руку.

— Нет, не уходите! Вы пытаетесь избежать разговора об этом, потому что вам приятнее сидеть в тоске! Так очень легко — так можно ничего не делать!

Он нарочно пытался обидеть ее, расшевелить, вызвать на спор, пусть даже на крик. Но он не мог видеть, как она часами сидела замороженная.

— Нравится страдать, да? Вы себя чувствуете героиней драмы, да? Как в кино?

В глазах Люли все отчетливее проступало изумление. Он думал, что сейчас она взорвется. Закричит: что вы себе позволяете?! Кто вы такой, чтобы мне тут читать мораль?!

Но ее лицо неожиданно залила улыбка.

— Ты хороший парень, Артем, — сказала она. — Но до чего же хитрый! Я даже не представляла, до чего ты хитрый!

Он немного смутился. И буркнул:

— А что? Мне, думаете, приятно видеть, как вы тут тихо подыхаете? Впору убийцам звонить и говорить: ребята, расслабьтесь, она и сама скоро концы отдаст!

Люля засмеялась. А он был рад, что она смеется. У него от этого в груди стало тепло. Ему даже захотелось погладить себя по груди, как будто там, где-то посередине, свернулся теплый маленький котенок. Он тож улыбнулся, широко и счастливо, как он редко, очень редко улыбался в своей жизни.

Люля вдруг притихла, рассматривая его. С этой улыбкой он был совсем другой. Она словно высветила другие грани его характера, внешне проявлявшегося весьма однообразно, в дисциплинированном и бесстрастном лице.

— Вы можете раздеться? — неожиданно спросила его Люля. — До трусов?

Кажется, он покраснел.

150 — У меня появилось желание вас одевать... — простодушно объяснила она.

Он покраснел еще больше, но Люля не заметила. Она направилась к секретеру и принялась там что-то искать.

Артем стоял столбом посреди гостиной. Хорошо, что Дениска в соседней комнате, смотрит телик и ничего не слышит.

— Ну же? — поторопила его Люля. — Вы стесняетесь? Представьте, что вы на пляже! Или вы стесняетесь своих трусов? — с легкой насмешкой спросила она и запоздало спохватилась: а вдруг и вправду...

Он обиделся. Еще чего! Трусы у него что надо! Он взял и решительно разделся: будь что будет.

Люля достала наконец из секретера маленький фотоаппарат и сфотографировала его несколько раз в рост и сидя.

— Все, спасибо. Можете одеваться, — сказала она ему безразлично, словно врач пациенту.

Он не понял: она ведь сказала, что хочет его одевать?.. И где же?..

Он обиженно оделся и ушел курить на кухню.

Смысл этой сцены открылся ему только назавтра, когда Люля подозвала его к компьютеру. На экране был он и снова он — и сидя, и стоя, и всегда в разных одеждах. В парадной военной форме, в восточном халате, в пестрой летней рубашке с шортами, в колониальном костюме с белой панамой, в смокинге, в строгом деловом костюме, в...

Вот что означало ее желание «его одевать»!

— Я ищу типы костюмов, которые наиболее удачно отражают грани вашего характера. И, когда нащупаю, попробую разработать несколько эскизов. А вы себе в чем больше нравитесь? Смотрите, как вы находите себя в смокинге? И в этом халате? — Люля щелкала мышкой, и на экране сменялись его «одетые» фотографии. — А вот это неожиданно, вам не кажется? Колониальный костюм и панама... Погодите, я сейчас вам тут усики приделаю, такой узкой полосочкой в стиле начала прошлого века... Вот, смотрите' Класс, правда?

— Да я не знаю, — ответил он суховато. — Вы тут художник, а не я.

Люля почувствовала, что он то ли смущен, то ли обижен. Но ей и в голову не пришло, что фраза из ее привычного лексикона — «вас одевать» — могла ему показаться двусмысленной. Она, наоборот, думала, что он обрадуется неожиданному приливу ее вдохновения, он ведь так беспокоился о его отсутствии! И даже почувствует себя польщенным, что именно его она решила «одевать»...

А он обиделся почему-то...

Ну и ладно. Это его проблемы. Главное, что вдохновение стало подавать признаки жизни!

* * *

Поутру Кис взял тайм-аут. Ему надо было посидеть в тишине, в своем кабинете на Смоленке. Кофе справа, пепельница слева (чтобы не перепутать!), ноги на кресло для посетителей...

Итак, по порядку. Автокатастрофа. Водитель грузовика довольно сильно перебрал, как зафиксировано в материалах дела. Из чего не следует, что его не подкупили: мог просто принять для храбрости. Однако никто и никак не мог знать заранее, кто из машины Влада-старшего погибнет, а кто выживет. Выжил Влад-старший. Если бы целью был он, то сегодня охотились бы за ним, а не за Люлей. Но на него никто не покушается, его, наоборот, всяко опекают, по крайней мере, его фирма оплатила дорогостоящее лечение, а теперь платит высокую зарплату... И, по словам Влада, он ценный кадр: *проверенный*. Владик-младший был тоже проверенный. На его место никого не наняли. У фирмы не было никакого интереса подстраивать автокатастрофу...

Другие личности, не из фирмы? С которыми имели дело оба Влада? Но и в этом случае логика остается в силе: если хотели убить обоих, то сейчас пытались бы добить Влада Филиппова.

Следовательно, автокатастрофа не была подстроена. Пьяный му...к выскочил на перекрестке, где обязан был уступить дорогу. Вот и все.

Так, про автокатастрофу забыли: тут искать нечего.

Ко́му тоже подстроить нельзя.

Амнезию тем более.

Так что, пожалуй, ничего настораживающего в событиях вокруг Влада Филиппова до сих пор не было. До сих пор — это до его звонков по шпаргалке жены. А вот тут начинают происходить странные вещи: один человек убит почти сразу после его звонка (Лева, парикмахер), другой пропал почти сразу после его звонка: Женя (бывшая любовница).

Сегодня она тоже не появилась в своей квартире: Кис договорился с участковым, что тот будет проверять квартиру утром и вечером. Кроме того, на работе у Жени все тоже терялись в догадках, куда она подевалась. Она никого не предупреждала о своем отсутствии в ближайшие дни — об этом Алексею сообщил опять же участковый, который подсуетился за небольшую плату. И непоявление Жени дома, где осталась собака (она ведь не может знать, что собаку забрали!), означает только одно...

В общем, Жени уже нет в живых.

В свете этих двух фактов смерть Вовы от инфаркта выглядит в ретроспективе подозрительно. Его не убили, это верно... Но где гарантии, что его не напугали до смерти, в самом прямом смысле расхожего выражения, нарочно? Или, положим, в подъезде его поджидал убийца. Не для того, чтобы напугать, а для того, чтобы убить. Но, увидев, как Вова сразу схватился за сердце, мог передумать и предоставить ему умереть самому...

Возможный расклад? Возможный.

И тогда мы упираемся в один весьма красноречивый факт: некто убирает людей, с которыми мог встретиться Влад. Почему?

Ответ очевиден: кому-то выгодно его беспамятство. И Влада охраняют от тех, кто может его нарушить. Рассказать ему нечто, чего ему знать не надобно.

Но с ответами на вопросы «кто?», «почему?» и «что именно?» было куда сложнее.

Несколько проще с ответом на вопрос «как?»: у Влада, без сомнения, стоит прослушка в телефоне или в квартире. Кто-то слышал, как Влад договаривался о встрече с Левой и с Женей. И ее надо найти. Но это вопрос чисто технический, в нем нет ничего интригующего — он подождет.

Сейчас же Кис решил сосредоточиться на прошлом Влада. Что именно ему не след вспоминать?

В результате он поехал снова к Люле.

Она выглядела неплохо: цвет лица восстановился, цвет глаз тоже. К тому же он застал ее за

154 работой — вот и отлично: теперь, кажется, с ней можно разговаривать, не мучаясь мыслью, что она на грани нервного срыва.

Он рассказал ей о своем визите в «Росомаху» и заверил, что Владик не обманывал ее, говоря, что тут он и работает.

Люля просветлела лицом. И Алексей счел, что можно приступить к делу.

— Во-первых, Люля, вот фотографии. Кто есть кто?

— А вы что же, не узнали Влада? — удивилась Люля. — Вы же с ним встречались! Вот ведь он!

Оказывается, она ничего не знала о перенесенной им пластической операции. Алексей объяснил: «морду расквасил об пень», пластическая операция, то-се. И попросил фотографии из ее собственного архива. Большинство из них находилось в городской квартире, но и в загородном доме нашлось кое-что. Люля принесла.

Влад-старший. Он действительно не был похож на себя нынешнего. Раньше он был значительно толще: вперед выдавался живот, органически дополнявший его и сейчас сохранившуюся массивность и вальяжность. Властное, начальственное, чуть брезгливое лицо — оно так мало вязалось с тем простецким мужиком, который полез под стол, смешно отклячив задницу, чтобы пообщаться с собакой...

Тот, с фотографии, никогда бы не полез. Да он бы вообще никогда не взял к себе чужую суку, зашедшуюся в истерике от одиночества, от брошенности. Он бы просто ей не посочувствовал. Он бы сказал: это не мои проблемы.

И неожиданно совсем иные фотографии: два друга, два Влада на пикнике в лесу. Влад-старший такой домашний, такой простецкий, такой уютный... Лицо живое: он смотрит на Владьку-младшего, который что-то показывает руками. Лицо расслабленное, доброе: так смотрят отцы на любимых детей. Не то чтобы в его взгляде сквозило что-то отеческое, нет; но это была та степень откровенности, открытости в выражении чувств, когда человек уверен, что их незачем скрывать. Им было просто явно хорошо вдвоем, двум Владам...

Да, *такой* Влад полез бы под стол. Собственно, Кис ведь так и подумал: эта чувствительность в нем должна была непременно быть раньше. Она не может возникнуть ниоткуда — только выпасть из-под маски.

Влад-младший. Такой же крупный, как и Влад-старший, мощный корпус, широкая грудь. Он не был толстым, как его старший друг, но он был плотным... Вообще они были похожи, два друга. Люди одной расы, одной породы. Оба шатены с вьющимися волосами, кареглазы, большеголовы... Черты лиц довольно массивны, только лицо младшего освещала какая-то хитринка в глазах. Словно чертики играли, готовые посмеяться и напроказить. На вид он был намного моложе Влада-старшего, хотя, Кис знал, разница у них была всего в неполных четыре года. Но Владик был вечным пацаном, легким на подъем искателем приключений, и это молодило его. Тогда как Влад-старший был барином-начальником, и это его старило...

Нынешний Влад-старший после пластической операции еще больше походил на своего друга. Тем более что он похудел, помолодел, стал как бы легче, а барственно-начальственная маска стала редко гостевать на его лице...

И вдруг холодок догадки побежал по загривку детектива. А что, если...

А если Влад-старший вовсе не старший, а на самом деле младший? И кто-то и зачем-то произвел подмену?!

— Люля, — волнуясь, заговорил он, не зная, как подступиться к такому деликатному сюжету, — Люля, вы были на опознании? Не могло, скажите, не могло ли при опознании возникнуть путаницы?..

— Вы хотите сказать?..

— Вы не видели Филиппова после операции... Понимаете, он нынешний больше похож на вашего мужа, чем на себя прошлого!

— Но это невозможно!!! Владька погиб... Я видела его мертвое тело в морге... Я не могла ошибиться, Алексей! Это исключено.

Детектив не стал ее травмировать дополнительными вопросами. Можно было бы, конечно, спросить, в каком состоянии было его лицо... Но Люля узнала бы и по телу. Она не могла не узнать тело своего мужа. Незачем задавать жестокие вопросы. Люля не могла ошибиться, это правда.

Эта идея оказалась пустышкой.

— Расскажите мне все, что вспомните о друге вашего мужа. Даже самый пустяк! Никогда не знаешь наперед, где проскочит ценная информация... Давайте начнем сначала: Владислав Сергеевич Филиппов. Дату рождения знаете?

— Владилен, — сказала Люля. — Он Владилен. Владиславом был мой Владька... — И глаза ее затуманились.

Владилен?!!! Меж тем Влад-старший однозначно представился ему Владиславом! И новая квартира была записана на *Владислава*! Кис ведь выяснял адрес!

— Сергеевич? — спросил Кис.

— Владилен Владимирович. Мой Владька был Владислав Сергеевич...

Вот так новости! Кис не мог понять, куда вписать эту информацию. Люля не могла ошибаться, она находилась в здравой памяти... Разве что ее Владька ей зачем-то запудрил мозги?

— А документы есть? — спросил Алесей.

Люля принесла ему свидетельство о смерти. «Владислав Сергеевич Филипченко».

— Мы ведь с Владькой женились... — сказала она чуть раздраженно. — И я *знаю*, что его зовут Владислав Сергеевич!

Кис ничего не понимал. Почему другой Влад мнит себя Владиславом, если он — Владилен? Почему его квартира оформлена на Владислава Сергеевича?

Он почувствовал, что полностью теряет нить в расследовании. Он уже ничего не понимал. Что за игра и чья игра? Кому понадобилось, чтобы беспамятный Владилен считал себя Владиславом? И что с этого можно поиметь?

Он покинул Люлю в полном недоумении. И весь вечер крутил мысли, как знаменитый когда-то кубик Рубика. Ничего не складывалось... Вернее, кое-что складывалось, но мало, мало, мало!

Утром он поехал на квартиру к Владу. Ключи у него так и остались: Влад, догадливо предположив, что детектив их прикарманил, не потребовал, однако, их возвращения. Ну не Алексею же было выступать с инициативой! А Влад, кажется, быстро забыл о ключах...

Тем лучше. Хозяин находился на работе, а Кис пока безраздельно распоряжался у него в доме. Классическое место для «жучков» — это телефон. Кис развинтил его: есть «жучок», есть, родимый! Хорошенький такой, компактненький — прогресс в этой области идет полным ходом! Кис, однако, оставил его на месте: негоже вызывать подозрения у тех, кто прослушивает разговоры Влада...

Алексей осмотрелся. Он никак не являлся специалистом по прослушивающим устройствам. А они могут еще быть где угодно...

Подумав, он позвонил Артему: его специальность предполагала, что он должен быть знаком с подобными вещами... Или у них там в агентстве особое подразделение?

Звонок Алексея разбудил Артема: он отсыпался после ночного дежурства. Но, несмотря на это, быстро включился, сообщил, что разбирается, и согласился приехать немедленно.

Приехал он, правда, весьма не скоро: заезжал к себе в агентство за специальной аппаратурой, способной уловить нужные электромагнитные колебания.

В абсолютной тишине — оба избегали переговоров, не зная пока, насколько прослушивается эта квартира, — Артем установил аппаратуру. Кис следил за ним с восхищением: Артем действовал уверенно, четко. А Алексей уважал профессионалов. Они всегда работают красиво.

Количество микрофонов, обнаруженных Артемом, удивило обоих: они были понатыканы практически везде! В гостиной, в спальне, в кухне, в ванной. В дверных притолоках и в электрических розетках. Разве только в туалете не было.

Артем жестами позвал детектива в туалет. Закрыв дверь, спросил:

— Что с ними делать? Изъять?

— Пусть все останется на местах, — тихо ответил Кис. — Они не должны догадаться, что мы их вычислили.

...Выходило, однако, что Алексей их вычислил куда позже, чем они его: ясно, что все его предыдущие переговоры с Владом Филипповым были прослушаны. Нехорошо это. Придется впредь быть начеку. Не то он рискует последовать в скором времени за Левой, Женей и Вовой... Пока детектив никакой опасной информацией не располагает, что вполне было очевидно для тех, кто прослушивал квартиру Влада. Но также очевидно и то, что Кис решительно намерен ее добыть...

По словам Артема, приемник для микрофонов должен находиться недалеко, скорее всего, в этом же доме.

«В таком случае надо узнать адреса сотрудников Влада — мало ли...» — схватился было Кис, но вовремя услышал продолжение фразы Артема:

— Но вряд ли заказчик светится тут где-то поблизости сам. Скорее всего, подкупил кого-то из продвинутых пацанят, кто пишет к себе на компьютер и перегоняет файлы дальше, заказчику...

Искать «продвинутых пацанят» — это только время терять. Кис оставил эту затею на крайний, безвыходный случай.

Артем уехал. А детектив остался ждать прихода Влада. Пока они возились, рабочий день подошел к концу. Влад должен был прибыть с минуты на минуту.

Артему показалось, что Люля беспокоилась в его отсутствие.

Верно, так оно и было: она почему-то доверяла только ему. Дениска, его племяш, был молодым балбесом, и она это чувствовала. И обрадовалась возвращению Артема: с ним она чувствовала себя защищенной.

Но виду не подала.

Во всяком случае, так она думала.

Люля приготовила на ужин тефтели в томатном соусе и позвала Артема и Дениску ужинать. Они ели с видимым аппетитом, ей это нравилось. Люди должны есть с аппетитом. Владька всегда ел с аппетитом...

После ужина предполагалось, что Дениска, посмотрев немножко телевизор, отправится спать: его вахта начиналась в девять утра. В связи с чем он вставал в восемь: пока душ да завтрак, там уже и девять. Пора сменять Артема.

В первые дни Дениска засиживался у телика до часу-двух ночи, а потом с трудом продирал глаза поутру. Дядя Артем быстро приструнил мальчишку: «Денис, ты на работе! И ни на секунду не должен забывать об этом!» Нехотя, но Дениска подчинился. И теперь самое позднее в полночь он отправлялся баиньки.

Артем ждал этого времени, как свидания. Люля засиживалась до поздней ночи, до трех, а то и до четырех утра, и у него имелось несколько часов с ней наедине. И в эти сладостные часы ему иногда выпадали разговоры с ней или обсуждение моделей. Артем ничего в этом не понимал, но видел, что Люле было интересно его мнение, его простецкая «правда-матка». И он заставлял себя вникать в ее вопросы и искать ответы на них. Это его напрягало: в делах искусства он не был силен, но в то же время радовало. Как бы там ни было, разговоры эти давали ему почву для общения с Люлей. И он, хоть и смущаясь (куда ты лезешь, дурак?), испытывал блаженство от того, что она спрашивала его мнение.

— В этом костюме есть пижонство, — говорил Артем, немного пугаясь собственных оценок. — Может, именно этого вы и добивались, Люля, но, по мне, так это лишнее...

— В нашем деле все лишнее, — отвечала Люля. — *Нелишний* минимум — это функциональность. То есть чтобы одежда выполняла различные функции, — старалась она объяснить Артему доходчиво. — К примеру, чтобы одежда грела или, напротив, охлаждала. И чтобы была удобной: карманы для того-сего или, скажем, резинка на талии, которая принимает нужный размер... Но высокая мода — это не функциональность, совсем нет! Это *поэтический бред*. Это полет фантазии, *вопреки* практичности. Это творчество, Артем, оно не может быть функциональным!

...Владька это умел чувствовать. С первого же ее эскиза, увиденного в кафе...

Артему казалось, что он ее объяснения понимал. Понимал в теории, а на практике все твердил, со всей честностью, к которой его неустанно призывала Люля, что такой и этакий костюм неудобен...

Люля смеялась. И говорила, что он неисправим.

Что ж, он неисправим. У него нет полета фантазии. Он функционален, Артем...

...А по ночам она часто плакала. И он каждый

162 раз хотел войти, погладить, приласкать — успокоить. И не отваживался.

Но этой ночью она плакала особенно горько. И он слышал: «Владька, Владька!..» Она грезила о погибшем муже.

Артем не выдержал. Ну, просто было ее жалко — так она убивалась во сне...

Он тихо приоткрыл дверь ее спальни. Люля металась в простынях. Как раз в этот момент она засмеялась. Он знал, что не ему и не из-за него... Этот Владька, он был неодолим. Соперничать с ним было бессмысленно. Артем никогда не займет его место.

Но он жалел Люлю. Она звала в своих снах призрак, который никогда не придет к ней. Разве только она рехнется. Тогда, конечно, призраки явятся — по заказу, как блюда из меню в ресторане...

Но Артем не хотел, чтобы она сошла с ума.

Он вошел. Она все смеялась: беседовала со своим Владькой. Видать, шутник был большой, раз даже с того света ее смешил.

Смех перешел в плач — боже ж ты мой, сколько раз он уже это слышал. И сколько раз его сердце разрывалось от сострадания.

Он подошел к ее кровати. Посмотрел на часы и дал себе десять минут — ни минутой больше. Через десять минут он будет снова у окон и у дверей. Но пока у него есть десять минут...

Он прилег на край широкой кровати и обвил ее рукой. И, наклонившись прямо к ее уху, сказал:

— Не плачь, маленькая. Владьки твоего нет, я понимаю, это горе. Но я, я охраню тебя от всех бед. Верь мне, Люля...

Люля вдруг повернулась к нему и обхватила

его руками. Артем не питал иллюзий: ей снится
Владька...

Но принял ее объятия. Начал поглаживать по спине: удержаться не мог. Кажется, если бы она смогла поверить, что Владька, — он бы и то согласился... Умирал бы от ревности, да, но согласился бы.

А Люля вдруг прижалась к нему всем телом. Кто бы знал, какое сладостное мучение ему доставило это объятие. С желанной — чего врать-то себе? — желанной женщиной, да! Которая во сне принимала его за другого... За призрак...

Но Артем никогда бы, никогда не позволил себе развеять ее иллюзию. Она прижимается к нему, думая во сне о муже? Пусть. Лишь бы она не плакала.

Люля внезапно открыла глаза.

— Артем? Это ты?

Что было делать? Он ответил:

— Я.

Она осторожно отодвинулась от него.

— Я плакала, да?

— Да.

— И ты... Ты не первый раз приходишь ко мне, да?

— Да. Второй.

Его рука так и лежала поверх ее плеч. Она ведь не попросила ее снять.

— Ты меня извини, Артем... Я не...

— Не надо. Я знаю.

— Я не хочу, чтобы ты думал...

— Я ничего не думаю. Ты плакала — я пришел тебя успокоить. Вот и все.

— Ты хороший,   сказала она и со вздохом облегчения снова прижалась к нему.

Чего ему это стоило, знал только он. Он ниче-

164 го не ответил, только погладил ее по волосам. И посмотрел на светящийся циферблат часов: из отпущенных самому себе десяти минут у него оставалось три.

Три минуты, всего три. Он выдержит.

А она — она заснула. И прижалась во сне к нему еще крепче.

...Три минуты истекли. Артем аккуратно снял ее руку с себя, свою с нее. Встал. И пошел проверять двери и окна.

И чего ему это стоило, знал только он.

* * *

Заслышав ключ в двери, Алексей пошел к выходу. И выпер совершенно обалдевшего Влада обратно на лестничную клетку.

— У тебя в квартире куча прослушивающих устройств. Мы не можем говорить там нормально.

— Ты че, глючишь, что ли?

У Алексея было стойкое ощущение, что Влад разговаривал с ним именно так, как когда-то со своим другом, и больше ни с кем. Он просто не мог позволить себе подобный тон с другими, с посторонними: уж больно не вязался он с его массивной и солидной внешностью. С такой внешностью только распоряжения раздавать! А тут — «глючишь»...

— Я тебе дело говорю, — обиделся Кис для поддержания задушевного разговора. — Весь день тут у тебя торчу, проверяю!

— Зачем? Кто? — изумился Влад.

— Не знаю пока. Но о делах мы будем говорить здесь. А там, там только об ужине. Что у тебя на ужин?

— Телячьи отбивные...

Ангел-телохранитель

— Вот, будем обсуждать телячьи отбивные. **165** Понял, Влад?

— Понял... А тут, чего тут будем обсуждать?

— Ты что-то вспоминал из прошлого. Мне нужно, чтобы ты рассказал все, что приходит на ум.

— Слушай, Алеха. Я жрать хочу. И писать. Пошли в дом, а когда надо будет поговорить, то выйдем. А?

— Ладно, — смилостивился детектив.

Ему пришлось ждать конца ужина, когда Влад, насытившись, сообщил, что он *чувствует себя в форме.*

Они вышли на лестничную площадку.

— Можно еще в туалете запереться, — предложил щедрый выбор Кис, — но там тесно.

— Да без разницы, тут тоже плохо, — ответил Влад. — Холодно. В чем дело-то?

Кис объяснил: дело в том, что кто-то внушает ему, что он Владислав Сергеевич. Тогда как он *Владилен Владимирович.*

Влад не верил ему. С чего он взял?

— А с того, что Люля тебя помнит. И утверждает, что ты Владилен. А вовсе не Владислав! И кому понадобилась подобная мистификация?

— Ну ты даешь, — изумился Влад. — Я ведь еще в больнице говорил им, что меня не Владиславом звать... А они убедили меня, что Владиславом. А Владилен, сказали, — это Владька. Погоди, дай-ка я суку возьму, и пойдем погуляем. Скотинке тоже надо пописать.

Он вернулся в квартиру:

— Дуреха, иди сюда!

Оказывается, Влад не нашел ничего лучшего,

166 как прозвать собаку Дурехой — в ожидании возвращения хозяйки...

Они спустились на улицу.

— И кто тебя убеждал в больнице?

— Да все! Профессор, и медсестра, и все...

Кис посмотрел на него. Влад выглядел очень неплохо, кожа посвежела, глаза были живыми. Соображал он сегодня на редкость хорошо. Видимо, выздоравливает... Или это потому, что сегодня Кис вынул его прямо из-за стола и Влад не успел хряпнуть свою дозу «водовки»?

— Возможно, им дали о тебе ложные сведения? Или... Не ты ли сам в прошлом что-то нахимичил и зачем-то сменил себе имя?

Влад пожал плечами:

— Может, и я. Не помню. А ты чего думаешь?

— Если бы не было этих смертей... Понимаешь, теперь я начинаю думать, что все эти смерти не случайны. Жени, хозяйки собаки, скорей всего, уже нет в живых, так что ты особо не жди, что за псиной придут... И Лева убит, парикмахер. К этим двоим ты обратился неожиданно. Неожиданно для тех, кто за тобой наблюдает и прослушивает твою квартиру. И почему *неожиданно*? Потому что они позаботились о том, чтобы у тебя не осталось ни одного номера телефона, ни одного адреса, ни одного имени! И, зная твои проблемы с памятью, они не рассчитывали, что ты выйдешь на этих людей...

— Дуреха! — вдруг истошно закричал Влад. — Дуреха, иди ко мне!

Псина деловито моталась на проезжей части перед домом, неся в зубах собственный поводок. Какая-то проходившая женщина оглянулась на окрик Влада и покрутила пальцем у виска. Решила, видать, что Влад обращался к ней.

— Но ты *неожиданно*, — продолжал Кис, — то есть против их ожиданий, вышел на старых знакомых. И их устранили раньше, чем они смогли рассказать тебе что-то важное. То, что ты не должен ни знать, ни вспомнить. Сюда бы очень стройно легла версия, что автокатастрофу тебе подстроили... Ты меня слушаешь, Влад?

Собака явилась на зов нового хозяина, и Влад вынул из слюнявой пасти поводок, намотал на руку и велел собаке идти рядом.

— «Бы». Ты сказал — «версия легла бы». Значит, не легла, продинамила? — хмыкнул Влад.

«Сегодня он и впрямь внимательно следил за разговором и хорошо соображал, — удивленно отметил Кис. Однако Влад относился ко всему со странной легкостью, без малейшего напряжения и беспокойства. — А-а-а, — вспомнил Кис, — он же на транквилизаторах! Как в старом анекдоте: «Мочусь по ночам, но какое это имеет значение!»

— Нет, не легла... Продинамила версия, как ты выразился. Невозможно запланировать амнезию! Невозможно запланировать исход автокатастрофы! Только полный идиот мог так рискнуть. Я бы еще понял, если бы тебя надеялись убить. Но в таком случае, не убив на дороге, пытались бы убить сейчас. Чего, согласись, не происходит. Убивают пока других... Подозреваю, что твое имя — это только кончик ниточки, который выбился из большого клубка загадок... Я бы хотел еще на твой мобильный глянуть. Дашь на денек?

— Да ради бога.

И Влад вытащил его из кармана. Отчего Алексею сделалось слегка не по себе.

— Ты всегда его в кармане дубленки носишь?

— Ага. А что?

Е-мое, только этого не хватало... Значит, и разговор на лестнице, и здесь, на улице, мог быть прослушан!!! Хотя нет, на лестнице Влад уже был без дубленки — успел снять. Уф, пронесло: разговор о «жучках» проскочил мимо заинтересованных лиц.

Влад протянул ему свой мобильный. Кис посмотрел: батарейки сели, телефон не работал. Значит, «жучок», скорей всего, тоже. Если только он не на собственном питании...

Притянув Влада за лацкан дубленки, он ему сказал в ухо:

— Ключи от почтового ящика с собой? Положи телефон пока туда.

Влад выполнил указание и вернулся к детективу, который держал Дуреху за поводок. Удивительно: собака очень быстро приняла Влада за хозяина и сейчас рванулась к нему, завиляв обрубком хвоста, как только завидела его в дверях подъезда.

— Ты что же, не заряжаешь телефон? Сколько он лежит у тебя в кармане?

— Не знаю... Давно. А зачем его заряжать? Я ни с кем не говорю, мне никто не звонит... Неизвестно, зачем он мне нужен. Наверное, по старой привычке ношу.

— Значит, так: ты должен помнить, что тебя кто-то слушает в квартире. Возможно, что мобильник тоже на прослушке, тогда тебя слушают везде... По телефону со мной ничего не обсуждать! Надо будет — просто договариваемся о встрече. Запомнишь?

— Ну.

— И у меня к тебе просьба: любое воспомина-

ние, которое мелькнет в твоей голове, пусть даже 169
во сне, ты должен записать, чтобы не забыть потом. И все записи показывай мне. Особенно меня интересует твоя деловая жизнь. Средства в прослушку вложены немалые: тут пахнет деньгами. Тоже немалыми. Может, тебя обокрали, может, еще что... Не знаю. У тебя ничего такого в памяти нет?

— Нет, — беспечно ответил Влад. — У меня память чистая, как простыня из прачечной.

— Смотря какая прачечная, — буркнул Кис.

— Верно, — рассмеялся Влад. — Есть пятнышки, есть! То вдруг чего-то жена всплывет, то дочка, а то вот вспомнил вдруг, как с Владькой костер где-то жгли... Вроде лес какой-то... Даже запах дыма почувствовал, представляешь?

Очень трогательно. Только от запаха костра Алексею ни горячо ни холодно. Он не продвигал его ни на сантиметр.

— Пойдем домой, — сказал вдруг Влад. — Продрог я тут... Водовки выпьем, согреемся! Пошли?

Кис представил, как Влад снова примет водки, проглотит свою таблетку, а потом Алексею его снова в постель оттаскивать...

Он отказался, сославшись на дела, и Влад простился с ним с заметным сожалением. Дернув Дуреху за поводок, он направился к подъезду.

Ничья собака и ничей человек.

Алексей, проводив взглядом его неприкаянную спину, догнал Влада:

— Только одну стопку. Я за рулем, понимаешь...

И ответил смущенной улыбкой на его косой благодарный взгляд.

Он ушел через полчаса — Влада быстро развезло (как и предполагалось), и Кис счел, что он согрел своим присутствием одинокие стены его квартиры, как мог.

Во дворе Алексей осмотрелся вокруг: «собачий час» еще не закончился... И он задал себе вопрос: ограничились ли заинтересованные лица прослушиванием? В это время даже без всякой собаки легко влиться в собачниковый вечерний променад: большинство зверей спущено с поводков, и где хозяин, а где его псина, часто весьма трудно вычислить... Под это дело легко затесаться в беспечную толпу собачьих хозяев и подслушать их с Владом разговоры... И не пора ли ему в этом свете начать проверять свою машину на предмет наличия бомбы?

Он, чертыхаясь, полез с фонариком под машину, высветил днище: ничего нет.

ПОКА НЕТ.

...На его этаже света не было. Алексею сие обстоятельство весьма не понравилось. Не выходя из лифта, он нажал кнопку и спустился со своего шестого этажа на три ниже. Открыв дверь лифта, прислушался: тихо. Он осторожно и почти бесшумно стал подниматься, вслушиваясь в тишину до головокружения.

Четвертый этаж. Все нормально.

Пятый этаж: света нет. Под ногами хрустнули осколки стекла. Понятно: разбили лампу. *Недавно* разбили.

— Мужики, чего надо? — спросил Кис вверх. Он не знал, там один «мужик» или несколько, но поставил множественное число на всякий случай.

Он долго ждал ответа. И, наконец, услышал:

— Разговор есть. Поднимайся.

Сильный кавказский акцент. В наемных убийцах много кавказцев ходит...

— Спускайтесь ниже, на четвертый. Я не люблю в темноте разговаривать.

— А мы на свету не любим. Иди наверх. Не бойся, мы на пару слов пришли, убивать не будем.

«Мы». Значит, не один. Значит, и впрямь пришли не убивать — на такое дело и одного бы хватило. Стращать пришли.

— Я вооружен, — соврал Кис.

— Хе, удивил! Мы тоже.

— Ладушки, — спокойно ответил Алексей и поднялся на свой шестой.

Из темноты выступили два невысоких, но плечистых силуэта. Кис понимал, что драться бессмысленно. Не исключено (но маловероятно, если честно), что он бы и справился с двумя, да дело не в этом. Дело в том, что у них есть для него слова. И он, уже зная наперед их содержание, все же хотел их услышать и убедиться, что не ошибся.

— Говорите, — сказал Кис. — Я весь внимание.

— Вежливый какой... — хмыкнул один. — Как ты думаешь, он вые...ся?

Его невидимый собеседник согласился с означенной гипотезой, и силуэты начали наступать на него.

— Мужики, давайте без кино. Говорите, раз пришли говорить!

Они остановились прямо перед ним. От кого-то из них остро и противно несло чесноком.

Кис молчал: все возможные инициативы он уже проявил и теперь просто ждал, что будет дальше.

И «мужики» молчали: нагнетали «саспенс».

— Так, — сказал Кис. — Если вам нечего мне сообщить, то я пошел.

И он повернулся к своей двери. Жест был с его стороны весьма нахальный, Кис это понимал. Теперь можно было ждать чего угодно: удара по голове, по шее и даже ножа. Но если они пришли за этим, то это и сделают в любом случае, хоть спереди, хоть сзади. И Алексей доставил себе удовольствие безразлично повернуться к ним спиной: а нечего было устраивать дешевые спектакли, он этого страсть как не любит!

Они его рванули на себя и сжали меж тел. Так сильно, что стало трудно дышать.

— Что, смелый, да? — дыхнули на него чесноком.

— А ты деловой, да? — с трудом прохрипел Кис. — Тогда дело говори!

— А вот тебе и дело! — И его сдавили так, что, кажется, хрустнули ребра. — Еще раз к Филиппову сунешься — раздавим, как клопа, понял?

Алексей уже совсем не мог дышать.

— Понял? Или тебе мало?

Требовался ответ, и срочно. Выдавив последний воздух из легких, он просипел: «Понял...»

— То-то!

Две фигуры отвалились от него и быстро потопали вниз.

Алексей отдышался. Где-то слева, в ребре, наверняка трещина: дышать больно.

Но он утешил себя тем, что не ошибся: вокруг Влада Филиппова творится какая-то странная мистификация, и деньги в нее вкладываются немалые. Следовательно, и интерес затронут большой.

Еще бы знать какой...

Прошло несколько дней. По правде говоря, Артем не верил, что они повторят попытку. После стольких неудач? Только самоубийцы могут на это отважиться!

Обойдя первый этаж, Артем поднялся наверх. Бесшумно подошел к двери спальни: тихо. Вот и хорошо. Правда, эта тишина лишала Артема повода войти к ней, чтобы ее утешить...

Дениска спал здоровым богатырским сном в другой комнате второго этажа, которую они делили на двоих. В самом начале Люля предложила отдельную комнату для племянника, но Артем категорически отказался: «Люля, не балуйте мне парня!»

У Артема было такое чувство, что, заняв обе комнаты, они тем самым займут почти весь дом. А Люля вообще не обязана была селить их у себя. Конечно, им обоим было бы куда хлопотнее ездить каждый день из Москвы и обратно, матерясь в пробках и не успевая заливать бензин в бак. Люля и так сделала гостеприимный жест — вот и хватит. Нельзя садиться на голову людям, пользуясь их добротой. Дениске будет полезно это усвоить. Сестра его слишком балует...

«А ты своих сначала заведи, а потом меня учить будешь!» — вспомнил Артем раздраженную реплику сестры в ответ на какое-то его замечание. В общем-то она права. Надо своих заводить, пора, давно пора — сорок лет.

Для этого надо начать с женитьбы. И при мысли о женитьбе Артему сделалось тоскливо. Он даже не заметил, как прижался лбом к стеклу темного окна в коридоре второго этажа, невидящими глазами уставившись в ночь.

174   Как жениться, на ком жениться? У него и раньше-то с этим делом ничего не получалось, а уж теперь... Теперь он уже отравлен Люлей. Понятно, что он не может быть с ней, они не пара. Но теперь будет всегда искать такую, как она, с ее удивительным сочетанием противоположных качеств. В ней деликатность, доброта, хрупкость неожиданно соседствовали с внутренней силой, даже мужеством. У нее был выраженный характер, вернее, это называется «индивидуальность». Человек со своим миром, со своим делом в этой жизни, со своим назначением...

У Артема не было своего мира. И назначения на земле тоже не было. И семьи не было. И детей не было. У него ничего не было, как у нищего. Вот только работа разве.

Он вдруг осознал, что прижался лбом к стеклу, и тут же рывком подался назад: так он был виден с улицы. Немедленно долой все мысли! Что с тобой, Артем? Ну-ка очнись! Ты на работе!

Он двинулся дальше, внимательно рассматривая окрестности из каждого окна, но больше не приближаясь к стеклам.

Все спокойно, никого не видно. Он спустился вниз, сделал себе чашку растворимого кофе в микроволновке. С чашкой в руке сходил ко входной двери, прихлебывая на ходу, заглянул в дверной «глазок».

Да нет, они больше не сунутся. Не посмеют. Всему есть предел!

Он вернулся на кухню и присел на табурет, допивая кофе, вытянул ненадолго ноги. И снова пошел делать обход. Первый этаж. Второй. У Люли тихо, у Дениски тоже. Окно коридора. Окно пустой комнаты.

СТОП!!! Это еще что такое?!

Что-то колыхнулось-шевельнулось в темноте двора. Артем напрягся, застыл, не приближаясь к окну. Он видел всего-то на одно мгновение и так, чепуху — тень от тени... Но был уверен, что не показалось. Прижавшись к стенке, он осторожно заглянул в окно: ничего. Точно так же к другой стенке: ничего.

Артем вошел в комнату, где безмятежно дрых Дениска, аккуратно подобрался к окну. *Тень двигалась.*

У него было преимущество в том, что он находился в темноте. А черный силуэт — на белом снегу. Траектория силуэта пролегала от кустов вдоль ограды к стене дома. К той, на которую выходило подвальное окно...

Со времени последнего покушения на Люлю стекло в подвале было вставлено — хитрое стекло, которое не так-то просто разбить. Более того, Люля с помощью Артема обзавелась аппаратиком, висевшим постоянно у нее на шее: стоило нажать на кнопку, как на пост охраны «Зоны номер два» поступал сигнал, после чего охрана должна была немедленно вызвать милицию.

Когда Люля спала, то обычно клала аппаратик на прикроватную тумбочку. Артем прокрался в ее спальню, высветил фонариком: вот он, аппаратик! Нажал кнопку и сообщил на пост, что *к ним пришли*. Тем не менее продублировал звонок сам — набрал милицию.

Впрочем, прошлый опыт показал, что скоро ждать стражей правопорядка не следует...

После этого Артем скользнул в комнату к Дениске и разбудил племяша. Тот долго не мог сообразить, где да что, но Артем рывком поставил

176 его на ноги и приказал: одевайся. У тебя тридцать секунд для этого!

И снова прильнул к окнам, крадясь в темном доме от одного к другому. Дом, к счастью, был устроен таким образом, что в нем не имелось глухих стен: окна выходили на все четыре стороны. У входной двери горел свет: теперь его всегда оставляли включенным, но остальные три стороны дома были погружены во мрак.

За его спиной появился полусонный Денис.

— Чего стряслось-то?

— Пока ничего. Но кто-то рыщет вокруг дома. Хотел бы я знать зачем...

— А чего мне делать?

— Разбуди Людмилу и отведи ее в подвал. И закройся там с ней на все запоры. Свет нигде не зажигать. Понял?

— Чего тут не понять? — буркнул Денис и поплелся в сторону ее спальни.

Ох, молодежь... Расслабленные они какие-то все нынче... Артем проводил племянника недоверчивым взглядом: сделает ли все так, как велено?

Но особо времени для сомнений у него не имелось. Тень была теперь замечена в западном окне. Артем взял бинокль, но человек исчез из его поля зрения, приблизившись вплотную к стене.

Это СИЛЬНО не понравилось Артему. Он спустился вниз и направился к входной двери, надевая на ходу куртку.

Повезло: подтаявший весенний снег не скрипел под ногами. Прямо по курсу ворота и калитка. Между ними и домом залегают два газона, едва заметные под снегом некоторой припухлостью. Более существенно то, что на газоне растут кусты. Голые, зимние, но учитывая, что темно...

И Артем бесшумно заскользил в их сторону: ему нужна была дистанция, чтобы увидеть человека и понять, что тот делает у стены.

Пересекая световое пятно у входа, напрягся: он сейчас как на ладони, и если кто-то наблюдает за входом...

Должно быть, никто не наблюдал. Артем благополучно достиг кустов и лег в снег. И теперь, скрытый их довольно густым, заснеженным основанием, пополз в западную сторону, поправляя на груди бинокль ночного видения, чтобы в него не забился снег...

...Человек сидел на корточках и что-то делал руками у основания стены. Артему даже показалось на мгновение, что он копает снег. Что было полным бредом, конечно.

Артем колебался: он не знал, сколько у него есть времени...

ДО ВЗРЫВА.

А в том, что человек укладывал заряд, он не сомневался. Нужно было срочно решить: напасть прямо сейчас или сначала проверить, нет ли еще кого с другой стороны дома?

Нет, он не мог позволить себе подобный риск. На это уйдет время, а его, может, вовсе нет! Артем ползком добрался до края кустов: теперь от темного силуэта его отделяли какие-то десять метров. Следовало решить: перебежать в боковые кусты, откуда до силуэта останется всего метров пять — два прыжка, не больше? Или рискнуть и перескочить десять метров?

Он проверил нож в набедренном кармане брюк. Как профессиональный охранник, он имел право на ношение огнестрельного оружия, и оно у него имелось. Но если где-то торчит вторая тень, Артем не хотел ее спугнуть.

Его сомнения разрешились сами по себе: человек разогнулся и направился прямиком в его сторону. Почти одновременно с другой стороны возник еще один силуэт и тоже направился к воротам.

Артем достал нож, прицелился в бинокле ночного видения и отправил его в первого. Афган не прошел даром: мужчина упал в ту же секунду. Ни один звук не нарушил тишину: нож беззвучно вошел в горло, тело беззвучно осело в снег. Артем попал туда, куда метил.

Второй, видя, что напарник неожиданно присел, растерялся. Заметался: то ли бежать к напарнику, то ли наутек. Артем воспользовался его замешательством. Ему хватило трех — да, трех, не больше! — скачков, чтобы свалиться всей своей немалой массой на второй темный силуэт и быстро вжать его в снег, завернув руки на спину.

Наручники. Захват за воротник: встать! Первый бандит тихо и неподвижно лежал неподалеку. Артему совсем не хотелось видеть, как он пускает кровавые пузыри на снегу, — он слишком много видел смертей. Но надо было показать второму подлецу, чем он рискует.

Артем молча подтащил его за шкирку к телу, едва не ткнул мордой в потемневший от крови снежный наст: «Понял?»

Тот понял.

— Не убивайте!!! — Он хотел было бухнуться на колени, но шкирка, крепко удерживаемая Артемом, не пустила.

— Не убью. Если расскажешь, кто тебя нанял.

— Это Олег... Я заказчика не знаю... Спросите у Олега...

Но Олега спрашивать уже было бессмысленно. Его агония подходила к концу.

— Нет, ты, — произнес он, тряхнув мужчину за шкирку. — Рассказывай все, что знаешь! Ты взрывчатку положил?

— Да...

— Как управляется взрыв? Мобильник?

— Радио... Вы меня не убьете?

— Да нужен ты мне, падаль! — Артем послал виртуозный плевок в снег. — Говори, я сказал!

— Контролька у Олега...

Артем, не упуская из виду своего пленника, наклонился над телом. Олег уже не шевелился.

Артем извлек из его правого кармана нечто, похожее на брелок с кнопкой.

— Это?

— Да, вроде... Я не виноват, клянусь, я только Олегу помог!

— Дерьмо, — ответил Артем. — Таких, как ты, в Афгане мочили. И правильно делали: меньше дерьма на свете... Ты сюда приходил, когда гранату со слезоточивым газом в подвал забросили?

Пленник молчал. Артем понял: пытается сообразить, соврать или нет. Высчитывает, может ли Артем узнать правду, коли Олег уже мертв.

— Приходил, — произнес он.

— Можешь не отвечать. В машине кто был? Когда пытались сбить Людмилу?

— Не знаю, ей-ей! Я не был!!! — Его пленник сник окончательно. Может, врал, может, правду говорил. На мертвого свалить теперь легко.

— Допустим. Дачу поджигали вдвоем?

— Ну... Если говорить о фактах... — что-то пытался выгадать бандит.

Артем ударил его в живот.

— Вдвоем... — выдавил из себя бандит, согнувшись.

— Дерьмо, оно дерьмо и есть, — прокоммен-

180 тировал Артем. — Рассказывай правду, не то сейчас ляжешь рядом с дружком!

— Заплатили хорошо... Двадцать тысяч. Но, честное слово, не знаю, кто такие! Хочешь, маминой могилой поклянусь?

Тьфу ты, падаль! Как будто у тебя есть хоть что-нибудь святое!

Артем, оставшийся в душе солдатом, ненавидел это склизкое сознание криминала: тут он соплю готов пустить на маминой могиле, а там готов на тот свет любую душу отправить! Вот ведь гадость!

Он брезгливо ответил:

— Заткнись.

Ведя пленника за наручники, он не хотел спрашивать его имя, ибо имя ему было «дерьмо»! Артем вошел в дом, стукнул в дверь подвала:

— Денис? Люля? Можно выходить! Оденьтесь и идите во двор: дом заминирован!

После чего, все так же таща пленника на привязи, обошел с ним дом.

— Показывай, где взрывчатку заложили!

Ее заложили с трех сторон. Опоздай Артем на пять, максимум десять минут — и дом бы взлетел вместе со всеми его обитателями. С Люлей, с балбесом Дениской— племянником, сыном старшей сестры, перед которой Артем никогда бы, по гроб бы не оправдался...

— Слушай, дерьмо. Если еще раз сюда сунешься, отправишься вслед за приятелем. Понял?

— Понял!!! — подобострастно ответил бандит.

— Сейчас тебя милиция заберет. Но не надейся, что там ты окажешься в безопасности! Я тебя везде достану, гнида. Понял?

— Понял!!!

— Не смей сюда больше соваться. Я тебя,

дерьмо, переиграю. И всех тех, кто за тобой, кто тебе вонючие доллары платил! Запомни это. И им передай!

— Запомню!.. — ответило безымянное «дерьмо». — Передам!..

И Артем понял, что он и впрямь урок усвоил.

— Олег говорил, что с вами дьявол, а я не верил! — вдруг истерично выкрикнул пленник. — А вот теперь верю!

Он и вправду был страшно напуган, этот недоносок. Что означало, что он больше сюда не сунется. Даже если останется на свободе, что, по логике вещей и закона, невозможно.

И можно будет немного отдышаться, пока *они* не наймут другого убийцу.

...Сдавая «дерьмо» милиции, Артем попросил вызвать саперов, чтобы разминировать дом, в котором жили двое близких его одинокому, одичавшему сердцу людей: Люля и его безалаберный племяш Дениска...

Ему показалось, что, выходя из подвала, Люля адресовала ему благодарный взгляд. И этот взгляд согревал его. Но он знал: благодарность — это еще не любовь.

«Возможно ли ее добиться?» — спрашивал Артем того, кто хранил его не раз.

И тот, кто хранил его не раз, отвечал: *забудь*.

Беда в том, что он никак не хотел забыть. Может, удалось бы, если бы он оторвался от нее, перестал жить в ее доме.

Может, когда-нибудь и удастся, когда миссия его будет закончена и он сможет покинуть ее заколдованный, несчастный дом. Когда он перестанет жить с ней, дышать ею. Когда больше не будет

182 разговоров об эскизах и прочих пустяках, ее плача во сне и его почти легализованного права ее утешать. Когда его щедрое, истосковавшееся по отдаче сердце перестанет соваться, как теплый молочный щенок, в каждую перемену ее настроения, в каждый ее вздох, в каждый фрагмент ее бытия...

Но пока он должен был оставаться с ней, это его миссия, оплаченная миссия — значит, неизбежная. Значит, не поддающаяся обсуждению. Он здесь, чтобы защищать ее.

И он защищал. От бандитов, от сновидений, от плохих настроений.

Наверное, он был устроен именно таким образом, чтобы отдавать себя кому-нибудь. Ну, не то чтобы «кому-нибудь»... До сих пор никто не вызывал у него такого острого, такого сильного, такого сладкого желания опекать и заботиться, как Люля...

В общем, не стоит даже и копаться в себе, все равно ничего не разобрать. Все куда проще: Люля нужна ему. И он нужен Люле. Даже если она об этом не догадывается.

Вот и все.

Артем отправил всех досыпать. Дениска охотно последовал приказу. Люля колебалась: «Все равно не засну».

— Заснешь, — сказал он. — Прими валерьяновые капли, успокаивает. А я с тобой побуду.

Артем помнил, как его мама принимала валерьянку, когда страдала бессонницей.

Кажется, Люля уже поверила в то, что рядом с ним можно спать безопасно и безмятежно. Что его можно обнимать, как плюшевого мишку, с **183** которым спят дети. Или там собачку.

Он выждал, пока она разденется и нырнет под одеяло, и вошел в спальню. Аккуратно прилег на край большой кровати — Люля спала посередине.

— Капли приняла? — буднично спросил он.

— Да... Спасибо тебе, Артем.

Она лежала на животе, повернув голову в его сторону, и смотрела на него. Волосы рассыпались по плечам. Он протянул руку, погладил по волосам вместо ответа.

— Что я им сделала, Артем? Почему они все время хотят меня убить?

— Мы это узнаем, — заверил он. — Надеюсь, что скоро... Спи, Люля. Закрывай глазки.

И она послушно закрыла.

Спала она или нет — Артем ее гладил, как гладят котят, заставляя свою руку забыть о том, что она касается женщины. Заставляя свои ноздри забыть, что они чувствуют запах женщины. И все свое тело, включая мозг, забыть, что он лежит рядом с женщиной, которую... К которой... Ну, в общем, которая ему нравится. Он честно старался воспринимать ее как несчастного котенка, нуждающегося в ласке и тепле. И не более — не более!!! — того.

Она, кажется, заснула. И во сне со вздохом обвила его рукой, а головой уткнулась ему в грудь.

Котенок. Не более. Не более!!!

...Она спала, он думал. О том, что после этого покушения Люля снова впадет в тоску. Снова не захочет жить. Снова будет плакать ночами и сидеть, как замороженная, днем.

Надо было что-то предпринять. Но что? Вывезти ее куда-то? Сегодня, он уверен, они в безопасности: двух бандитов он нейтрализовал, а но-

184 вых заказчики еще не нашли. Предложить сходить театр? В ресторан? В какой-нибудь клуб? Или хотя бы к Славе Мошковскому? Да, это будет лучше всего: от остального она просто откажется. Надо, чтобы Мошковский зазвал ее *по делу*.

И Артем решил, что утром позвонит втихаря Славе и *настоятельно* попросит его пригласить Люлю к себе. К тому же она сделала кучу новых эскизов — им есть о чем потолковать. А он согласен просидеть весь вечер в машине у подъезда...

Остаток бессонной ночи он просомневался в удачном выборе детектива. Алексей Кисанов мужик, конечно, хороший и неглупый, это сразу видно. Но хороший человек, как известно, не профессия. Чем он занимается все это время? Где результаты? Люлю сегодня чуть не взорвали! Вместе с Дениской!

Пожалуй, завтра надо будет у него потребовать отчета. И еще надо будет поставить условие: если милиция раньше его выйдет на убийц, то пусть детектив на гонорар не рассчитывает! Тогда хоть ради денег, может, поторопится...

А то в наше время все готовы на халяву...

На этой возмущенной мысли Артема сморил сон.

Мартовский рассвет уже засветлил край неба...

Он проснулся и удивился: он спал рядом с Люлей, на ее кровати! Видимо, стресс прошлой ночи и мысль о том, что некоторое время они ничем не рискуют, сделали свое дело.

Люля лежала спиной к нему. Какой красивый контур: от плеча — резко вниз к талии — и снова резко вверх к бедру... Пройтись бы по нему рукой...

Он прислушался к ее тихому дыханию. Спит.

Он аккуратно поднялся, заглянул на всякий случай ей в лицо — она спала, прядь темных волос свесилась поперек щеки — и вышел из спальни. Не хватало только, чтобы она проснулась и увидела его рядом с собой!

...Утром Алексей Кисанов позвонил сам: ему срочно требовалось поговорить с Люлей, сообщил он.

Артем в ответ рассказал о ночных происшествиях.

Кис слушал в гробовом молчании.

— Алло? Вы здесь, Алексей?

— Сегодня, полагаю, у вас перерыв... — медленно, что-то обдумывая, ответил детектив. — Вряд ли у них есть наготове новый киллер. Можете приехать ко мне? Это бы мне очень сэкономило время. Нельзя больше ждать ни секунды, надо воспользоваться передышкой!

Артем, который все собирался упрекнуть в том, что детектив продвигается слишком медленно, вместо этого вдруг спросил:

— У вас что-то есть?

— Кажется, я знаю, где искать убийц. Пока только *где*. Но скоро узнаю и *как*.

И у Артема пропало желание выговаривать детективу. Человек работает, продвигается, и это самое важное. А Артем будет пока охранять Люлю от любой опасности... Что они придумают в следующий раз? Пришлют танковую дивизию, чтобы снести дом?

Шутки шутками, а подумать надо...

186   Артем уже успел договориться с Мошковским
и с минуты на минуту ожидал его звонка Люле.
Он прикинул: если удастся условиться со Славой
часиков на семь-восемь вечера, то они вполне
могли бы подъехать к детективу к пяти. На чем
они с Кисановым и порешили.

Это весьма устраивало Алексея. В половине
седьмого он собирался перехватить Влада по дороге домой и привезти его к себе: теперь все разговоры в квартире Влада им заказаны. А на улице,
с Дурехой, толком тоже не поговоришь: Влад все
время отвлекается, да и обстановка не та. Неопо-
знанная гурьба собачников напрягала детектива.

А беседы с Люлей должно хватить на час. И у
него еще будет время перехватить Влада.

С утра первым делом Алексей разобрал мобильный телефон Влада: там обнаружился радио-
микрофон. Причем со своим питанием.

Ванька, ассистент и квартирант Алексея, которого Кис призвал в свидетели, шепотом подтвердил диагноз. Конечно, Алексей спросит еще у
Артема, он все-таки специалист, но все же он уже
сделал предварительные выводы.

Во-первых, Влад находился постоянно на прослушке, в том числе и за пределами квартиры,
даже если сам мобильник сел или был выключен
(у микрофона свое питание!). По крайней мере,
пока телефон лежал в его кармане. Стало быть, и
переговоры Влада с детективом прослушивались.
Откуда и двое кавказцев на лестнице.

Во-вторых, вряд ли за Владом следили еще и
«живьем», раз у *них* была возможность его слышать постоянно.

Кис порадовался своей предусмотрительности: телефон Влада все это время лежал под подушкой, надежно блокирующей доступ звука к микрофону. Вот и сейчас, собрав телефон, Кис отправил его под подушку до вечера, когда вернет его Владу. Мало ли кто да где пишет звук на «приемник», как выражался Артем, может, со Смоленки до него звук и вовсе не доходит! Но детективу так спокойнее.

А пока что, до вечерних свиданий, он намеревался навестить клинику, в которой выхаживали Влада во время комы.

Попасть в клинику дальше регистратуры, напоминавшей скорее контрольно-пропускной пункт аэропорта, оказалось невозможно. Вызвать к нему тех врачей, которые выхаживали Влада Филиппова, тоже невозможно. «Записывайтесь на прием», — сверкнула очками, как оптическим прицелом, грымза за стеклом (пуленепробиваемым?) регистратуры.

Кис размышлял. У него не было в запасе времени, чтобы записываться на прием. Придется прорываться через бастион.

Он осмотрелся. В холле на стенах имелась разная информация. Золотом по синему фону огромные табло надгробными плитами скорбно оповещали клиентов о ведущих специалистах клиники (все имена предваряло звание «профессор») и о расписании их консультаций. Алексей застрял глазами на линии «психиатрическая служба».

Влад упоминал о *профессоре*. Кис дочитал строчку до конца: «профессор Емельянов Валерий Валерьевич». Теперь следовало решить: попытать счастья с черного хода или задействовать испытанный не раз шоковый метод? Он

188 представил, как, пробравшись с черного хода, он будет мотаться по коридорам больницы в поисках профессора, и проголосовал сам с собой большинством голосов за второй, шоковый вариант.

Он оглянулся по сторонам. В холле сидело человек семь. Грымза за пуленепробиваемым стеклом время от времени в микрофон объявляла фамилию, и тогда счастливчик исчезал в гостеприимной пасти распахнувшейся перед ним двери.

— Сударыня! — довольно громко обратился Кис к грымзе и удостоился отблеска очков, равно как и внимания скучающих посетителей. После чего важно поднял палец, всем своим видом давая понять, что не может продолжать *конфиденциальный* разговор в присутствии посторонних, вернулся к стулу и, выдрав листок из толстого еженедельника, что-то написал на нем.

Все это время заинтригованный оптический прицел грымзы не отпускал его ни на секунду, чего, собственно, и добивался Алексей. Закончив писать, он вернулся к бастиону регистратуры и передал листок в окошко. Грымза прочитала, и лицо ее вытянулось. Она даже очки сняла и посмотрела на детектива с растерянным недоумением.

— Что вы этим хотите сказать?!

— Много чего, — ответил Кис. — Но не вам. Вызовите профессора.

Она с сомнением, но все же набрала внутренний номер. И, закрыв окошко и понизив голос, прочитала по телефону записку детектива.

— Он примет вас, как только освободится, — неприязненно произнесла грымза и уткнулась в какие-то огромные тетради.

Через десять минут он входил в кабинет профессора Емельянова.

— Что означает — вы передадите мое дело в органы? Какое дело? Какие органы? — вместо приветствия холодно спросил хозяин кабинета.

— А что, у вас много незаконных дел? — невозмутимо спросил Кисанов, усаживаясь. — И много разных государственных органов, способных ими заинтересоваться?

Профессор растерялся на мгновенье, но тут же взял себя в руки.

— Прежде всего, кто вы такой?

Кис выложил свое удостоверение и дружелюбно заговорил:

— Я веду одно дело, в рамках которого мне нужно получить сведения о пациенте Филиппове *Владилене Владимировиче*.

Профессор некоторое время смотрел на детектива задумчиво. Вспоминал? Соображал, как выкрутиться? Замешан он в этой мистификации или нет?

— *Владиславе Сергеевиче*, — произнес он наконец. — Вы что-то путаете, его зовут Владислав. Но мы сведения о пациентах не разглашаем, имейте в виду! А в чем, собственно, у вас претензии ко мне, раз вас интересует на самом деле мой пациент? Или это ваш метод добиваться нужных встреч?

— Не без того, — улыбнулся Кис. — И вы даже не представляете, до чего эффективный метод! Впечатление такое, что поголовно все население страны начинает заходиться в жестоких спазмах при слове «органы»! Если речь идет, конечно, не о печени... или, к примеру, — беспечно болтал Кис, напрягая собеседника до удушья, — не о половых органах. Последние вызывают скорее расположение к беседе.

— Что вам от меня надо?! — Не голос, а металл на морозе, к которому намертво прилипают пальцы.

— Мне? — простодушно удивился Кис. — Так я же вам уже сказал! Хочу узнать, кто заплатил вам за то, чтобы вы внушили пациенту, что у него другое имя? И зачем?

Ага, шок! Так оно всегда и бывало, когда Алексей поначалу прикидывался дурачком, а потом таранил собеседника вопросом в лоб. Увы, метод не был стопроцентным: шок мог всего лишь свидетельствовать о неповоротливости мозга, который с трудом переходит от одного сюжета и тона к другому, пытаясь вникнуть в суть вопроса.

Вот и профессор сначала вытаращил глаза, потом помолчал и выдал:

— Мы называли пациента так, как было указано в его карте!

— Да? И откуда же взялась эта карта?

— Из Склифа. После автокатастрофы его привезли сначала туда. А потом мы его забрали.

— Разве при госпитализации не требуется паспорт пациента?

— Его паспорт сдан на обмен. И, как вы понимаете, никто получить его не мог, кроме самого Филиппова.

— Кто вам заплатил за лечение?

— Фирма.

— Кто именно к вам приходил от фирмы? Человек ведь вам представился, верно? Телефончик свой оставил на случай чего, не правда ли? Вот вы мне его и дайте!

Профессор, окатив детектива неприязненным взглядом, полез в какой-то ящик. Вытащил записную книжку. Продиктовал номер *Дмитрия Васильевича*, начинавшийся на семерку.

— Это домашний или рабочий?

— Мобильный. Он сказал, что фирма у них секретная и рабочий номер он никому не дает.

Дмитрий Васильевич. Митя, стало быть.

— Пластическую операцию у вас делали?

— Нет. Мы его возили из нашей клиники в другую, специализированную.

— А фотографии кто представил?

— А это вы в клинике пластической хирургии и спросите!

Профессор посмотрел на часы.

— Я больше не могу уделить вам внимание, извините. Вынужден положить конец нашему захватывающему разговору.

— Что вы, что вы, не извиняйтесь! — насмешливо ответил Кис. — Вот только адресок пластической хирургии дайте, и я не смею вас больше задерживать!

Кажется, если бы он попросил у профессора сотню долларов на бедность и то бы получил, так спешил профессор от него отвязаться.

Адрес он выцарапал и ушел довольный. Правда, еще следовало наведаться в Склиф и в пластическую хирургию.

Впрочем, он был уверен, что в Склифе получит ответ, что сведения о пострадавшем дали коллеги с работы. Да и у пластических хирургов он, стопроцентно, услышит, что фотографии привезли коллеги. И прежде чем к ним ко всем ехать, нужно кое-что выяснить, не то разговор будет пустым.

Кис вернулся домой и сел на телефон: обзвонил нескольких знакомых, ища выхода на какого-нибудь специалиста в области пластической хи-

192 ругии. И весьма скоро он уже разговаривал... со
специалистом по анатомии лица. С одним из тех
гениев, которые восстанавливают портреты по
черепам. Но это было даже еще лучше!

Закончив телефонную консультацию, Кис
даже крякнул от удовольствия. Он страсть как
уважал профессионалов: они всегда работают
красиво. Четко, конкретно, все по делу. «Ничего
лишнего. Может, красота — это когда ничего
лишнего?» — неожиданно задумался детектив. Но
довольно быстро спохватился: времени размыш-
лять о сути красоты у него не было.

Алексей даже успел принять душ до приезда
Люли с Артемом. И встретил даму свежий и бла-
гоухающий, как и полагается встречать даму.

Он сгонял Ваньку в кондитерскую за пирож-
ными, заварил чай и теперь усаживал своих гостей на кухне. Гостиной в его трехкомнатной квартире не водилось: одна комната служила офисом,
другая была его личной, в третьей жил Ванек,
квартирант, ассистент и уже давно друг. Их разделяла в отношениях определенная дистанция —
все-таки Кис лет на двадцать старше, но эта дистанция не мешала: она была наполнена юмором и
взаимным уважением.

— Берите пирожные, Люля, Артем, прошу
вас...

Он проследил за тем, чтобы оба взяли, отпили
чаю. И тогда приступил к разговору, ради которого и затевал встречу.

— Кто такой Вова? Вам знакомо это имя?
Вова, друг Влада Филиппова, вам это о чем-нибудь говорит?

Она задумалась, положив надкушенное пи-
рожное на тарелку.

— Да, — произнесла она наконец. — Владька

мне рассказывал. Он был рад, что у Владилена завелся еще один близкий приятель... Дело в том, что Владилен относился к Владьке немножко поотечески. Владька над ним посмеивался: ведь Владилен всего на четыре года старше. Но он серьезный и деловой, тогда как мой Владька... В общем, мой Владька был несерьезный. У него чертики водились в глазах. Если вы понимаете, что я хочу сказать...

Кис понял. Артем — нет. Он напрягся: что за чертики такие, способные соблазнить Люлю?

— И вдруг, — продолжала Люля, — у Влада появился новый приятель по имени Вова. Это было довольно неожиданно: Влад трудно сходился с людьми. Он попросту боялся с ними сближаться, редко кому доверял, а без этого какая дружба? И в семье ему было одиноко. Я несколько раз видела его жену, она типичная *фифа*, знаете эту породу? С такой не может быть настоящих отношений по определению. А Владу они были позарез нужны. И он их вкладывал в дружбу с моим Владькой... Как бы это объяснить?.. Вкладывал немного больше, чем следовало... Когда ему хотелось расслабиться, он всегда звал Владьку. Мой муж иногда уставал от него... Вы понимаете меня?

Кис очень даже понимал: он фактически уже начал на себе испытывать эту неодолимую тягу Влада Филиппова к эксклюзивному дружескому общению.

— Иными словами, в дружбе он нуждался, а сходиться с людьми не умел, — подытожил Алексей. — И Владик отдувался за всех.

— Именно! — обрадовалась пониманию Люля. — И вдруг он подружился с каким-то Вовой. Мой Владька был рад, что теперь опека, немного

194 излишняя, частично перекинется на нового приятеля. Но я этого Вову никогда не видела.

— Не вспомните, когда это случилось?

— Года полтора назад.

— Следовательно, Вова наверняка успел немало узнать о Филиппове. Что ж, теперь все встало на свои места: потому его и убили.

— Убили?! — ахнула Люля.

— Довели до инфаркта. Надо думать, испугали на лестнице. Наша нескорая «Скорая» приехала, как водится, слишком поздно: Вова успел умереть. Но это не единственное убийство... — принялся рассказывать Алексей.

Лева, парикмахер, и Женя, бывшая любовница, — их убийства не были запланированы изначально: ведь кто-то предусмотрительно изъял все записные книжки Влада Филиппова. И если бы не список из пиджака покойной жены, то эти люди остались бы живы...

Но два убийства были запланированы заранее: это были слишком близкие люди, они *знали слишком много* о Владе Филиппове. И потому были слишком опасны: неизвестно, какой фортель могла выкинуть «мерцающая» память Влада Филиппова. Всегда был риск, что в его мозгу вдруг всплывут их адреса и телефоны, и он захочет встретиться, узнать побольше... И потому их попытались устранить *заранее*.

— Двое. Вы сказали — *двое*! Один — Вова. А кто второй?

— Да ведь это вы, Люля! Вы еще не поняли? Это вы, вы слишком много знаете о Владе Филиппове! Первое покушение на вас случилось примерно тогда, когда Влад Филиппов вышел из комы и у него обнаружилась амнезия. Кто-то решил ею воспользоваться. Зачем — не знаю пока.

Но этот «кто-то» и приступил к немедленному устранению всех, кто мог вернуть ему память: Вовы и вас, Люля. Филиппов почему-то не должен был узнать, что он Владилен, а не Владислав. И наверняка еще что-то, чего я пока не знаю, но намерен вас расспросить.

— Но Влад ни разу не попытался со мной встретиться!

— Он вас слишком смутно помнит. Кроме того, я не ошибусь, если сделаю вывод — на основании всего того, что вы рассказали о Филиппове, — что с женщинами он тоже сходился трудно. Наверное, чувствовал себя в их присутствии несколько зажато, неловко. Может, поэтому предпочитал играть такого мачо, который свысока относится к женскому полу, потому что он перед ним отчаянно робел. Я не ошибаюсь?

— Прямо в точку! — ответила Люля. — Он меня всегда страшно стеснялся. И норовил посидеть с Владькой вдвоем. А я им не мешала.

— Так вот, Люля, убийцы не могли предвидеть, будет ли Влад искать с вами встречи. И потому решили устранить вас заранее. К чему приложили немалые усилия, прямо скажем... То есть у вас есть какая-то очень важная информация. Та, которую не должен вспомнить Владилен Филиппов! И теперь я хочу узнать все то, что знаете вы. Да вы ешьте пирожные, ради бога! Чаю подлить?

Артем захотел еще чаю, Люля нет. Она аккуратно вытерла пальцы о салфетку и спросила:

— Что именно, Алексей?

— Если бы я знал! Средства во все это — в убийства, в покушения, в прослушку — вкладываются немалые. Значит, тут замешаны большие деньги. Иначе бы никто не стал так тратиться:

убить Влада Филиппова, как ни цинично это звучит, намного дешевле. Но он почему-то нужен живым. И беспамятным. И где же эти деньги залегают? В какой области?

— Но я не знаю, — растерялась Люля.

— Ваш муж, судя по городской квартире и по загородному дому, был весьма и весьма состоятелен. У вас, наверное, остались неплохие счета в банках, может, наличные. Я не хочу соваться в ваши финансовые дела, Люля. Мне нужно только понять, откуда шел финансовый поток. Потому что, я уверен, убийцы находятся у его источника. Как я установил, вы помните, Владик играл на бирже и держал пакет акций в фирме «Росомаха». Но на одних акциях, как мне сказали специалисты, такого состояния не сколотить. Вы можете мне сказать, какова была его зарплата?

— Десять тысяч, — ответила Люля. — Долларов.

Кис присвистнул. Артем тоже.

— И за что же такая роскошная зарплата? Вы ведь говорили, что Владик был программистом? Даже если о-о-очень хорошим, но программистам такие зарплаты не платят!

— Да, но... Дело в том, что их фирма работала... — Люля запнулась. — Я не знаю, можно ли вам об этом сказать.

— На государство, — подсказал Кис. — Я в курсе, Люля, можете не страдать от разглашения государственной тайны: ее уже разгласили. Влад Филиппов получал столько же, не знаете? У него тоже квартирка не хухры-мухры, такая стоит пару сотен тысяч долларов!

— Не знаю, — развела руками Люля. — Но, наверное, еще больше: ведь Влад был директором...

— ДИРЕКТОРОМ?! — вскричал Кис. — Боже
мой, директором! Ну да, директором, конечно!
Ведь он раньше сидел в *директорском кабинете*!
Черт побери, они чуть не провели меня: сказали
Владу, что в фирме директора не существует! Но
в их старом помещении есть КАБИНЕТ ДИ-
РЕКТОРА, который Влад помнит! Он там и сидел, причем один, а не все впятером, как они
сказали!..

Ни Люля, ни Артем уже ничего не понимали
из того одному ему понятного бреда, что нес Кис.

— Ну конечно, — говорил Кис, — конечно же!
Он был директором, и потому они зовут его до
сих пор по отчеству. Но при этом почему-то не
хотят, чтобы он об этом узнал: наврали, что в
фирме директора вовсе нет. Стало быть, у них
имеется в этом какой-то интерес. Какой?

Люля, которая потеряла нить разговора, смотрела на него с недоумением. Артем так и вовсе не
врубился.

— Люля, — торжественно провозгласил детектив, — вы можете дождаться меня здесь? Я сейчас
привезу сюда Влада Филиппова! Пора, пора нам
сделать вашу с ним *очную ставку*!

— У меня назначена встреча, — извинилась
Люля. — Никак не могу.

— Это очень важно, Люля. Это поставит последнюю точку в моей гипотезе!

Люля вопросительно посмотрела на Артема —
тот, похоже, завоевал у нее право решающего голоса.

— А что за гипотеза? — спросил Артем, преис-
полнившись чувства ответственности.

— Я скажу. Скажу непременно, как только вы
встретитесь с Филипповым, с Владиленом. Но

198 мне нужно, чтобы эта встреча состоялась как можно скорей. Если вы хотите, чтобы я вышел на убийц, конечно! — патетически добавил Кис.

Артем кивнул Люле. Она согласилась.

Пока Алексей ездил перехватывать Влада, Люля позвонила Славке и с тысячей извинений отменила встречу, назначенную на сегодняшний вечер. Артем чувствовал себя неловко: ведь он подбил Славу Мошковского на звонок и приглашение Люле...

Но выдать он себя не мог, а потому промолчал.

Прошел, наверное, час, как Кис уехал. Наконец в двери повернулся ключ.

Сначала на кухню заявилась собака, доберман, неся в пасти собственный поводок, словно пес сам себя вел. Обнюхав Люлю и Артема, он выпустил поводок, как бы сочтя, что прибыл в конечный пункт и больше *вести себя* нет необходимости, и улегся под столом. Каким-то образом он понял, что основное действие будет происходить именно здесь, вокруг стола.

Затем на кухне появился детектив и провозгласил: «Владилен Филиппов. Прошу любить и жаловать!»

И вслед за этой короткой речью в дверной проем протиснулся Владилен Филиппов.

Люля медленно поднялась со своего места. С минуту она созерцала Влада широко раскрытыми глазами, словно ей явилось привидение. Тот застрял на пороге, не в силах двинуться под ее гипнотизирующим взглядом.

— Влад, — вдруг жалобно сказала она, — Владька, это ты?

— Это я... — смущенно ответил Влад.

— Владька... — Люля обошла стол и приблизилась к гостю, как лунатик. — Владька!.. Что с тобой? Что случилось?! Почему мне сказали, что ты умер?

— Люля, — призвал Кис, — это не Владик, это Владилен!

Но она, казалось, не слышала ничего. Она протягивала руки к тому, в ком увидела своего погибшего мужа.

— Владька, родной, ты жив? Почему мне сказали, что ты умер?!

Артем смотрел па эту сцену с изумлением и ревностью.

— Люля, — не выдержал Кис, — Люля, голубушка, придите в себя! Это Владилен! Ваш муж, увы, погиб. Вы ведь были на опознании тела! Это Владилен, он просто перенес пластическую операцию и теперь больше напоминает вашего мужа. Люля, вы слышите меня?

Но Люля не слышала. Она протягивала руки к Владилену, смущенно топтавшемуся на пороге:

— Я, простите, я не Владька, я Владис... Владилен, — выговорил он. — Люля, вы были женой моего друга, а у меня была другая жена, Лена...

Ему казалось, что он несет бред. Глядя на Люлю, он ее вспомнил, *вспомнил*, да! Он узнал ее, жену своего друга, но она почему-то принимала его за своего мужа. Он не знал, как реагировать на ее отчаянно протянутые к нему руки.

— Люля, пожалуйста, очнитесь, — безуспешно взывал Кис. — Это не ваш муж, это его друг! Друг детства — Влад, Владилен Филиппов, — уточнил он.

Ее руки упали. До мозга доходили слова детектива, но глаза видели Владьку.

Кис кивнул Артему. Тот встал и, обняв ее за плечи, силой отвел Люлю на место.

— Что такое, Артем? — попыталась она вырваться из его рук. — Вы тут все в сговоре? Если это не Владька, то кто же? Зачем вы меня пугаете призраками?!

— Так сильно похож? — спросил Кис.

Люля только прикрыла глаза в ответ. Она не могла больше смотреть на *Владьку*, который стоял как чужой на пороге кухни, не отвечая ее порыву.

— Садись, Влад, — распорядился Кис. — Люля, дорогая, я вам сейчас все объясню!

Люля не открыла глаз и не ответила.

— Я заметил еще по фотографиям, что Влад стал похож на Владика, — пустился в объяснения Алексей. — Но ваша реакция мне очень и очень дорога: значит, я не ошибся. Владилен, как я вам говорил, перенес пластические операции после автокатастрофы. И секрет весь в том, что хирургам дали фотографии ВАШЕГО МУЖА для восстановления лица Владилена.

— Я ничего не понимаю, — пробормотала Люля. — Ни слова из того, что вы говорите. Это не Владька?

— Нет. Это Владилен Филиппов.

— А Владька где?

Кис растерялся. Такого шокового эффекта от этой встречи он не ожидал.

— Владьки нет, Люля, — произнес Артем, поглаживая ее по плечу. — Он погиб.

— А это кто?! — Люля ткнула пальцем в направлении Влада Филиппова.

— Это друг твоего мужа, Люля. Это Владилен.

— А я ему кто? — не понимала Люля.

— А ты ему просто давняя хорошая знакомая. Жена его друга.

— То есть... я не его жена?! — И она снова ткнула пальцем во вконец растерявшегося Влада.

— Нет, — заверил ее Кис.

— Нет, — заверил ее Артем.

И Алексею показалось, что с удовлетворением.

Кис налил Владилену чаю, подвинул пирожные. Влад кинул одно Дурехе под стол и, наклонившись, спросил у собаки, хочет ли она еще. Собака, видимо, ответила, что хочет, так как Влад ее тут же предупредил: «Но это будет последнее, имей в виду!»

Люля смотрела на него во все глаза.

— Владька... — еле слышно прошептала она, — почему ты делаешь вид, что это не ты?!

Влад даже стукнулся о крышку стола, поднимая голову.

Алексей с Артемом переглянулись.

— Вы все сговорились, да? — горько спросила Люля. — Владька, ты решил меня бросить? И сделал вид, что ты умер?

Кис уже отчаянно жалел, что устроил это рандеву. Он не представлял, как привести Люлю в чувство.

Влад был страшно смущен, смотрел на Люлю виновато, и это было совсем некстати: этот смущенный вид как бы подтверждал бредовую догадку Люли.

Артем встал с табуретки и снова подошел к ней. Сдержанно обнял и попыталась прижать ее к себе, успокоить, утешить, шепча:

— Маленькая, это не твой муж, это другой человек, ну очнись же, ты ошиблась...

Люля грубо оттолкнула его:

— Уйди! Ты мне не нужен! Вы все тут сговорились!

Она сбросила с себя руки Артема и, порывисто вскочив, бросилась к Владу.

Она встала перед ним на колени, взяла его руку и, прижав ее к груди, заговорила:

— Что я тебе сделала?! Почему ты меня бросил? Ты меня разлюбил, Владька?! Или ты меня и впрямь забыл? Я же Люля, твоя Люля, твоя жена... Владька, родной, это ведь я. — И она стала покрывать его руки поцелуями. — Владька-а-а! Это я!!!

Она плакала. Она обнимала его колени. Кис и Артем безмолвствовали. Дуреха заскулила под столом, неуклюже выбралась, приседая, и тоже сунулась к Владу, принявшись без разбору облизывать руки хозяина и щеки Люли, мокрые от слез. Влад, в крайней степени смущенный, сидел как истукан под градом ее слез и поцелуев. И никто не знал, что делать.

Алексей, в полном шоке, даже усомнился и еще раз прокрутил в голове возможность, что этот человек мог и впрямь оказаться мужем Люли.

Нет, никак не выходило. Среди редких и случайных воспоминаний Владилена были весьма подробные сцены с женой, *с его женой*, и никак не с Люлей. Если бы это был и в самом деле Владик Филипченко, он никоим образом не мог располагать подобными воспоминаниями.

Люля вдруг распрямилась. Встала. Мгновенно осунувшись и ссутулившись, она извинилась и ушла в ванную.

— Вот так дела... — нарушил тишину Кис. Он

посмотрел в блестящие глаза Артема: в них была боль и ревность. Ничего себе, устроил Кис им всем «очную ставку»! «Да только кто же мог такое предположить?!» — оправдывался Кис перед самим собой...

Конечно, ее столько раз хотели убить, и в последний раз не далее как прошлой ночью, что немудрено, что у бедняжки нервы не в порядке. Эх, как он заранее не подумал!

Люля вернулась. Спокойно села на свое место.

— Извините, — произнесла она, — кратковременное помешательство. Это не Владька, это Влад. Владилен. *Он пахнет по-другому...* И у него нет чертиков в глазах.

Разговор наладился с трудом.

— Я говорил вам о больших деньгах, — поспешил сменить тему Алексей и загладить недавнее всеобщее смущение, — и о том, что убийцы находятся у их источника. Пока что вытанцовывается следующее: следы ведут в фирму, где работали оба Влада. Какие там деньги и откуда, я не знаю, но у меня есть два факта: и лечение в клинике, и пластические операции оплачивала фирма — это раз. Только от нее, от кого-то из людей фирмы врачи могли получить ложные сведения о Владилене. Только по инициативе коллег ему сменили имя и внешность, приблизив его к Владику Филипченко.

Зачем? И тут варианта у меня два. Первый: им понадобилось выдать Владилена за Владислава, потому что именно Владислав Филипченко находился в центре этих денежных интересов. Второй: им понадобилось внушить Владилену, что он — не он. Потому что именно Владилен Филиппов стоял в центре денежных интересов, и его из этого центра нужно было убрать. Вы следите за моей логикой?

За ней следил, как выяснилось, только Артем. Но это было непринципиально: Кис выкладывал свои соображения больше для себя, чем для аудитории.

Он еще задавал вопросы, Люля отвечала как замороженная, Влад ничего толком не мог рассказать.

Ясно было одно: Владилену Филиппову зачем-то внушали, что он Владислав Филипченко. Причем так успешно, что даже Люля приняла его за своего погибшего мужа. Зачем?!!

Кис пока не мог найти ответ на этот вопрос. Но зато он уже знал, кто это сделал.

* * *

Утром следующего дня Алексей поехал в клинику пластической хирургии. На вопрос о фотографиях, по которым восстанавливали лицо пострадавшего в автокатастрофе Влада Филиппова, хирург заявил, что показать он их не сможет: сведения о пациентах и их медицинские досье являются тайной. Что же до фотографий, то их, конечно же, принесли коллеги по работе. Но Алексей, подкованный разговором со специалистом по восстановлению портретов post mortem, невинно поинтересовался:

— А как же строение черепа? — Кис вытащил старый снимок Влада Филиппова. — А лепка лица? Вот эти залысины на лбу? И скулы, смотрите, — у того, кого вы оперировали, они чуть выше, чем у того, чьи фотографии вам принесли!

И форма ушей! Неужто вы, профессионал, этого не заметили?

Хирург растерялся.

— Что вы хотите этим сказать? — неприязненно спросил он.

— Вам принесли фотографии другого человека. Вот этого. — Кис достал на этот раз снимок Владика Филипченко. — А вы этого *не заметили*.

Хирург молчал, соображая. Наконец он произнес с нажимом:

— Мне были представлены фотографии вот этого мужчины, — хирург указал на фото Владилена. — А этого я никогда не видел, — небрежно кивнул он на Владика.

— Отчего же тогда ваш пациент лицом вышел похож не на себя, а на своего друга?

— Мы сделали что могли! — раздраженно воскликнул хирург. — Что могли! Там было не лицо, а кровавое месиво! И уж на кого он там получился похож, меня не колышет. Я старался приблизить его лицо к оригиналу, так сказать!

Да, это Кис дал маху. Конечно же, в медицинском досье лежит фотография *Владилена Филиппова* — дураков нет следы оставлять. А на странное сходство с чужим лицом хирург будет теперь только руками разводить: так получилось! Сделал все, что мог!

— Вы плохой хирург, да? — нагло спросил детектив.

И, довольный произведенным впечатлением, добавил:

— Раз у вас были «родные» фотографии, а вы при этом сделали человеку «неродное» лицо, так вас надо гнать из профессии. Я так думаю.

С этими словами детектив повернулся и ушел,

чувствуя, как его спину жег взгляд, полный ненависти и страха.

Теперь Кис был уверен: хирургу дали фотографии Владика Филипченко, и он *не заметил* разницы. Да, они изначально были чем-то схожи, оба Влада, — люди одной расы, одной породы. Но хирург, знающий каждую лицевую мышцу наизусть, не мог не усмотреть различий.

Он их не усмотрел за деньги.

Да уж, не каждый профессионал работает красиво.

...Кофе на месте (справа), пепельница тоже (слева), ноги Кис вытянул на кресло для посетителей. Он любил свой кабинет, свое рабочее место: тут хорошо размышлялось, работалось и просто жилось.

Он с наслаждением откинулся на спинку большого старого кожаного кресла, прикурил сигарету.

Итак, за всей этой мистификацией стоят коллеги. Значит, они через эту фирму или в ином месте, но непременно имеют доступ к источнику больших денег. И Влада зачем-то переместили в диспозиции у источника. Подменили им уже погибшего Владика.

В чем же суть перемещения? Им нужно было зачем-то «воскресить» Владика? Или, напротив, убрать Владилена, директора, с той позиции, которую он занимал? И навязать ему мысль о том, что он — не он, что у него раздвоение личности... Ему подсунули только чужое имя и отчество, но фамилию оставили «родную» — почему?

Стоп, стоп, стоп! Ведь Владилен упоминал,

что доступ к компьютеру идет через идентифика-
цию ОТПЕЧАТКА ПАЛЬЦА! Так вот оно что...

Отпечаток у Влада все тот же. И вот тут, вот
туточки собака-то и зарыта! Им страшно, позарез
нужен этот отпечаток! И дальше — дальше полный бред: Влад занимается сверкой каких-то фай-
лов, ОТК, понимаешь... Как будто компьютер не
может сравнить их сам! А бредятина эта придумана не случайно, для того придумана, чтобы Влад
ввел свою ПОДПИСЬ!

Итак, Влад, не зная, что он самый главный в
фирме, ее *директор*, по-прежнему ставит свою
подпись, имеющую наверняка решающий голос!
Подпись — вот почему фамилию ему не могли изменить! Она обязательно должна была остаться
прежней!

Потому-то Влада не убивают, потому-то тра-
тятся на весьма дорогостоящие акции по устранению людей вокруг него... *Потому что его отпечаток и подпись имеют прямое отношение к денеж-
ному источнику!!!* Без него источник каким-то
образом перекроется! И Влад, живой и здоровый,
им дорог во всех смыслах.

Так-так-так... В таком случае *большие деньги*
идут именно через эту фирму. И Влад был в ней
директором. Следовательно, распоряжался их ис-
точником. Где-то существовали другие люди, которые были столь же близки— или даже еще ближе к источнику, чем Влад. И перед этими людьми
нужно было создать видимость, что директор —
точнее, его отпечаток и подпись — находится по-
прежнему на месте. Но чтобы при этом на практике удалить Влада от источника. И кто занял его
место? Митя!!!

Почему отпечаток и подпись Влада так необходимы? Почему его самого не устранили, чтобы просто занять его место? Фирма вся из себя суперзасекреченная... «На доверии»... Возможно, что разгадка таится именно здесь: Владилену Филиппову доверяли. Он был *гарантом* перед невидимыми партнерами и секретности, и качества каких-то операций. Без него бы денежное дело рассыпалось, как карточный домик. Он как бы отвечал за остальных — и за Митю, и за прочих. За их надежность, за их честность в деле. И никому другому, кроме Владилена Филиппова, партнеры не доверили бы их таинственное общее дело.

А скорее всего, даже так: никого другого они просто не знали. Влад сам нанимал людей, которые работали на него и на дело, как он когда-то нанял Владьку. А партнеры знали только его и доверяли только ему, директору. И потому Митя никоим образом не мог избавиться от Владилена Владимировича Филиппова. Он ему нужен живым. Но — послушным!

Вот так-то.

Кис раздавил в пепельнице окурок и прикрыл глаза. Он мысленно пробегал цепочку умозаключений, только что им выстроенную. Он искал возможность иного объяснения каждому факту, чтобы быть уверенным, что ошибки нет.

Ошибки не было. Одно с неумолимой логикой вытекало из другого. Оставалось только понять, в чем заключались *большие деньги*.

С Митей, Дмитрием Васильевичем, пока встречаться рано. Признаться он не признается, только насторожится. И, учитывая размах, с которым он действует, еще, не дай бог, врачей на тот свет отправит, чтобы в порыве раскаяния не рассказали правду. Нет уж, в этом деле и так смертей по горло!

И он поехал к Александре.

Вне всякого сомнения, в их союзе, помимо колоссального чувственного притяжения, было еще множество других сладких, вкусных притяжений. В том числе — интеллектуальное. Все то, что Алексей чувствовал и понимал, Александра умела облечь в слова. У нее был этот талант — не случайно же она стала известной журналисткой. Раньше Кис не придавал значения формулировкам (хоть и косноязычностью никогда не страдал, по счастью), но с ней вошел в особый вкус. Он вдруг понял, что мысль не существует до тех пор, пока не сформулирована точно и емко. И теперь он стремился к точности сам (в меру своих скромных талантов, конечно), а в общении с Александрой стал ловить неведомый ему прежде *интеллектуальный кайф*.

Кроме того, будучи журналисткой, Александра обладала самыми неожиданными знаниями. А будучи человеком умным, умела их анализировать.

И сейчас ему занадобились ее знания и точные формулировки, чтобы разобраться в этом странном деле.

Она сегодня заканчивала поздно, ужин готовить было некогда, и они решили пойти в ресторан.

Они любили эти выходы вдвоем, равно как и семейные ужины дома, и им всегда было о чем поговорить. Вот это Алексей тоже страшно ценил.

210 До знакомства с Александрой он, пытаясь как-то избавиться от одиночества, предпринимал время от времени попытки сближения с разными женщинами. Ни одна из них не увенчалась успехом: *с ними не о чем было разговаривать.* Напряженный, тоскливый ужин в ресторане, и никакие свечи, знак интимности, не могли спасти их вечер от пустоты. С Александрой все было иначе. Неизвестно каким образом находилась тема: он ее предлагал? Она? Но тема находилась всегда. Может, просто оттого, что они любили слушать друг друга?

Сегодня тему обозначил Алексей, а ресторан выбрала Саша. Как обычно, ей удалось найти милое местечко, где было не слишком шумно и вкусно кормили.

Алексей был настороже и проверял, нет ли за ним слежки. Но ее не было — то ли «персонала» у заказчика не хватало, то ли страховали исключительно контакты детектива с Владом. Да и то: приходившие к Алексею кавказцы вполне могли быть случайно нанятыми людьми на разовую «акцию устрашения», а двоих убийц нейтрализовал Артем. Так что, похоже, можно было свободно дышать и не бояться за Александру.

— Саша, — заговорил он уже за десертом, — где водятся *большие деньги*? Нефть? Золото?

— Нефть, — кивнула она. — Золото. Бриллианты. Наркотики. Шоу-биз. Проституция. Торговля оружием. Выбирай на вкус!

— Проституция вряд ли. Люди в интересующей меня фирме оторваны от товара. Они, скорей всего, посредники. А поскольку в проституции наличествует живой товар, сомнительно, что его удалось бы схематизировать до каких-то безличных таблиц. Шоу-бизнес отпадает по тем же причинам: тоже живой товар. Нужно найти что-то такое, что легко обезличить.

— Тогда все остальное!

— А компьютерные программы потянут?

— Вряд ли. Бабки немалые, но отнюдь не те.

Александра задумалась ненадолго.

— Вот только если оборона?.. — предположила она. — Я не очень эту сферу знаю, но... Такие программы разрабатываются по заказу и даже если оплачиваются о-о-очень высоко, то все равно это *работа на заказ*! А ты спрашиваешь о *бизнесе*.

— Фирма секретная, они всем говорят, что работают на госорганы. Но это говорят *они*. Вполне вероятно, что это их собственная легенда для членов семьи и ближайших соседей по этажу.

— Конечно, — согласилась Александра. — Если бы они были при органах, то и сидели бы внутри этих органов каким-нибудь специальным отделом или научной лабораторией — что-то вроде глиста в печенке. За общими надежными дверями, за хорошо защищенной телефонной и компьютерной сетью и прочее. Нет, Алеша, исключено: фирма не работает ни на какие органы. Другое дело, что их может покрывать кто-то из любых крупных государственных или мафиозных структур. Покрывать или даже быть во главе нелегального бизнеса. Но это уже другая песня.

— Что было бы значительно хуже, потому как в коррупции мы тогда увязнем с головой. Тем не менее сдается мне, что здесь как раз и поется «другая песня»: какой-то мощный левый бизнес завязан на госструктуры.

— Тебя поздравить с такой находкой прямо сейчас или подождать маленько? — осведомилась Александра. — Я предлагаю приступить к поздравлениям немедленно, пока букет цветов не трансформировался в могильный венок!

Кис усмехнулся и послал ей воздушный поцелуй через стол. Ему нравился ее ехидный юмор.

— Значит, вся их секретность служит исключительно прикрытием нелегальному бизнесу. И «компьютерные разработки» тоже. И эта фирма *вообще* не занимается информатикой. Это просто часть их *легенды*. Сашка, ты гений!!!

— Несвежая новость. Что это тебя на банальности потянуло?

— Милая, для меня твои многочисленные таланты — всегда свежо, как утренняя газета. В таком случае все, что подписывает Влад, имеет прямое отношение к этому секретному товару. Уф! Ты не представляешь, как мне это облегчает работу! Я-то боялся, что придется ломать голову: что тут относится к компьютерным программам, а что к нелегальному бизнесу. А теперь — красота! К нелегалу относится ВСЁ! Сашка! Я у тебя в долгу!!!

— Да? — плотоядно посмотрела на него Александра. — А ты сегодня в форме? Поскольку я намерена долг получить с тебя сполна, и немедленно!..

Алексей ответил ей долгим взглядом, таким долгим, что она прикрыла глаза, прячась, и хрипло прошептала:

— Алеша, не смотри на меня так, мы ведь в ресторане...

Он полюбовался на ее грудь, поднявшуюся в глубоком вдохе, на ее вдруг ставшие яркими губы, на заблестевшие глаза, прикрытые ресницами, и усмехнулся довольно. Это была *его* женщина.

Он мог бы продолжить мысль: любимая женщина, желанная женщина, родной человек, са-

мый близкий друг, его драгоценный подарок **213**
судьбы...

Но зачем тратить лишние слова? «Это *его*
женщина» — вот самая точная и емкая формули-
ровка. А Кис к ним пристрастился в последнее
время.

* * *

... Как не хотелось открывать глаза! Сашка, разумеется, *получила с него сполна* — она слов на ветер не бросает! — сократив, таким образом, его
ночь наполовину. Она безмятежно спала рядом —
у нее рабочий день ненормированный. Она сама
решает, когда ей вставать, когда ехать в редакцию
или когда сесть за статью. А ему вот вылезать из
теплой постели: он хотел перехватить Влада до
работы.

Он погладил Сашу по скуле, откинув кашта-
новый завиток коротких волос, полюбовался ею
недолго и встал.

Наскоро душ, на ходу чашка кофе с молоком
(по утрам всегда с молоком, а днем черный), за-
прыгнул в свою «Ниву» и рванул с проспекта
Мира по забитому Садовому в сторону Октябрьской, где обитал в своей новой квартире Влад.

Позвонить ему Алексей не мог: Влад на то-
тальной прослушке. Мобильный телефон с мик-
рофоном Влад по настоянию Алексея регулярно
«забывал» дома. Вчера Кис попросил его завести
новый сотовый и никому не говорить об этом. Но
это было только вчера: понятно, что Влад еще не
успел заняться покупкой и оформлением.

Алексей отловил его вовремя, по дороге к метро. За ним больше не приезжал черный «БМВ» —
Кис знал, что Влад отказался от услуг Мити, ко-

торый его чем-то смутно раздражал. И теперь он ездил на метро: его старая машина разбита, а другую он пока не покупал: врачи категорически запретили вождение из-за транквилизаторов, которые Влад принимал.

Алексей подлетел к нему у входа: он желал знать, какие именно документы подписывал Влад. Как они выглядели и что в них написано.

Но память его снова *мерцала*: с утра Владилен с трудом врубался в то, о чем толковал детектив. Он даже Алексея признал с трудом. Но все же пообещал вынести дискету со службы.

Условились, что Влад приедет к Алексею на Смоленку после работы. «Если, конечно, Влад не забудет об этом к концу рабочего дня», — сомневался Кис, глядя в его спину. Так странно было видеть его мощную фигуру в дорогой дубленке, которая не смешивалась с утренней московской толпой, настолько Влад на нее не походил. Его внешность, осанка, походка — все требовало дорогой машины с шофером...

Вдруг Кис спохватился: надо *им* как-то дать понять, чтобы оставили Люлю в покое: все равно она уже все рассказала! Все, чего они боялись! Вовремя устранить ее *им* не удалось, так пусть теперь расслабятся, козлы недоделанные, поезд ушел, опоздали, сучары!

Кис догнал Влада на перроне.

Влад снова узнал его не сразу, хотя они виделись всего пять минут тому назад.

— Скажи Мите, что ты встречался с Люлей, женой Владика, ладно? Скажи им, что она тебя приняла за своего мужа. И сказала, что зовут тебя Владилен и что ты был директором. Но никаких вопросов не задавай, просто скажи, и все. Типа, вот такие странности. Влад, ты понимаешь, о чем я говорю?

Влад кивнул. Поезд подъехал и проглотил его высокую фигуру в дубленке.

Кис совсем не был уверен, что Влад его понял. Ну, вечером увидим. Если Влад не забудет к нему приехать, конечно...

Странные вещи происходят у него с памятью. Надо будет разузнать у кого-нибудь поподробней насчет амнезии. Та единственная клиентка с амнезией, которая была у Алексея, — с ней все было классически ясно: она забыла только прошлое, но помнила все, что с ней происходило в настоящем[1]. А тут какой-то другой случай... *Мерцающая память, испорченный телевизор.*

Надо разузнать, да.

* * *

Славка даже обрадовался переносу визита. Он как раз устраивал вечеринку завтра, вот и славно получится, соберемся все вместе, как раньше!

Но именно это и испугало Люлю. *Как раньше?* У нее все было не так, как раньше. *Раньше* у нее был Владька. И *раньше* никто не пытался ее убить. Последние два месяца казались кошмаром, затяжным страшным сном. Сколько их было, попыток? Два наезда, подростки в темном дворе, выстрел на улице, которым убили ее первого телохранителя; пожар на даче; белая «Волга», перегородившая им дорогу; газовая бомба в подвале, а теперь вот попытка взрыва... Итого: восемь. И это не считая заминированного телефона в ее квартире. Тогда она просто не успела испугаться.

---

[1] См. роман Т.Светловой «Голая королева».

Но восемь раз она пугалась *насмерть*. Восемь раз она прощалась с жизнью. У нее за это время появилась седая прядь в челке. И теперь Славка хочет, чтобы было *как раньше*?!

«Артем уверял, что в ближайшие пару дней они ничем не рискуют. Но при этом перестал заказывать продукты на дом, стал посылать в магазин Дениску со списком. Значит, Артем боится, что их всех отравят, да? Пытается предугадать, до чего еще могут додуматься убийцы? Может, еще перестать пользоваться водой из-под крана?» — горько усмехнулась Люля своим мыслям.

— А если Дениску возьмут в заложники, ты об этом подумал?! — спросила она тогда Артема.

— Парень только из армии, Люля. Да и я его кое-чему научил. Чтобы его взять, надо хорошо постараться. И потом, подобный ход привлечет к себе слишком много внимания. Они ведь прекрасно знают, что каждое покушение растит объем дела в милиции. И, следовательно, внимание к нему. Нет, они на это не пойдут — и так слишком наследили! Кроме того, на сегодня у них исполнителей нет. Нужно быть круглыми идиотами, чтобы продолжать охоту на тебя, но даже если они на это решатся, им требуется время для найма новых бандитов.

— А что в милиции говорят?

— Что работают. Ищут.

— Ага, ищут... Все ищут — милиция, частный детектив, и никто не находит!

— Люля, не надо так. Как там ищет милиция, не знаю, они не распространяются о ходе следствия, но Кисанов к ним уже подбирается! Выброси пока все из головы, поехали к Мошковскому!

У тебя ведь эскизов набралась целая коллекция!
Поехали, Люля, тебе надо отвлечься!

И она неожиданно согласилась. Пусть не так,
как раньше, пусть она будет улыбаться через силу
или вовсе не улыбаться, но сидеть и считать,
сколько раз тебя хотели убить, сколько раз ты го-
товилась умереть...

Нет, уж лучше натужно улыбаться!

...Артем вернулся к машине, проводив ее до
дверей Славки. Люля безуспешно пыталась его
уговорить пойти с ней.

— Я в вашем обществе чужой. Лишний. Сам
стану стесняться и всех стеснять, — заявил Артем. — Зачем это нужно?

— Не ломайся, Артем! Я буду неловко себя
чувствовать, зная, что ты сидишь в машине голодный!

— У меня с собой бутерброд. И термос с кофе.

— Артем!

Он вдруг вспылил:

— Люля, я твой охранник! Ты забыла? О-хран-
ник.

— Значит, ты собираешься наблюдать за входом в подъезд? А мне сказал, что мы сегодня в
безопасности! — на этот раз вспылила Люля.

Артем молча нажал кнопку Славкиного звонка, повернулся и вошел в лифт. И раньше, чем
Славка открыл ей дверь, кабина уже спустилась
вниз.

Она стояла, красная от злости. Он ее выма-
нил — заботится о ее развлечениях, видите ли! —
и при этом все наврал про безопасность!

— О, как ты румяна, как ты хороша! — возопил Славка и буквально прыгнул на нее с объя-

тиями. — Смотрите, какой сюрприз я вам приготовил, — он потащил Люлю за руку в глубину своего ангара, — смотрите, кто к нам пришел!

Народ приветственно зашумел, посыпались поцелуи и восклицания. Там была практически вся команда Славки, все те, кто помогал ему в создании коллекций одежды. Славка, единственный из всех модельеров, которых Люля знала, сумел сколотить вокруг себя настоящую команду. В которой всех объединял общий творческий интерес или даже страсть к искусству одежды. Это были не просто коллеги, это были *сподвижники* с тех еще времен, когда безвестный Славка побирался, выпрашивая на фабриках и в магазинах остатки тканей, кружев, тесьмы, пуговиц... Славка любил прихвастнуть: «Я начинал, как Жан-Поль Готье!» Что правда, то правда, параллели имелись: молодого Готье хорошо знали в парижском квартале Сантье[1], где на заре своей карьеры он выпрашивал у торговцев остатки и обрезки... Как Готье, Славка пробился благодаря своей неуемной фантазии и смелому эпатажу, вере в свой талант и в людей рядом с ним.

Наверное, поэтому в его команде никогда не было дрязг. Недоразумения, конечно, случались, а вот дерьма — никогда. И свет шел, несомненно, от Славки, милого талантливого голубого Славки.

Люля оглянулась вокруг с изумлением. Жизнь продолжалась. Она не остановилась ни оттого, что погиб Владька, ни оттого, что сама Люля живет в тоске и смертельном страхе. Эти люди жили, были веселы и...

---

[1] Квартал, где сконцентрированы магазины тканей и фурнитуры.

И они были искренне рады ей!

Они ее любили? Она никогда об этом не думала, не замечала. Она не искала ничьей любви, Владька сам ей любовь подарил, а остальные... Она так давно привыкла к нелюбви, что... К тому же Люля не была настоящим членом этой команды, она бы и постеснялась претендовать на место в ней, она появилась куда позже, чужая, новая. Она просто приходила, приносила эскизы, обсуждала их со Славкой. С остальными несколько слов на ходу, не более. А они так искренне рады ее приходу... Фантастика!

— Эй! Ты что стоишь, как Эйфелева башня! — Славка обожал лишний раз подчеркнуть ее высокий рост. - Проснись, Люля-красуля! Ну-кась выбирайся из своей шубейки!

Он стащил с нее шубку и гордо, как трофей, понес к заваленной одеждой вешалке.

Никто, ни один из присутствующих не задал ей ни одного дурацкого вопроса, типа «как дела?». Должно быть, Славка всех предупредил, что дела плохо. И велел не сыпать соль на раны. Славка, славный друг.

Напротив, ее засыпали новостями из жизни моды. Ей пересказали все, что писала пресса о Славке и его конкурентах. Ей расписали все приглашения, которые получил Славка. Ей назвали всех известных людей, купивших его платья и костюмы после показов. Люля радовалась: число покупателей было и впрямь удивительно высоким, и это тоже была заслуга Славки. Не зря (и не случайно) он выпустил тогда на подиум толстушку: он доказал умение чувствовать и одевать *личность*, со всеми ее недостатками, а не безличных манекенщиков. Тем самым он привлек ту часть публики, которая ранее никогда бы не отважилась купить платье с подиума, полагая, что это удел только молодых, худых и высоких... .

Все это означало не только растущую популярность его имени, но и хорошие деньги для всей команды. Для тех, кто когда-то поверил в Славкин талант и разделил с ним творческие искания и нищенство.

Тот, довольный, делал круги посреди гостей, важный, как петух в курятнике, и гордо косил одним глазом на Люлю.

Он устроил а-ля фуршет, стол был заставлен разными закусками — Славка расщедрился ввиду такой компании и сделал в числе прочего мясные салаты, которых сам, натурально, не ел, будучи вегетарианцем. Но народ очень охотно употреблял все подряд, кто стоя, кто сидя на чем пришлось, из бумажных тарелок.

— Ну, ты когда наешься? — окликнул он Люлю.

— А что? — спросила она с набитым ртом.

Видел бы ее сейчас Артем — порадовался бы: в последнее время она не могла ничего впихнуть в себя. Но тут на нее напал непомерный аппетит. Да какой там аппетит, жор на нее напал! Ей давно не было так тепло и уютно, как сейчас. Давно-предавно.

— Как «что»?! Мы же все горим от нетерпения увидеть твои эскизы!

— А, сейчас! Доем вот только!

Все тянули руки, и каждый листок из папки немедленно шел по кругу.

— Руки все вымыли? — грозно спросил Славка. — Грязными лапами не хватать! И вообще, ну-кась вертайте все эскизы «взад»! — завопил он. — Я у вас главный! Я буду смотреть первым!

Народ захихикал, но вернул. Славка просматривал каждый, что-то бормоча себе под нос, ни на кого не глядя, а потом пускал по рукам.

Когда просмотр был окончен, Славка вдруг вышел на середину своего ангара и торжественно провозгласил:

— Принцесса! Это великолепно! После того как я пройдусь по твоим идеям рукой мастера, мы завоюем с этой коллекцией весь мир!

И Славка разбежался и снова вспрыгнул на Люлю, как кот на занавеску, шумно расцеловав ее. Остальные весело захлопали.

— Шампанское! — распорядился Славка.

Кто-то принес из холодильника бутылки, кто-то выудил из шкафа бокалы. Народ подтянулся к столу.

— Но прежде чем поднять тост за тебя, красуля, я должен узнать одну вещь. Где это божественное создание, которое послужило тебе моделью? Пообещай мне, что завтра же ты его приведешь!

— Божественное создание сидит в машине, — улыбнулась Люля, представив себе реакцию Артема на подобное заявление.

— ???

— Это мой телохранитель...

Кажется, она не успела еще закончить фразу, как Славка в компании нескольких наиболее прытких сподвижников уже вылетел за дверь.

...Артем был так смущен, что Люле стало его жалко. Славка вытащил его на середину, остальные разошлись по местам, только маэстро остался стоять метрах в трех напротив Артема, заложив руки за спину и раскачиваясь с пятки на носок. Он разглядывал Артема по частям, как если бы перед ним был костюм и он внимательно изучал шов за швом.

Артем украдкой метнул на Люлю огненный взгляд. Она улыбнулась: ей было смешно.

Славка, изучив Артема вплоть до шрамов, до узковатого овала лица с резким, почти прямоугольным срезом подбородка, закончил наконец раскачиваться. И стал медленно обходить Артема. В точности так, как Люля себе представила однажды: словно рождественскую елку, полную неожиданных сюрпризов.

Артем стоял, не зная, куда девать руки, куда уставить глаза.

— Парень, ты расслабься, никто тут тебя не трахнет, — грубо-обиженно заявил Славка, видя, как напряжен Артем. — Пройдись-ка!

Артем не понял, чего от него хотят.

— Ну, к двери и обратно!

Артем ноги ставил прямо, шел одновременно легко и мощно. Славка взвыл от удовольствия.

— Все, он мой! Люлька, когда этот бравый защитник вдов и сирот спасет тебя окончательно, он мой!

Артем не понял, только брови чуть приподнял. Он, с тех пор как вошел, не проронил ни слова, Славка говорил вместо него.

— На подиум, парень, на подиум! Не более и не менее! — И Славка, привстав на цыпочки, Артему он доставал до подмышки, дружески хлопнул «парня» по плечу с неожиданной силой. Артем вдруг улыбнулся: модельер его забавлял. И Славка расцвел от радости его улыбке.

— Возраст... — подал реплику кто-то из присутствующих.

— Ты мне это говоришь? Мне? — Славка обернулся, тыча себя в грудь. — Да я и твою бабушку могу выпустить, понял? Я инвалида на протезе могу выпустить, понял? И у меня — у меня *все* пройдет на ура!

«Ну, поехало! У нашего гения, разумеется, мания величия, — усмехнулась Люля. — Какой же гений без мании?»

— Заметано? — повернулся Славка к Артему. — По рукам? Придешь ко мне?

Артем метнул взгляд на Люлю: SOS!

— Он подумает, Славик. Не торопи его, — выручила она Артема.

— Да у меня ведь работа, — прорезался наконец Артем.

— А голос! — застонал Славка. — Вы слышали этот голос?! Жаль, что на подиумах говорить не принято!

Люля подошла, взяла Артема под руку. Что-то гений чересчур разошелся. Люля не очень поняла, что ее разобрало, но ей захотелось дать Славке понять, что Артем *с ней*.

— Нам пора, — сказала она. — Нам еще за город ехать.

Славка с сожалением посмотрел на ее продетую под локоть Артема руку.

— Ну, чао... Не пропадай, принцесса!

Кажется, она Славке весь кайф поломала. А что делать? Надо же было спасать Артемку!

* * *

Кис потратил весь день на выяснение подробностей, связанных с разными типами амнезии. Но все специалисты, с которыми ему удалось связаться, в один голос повторяли: все в каждом случае конкретно, надо знать анамнез, надо встретиться с больным...

Встретиться! Алексей надеялся, что ему самому удастся встретиться с «больным» сегодня вечером!

Однако, против всех ожиданий, Влад приехал. Не забыл о встрече и адрес запомнил. Несмотря на то, что утром он с трудом узнавал детектива!

Снова закралось чувство, что Влад валяет дурака. Придуривается зачем-то, и никакой амнезии у него нет! А Алексей, как последний идиот, роет вокруг его коллег, тогда как Влад соркестрировал некую аферу сам и теперь делает вид, что ничего не помнит, потому что ему так выгоднее в силу каких-то причин!..

Но в этом варианте тоже многое не сходилось. Если Владу надо было что-то скрывать, то ему незачем было уговаривать детектива провести с ним очередной вечер. Ложь стоит усилий, и Владу ни к чему собеседник, перед которым приходилось напрягаться целый вечер! Кроме того, если приписывать авторство мнимой амнезии Владу, то выходило, что им задумана операция грандиозная и дорогостоящая: будучи в коме, он не мог сознательно сделать себе пластическую операцию. И тогда надо предположить, что и в коме он не находился, то есть все врачи и медсестры клиники скуплены на корню! Тогда надо ему приписать и авторство всех убийств вокруг него, включая покушения на Люлю, которые в таком разрезе становятся частью его «легенды»... А это уже смахивало на фантастических суперзлодеев из Джеймса Бонда.

В общем, Кис, как всегда, доверился своей интуиции. А она говорила, что Влад Филиппов не валяет дурака.

...Влад рассказал, что попытался скинуть несколько документов на дискету, но был немедленно замечен и остановлен одним из коллег, который вежливо напомнил, что их фирма является секретной и копирование материалов запрещено.

Это была промашка Алексея. Он никак не мог взять в толк, что Влад мог забыть такие простые вещи, как меры предосторожности... Черт, обидно! Только коллег насторожили...

— Кроме того, мне объяснили, что на всех компьютерах возможность копировать на дискеты заблокирована, а в случае нужды эта опция активируется администратором сети. Его сокращенно админ называют, знаешь?

— Знаю. А кто у вас админ? Митя?

— Ну да. Но я их запомнил, — сказал Влад.

— Кого? — не понял Кис.

— Документы. Я могу рассказать, что там написано.

Кис мигом подсунул ему листы бумаги и ручку.

Влад набросал три маленькие таблицы с буквами и цифрами. Алексей изумился: с его памятью?

— Ух, — сказал Влад, отбросив от себя листки. — Я боялся, что не донесу до тебя. Всю дорогу повторял! Ну, теперь можно забыть! У тебя водка есть?

Кис уставился в документы. Ничего особенного. «Программы класса А — столько-то штук — столько-то мегабайт...» Куда более интересно то, что текст Влад воспроизвел на английском! Не-хитрый текст, конечно, но все-таки!

— Ужином накормишь? — уже во второй раз переспрашивал его Влад. — Водка у тебя есть?

— Ты по-английски говоришь?

— Ну.

— И не забыл?

— Да нет вроде.

— Скажи чего-нибудь.

Фраза, которую Влад произнес с тяжелым акцентом, звучала в переводе на русский примерно следующим образом: «Будешь ли ты (любимое матерное ругательство американцев) кормить меня этим... (idem[1]) ужином и есть ли у тебя эта (idem) водка!»

— Мда... Ну ты даешь, Влад! — Кис от неожиданности потер подбородок. — Не волнуйся, будет тебе твой... (idem) ужин с твоей... (idem) водкой.

— Да? — обрадовался Влад. — Тогда давай скорее! А то жрать страшно хочется... И сука дома одна, ждет. Надо ее вывести...

Алексей пообещал отвезти Влада домой сразу после ужина и принялся метать снедь, купленную в кулинарии, из холодильника на стол. Влад разворачивал пакеты, резал, раскладывал на тарелки, разогревал, и минут через двадцать они уселись за еду.

— Ты сказал им, что встречался с Люлей?

Влад кивнул, обгрызая ножку копченой курицы.

— И что она тебя приняла за мужа?

Ножка еще в зубах — Влад снова кивнул.

---

[1] Аналогично (*лат.*).

— И насчет имени Владилен? И что ты раньше директором был?

Еще один кивок. Он ел жадно, держа ножку обеими руками за концы, — на аппетит жаловаться ему явно не приходилось.

— Как они отреагировали?

Влад хрустнул косточкой: раскусил головку и теперь шумно перемалывал челюстями хрящик.

— Нормально, — проговорил он с набитым ртом. — Ща, прожую...

Он прожевал и вытер губы салфеткой.

— Сказали, что будут меня звать так, как мне больше нравится. Про директора ответили: «Ну да, конечно, но вы же сами понимаете, что при вашей нынешней памяти вы не можете выполнять директорские функции!» Типа, как только, так сразу... А насчет Люли одобрили: мол, надо встречаться со старыми друзьями. И сказали, что мы с Владькой всегда были похожи. А его вдова на нервной почве приняла меня за него.

— Это их слова — «на нервной почве»? Или твои?

— Их. А что?

— Так, — ответил Кис. — Ничего.

Он не стал вдаваться в стилистические тонкости, хотя фраза резанула его слух своей циничностью.

— А кто именно сказал это? Митя?

— Не помню... Наверное.

Алексей, как обещал, отвез Влада домой, из предосторожности высадив на повороте к его двору. И всю обратную дорогу думал о том, что его затея должна сработать: после сообщения Влада о встрече с Люлей ее должны оставить в покое.

228 Опасную информацию она УЖЕ рассказала. И Влад отреагировал на эту информацию самым невинным и неопасным образом. Он не закричал: я тут директор! А ну подать мне все бумаги! Нет, он спокойно проглотил Митину пилюлю и со всей видимостью нисколько не заинтересовался собственным положением. Так что теперь они должны — просто обязаны! — угомониться в отношении Люли...

Конечно, если думать о суде, то она может представлять угрозу как свидетельница. Но преступники обычно самонадеянны и не верят, что дело дойдет до суда...

* * *

Ночью Артем, сделав обход дома, замер перед ее спальней, прислушиваясь. Тихо. Хорошо уже то, что Люля не плакала во сне.

Люля не плакала во сне, она просто не спала. Она его окликнула:

— Артем? Войди...

Он вошел.

— Все спокойно?

— Да.

Он стоял на пороге.

А ей хотелось, чтобы он снова обнял ее. Ей хорошо в его руках. Ей нужны его руки.

— Ты думаешь, они сегодня не придут?

— Маловероятно. Почему ты не спишь?

— Не спится... Побудь со мной, Артем.

Он послушно подошел, прилег. Как всегда, на край кровати, поверх одеяла. Как всегда, обнял ее. Как всегда, представляя, что у него под рукой котенок, зверек — НЕ БОЛЕЕ!!! — нуждающийся в ласке и успокоении.

Она вскоре задышала ровно и спокойно, как всегда. И, как всегда, обняла его во сне.

Маленькое живое существо, нуждающееся в его защите! — приказал себе Артем. И привычно велел руке не чувствовать, что под ней — женщина. Желанная...

Но Люля вдруг с сонным вздохом разворотила одеяло и прижалась к нему. Теперь их разделяла только тонкая ткань одежд, через которую так отчетливо, так мощно соединилось тепло их тел!

Он с трудом подавил волну возбуждения, стараясь бесшумно перевести дыхание. Ей снится, конечно же, муж... Но при этом ее тело так удивительно ловко вписалось в его, словно кто-то зарансе предусмотрел совпадение их конфигурации. Одно только место не вписалось, одно только место мешало и давило — там, в низу его живота... Он отодвинулся немного.

Лезли мысли: если бы это было не во сне... Если бы это объятие было предназначено ему, Артему. А не призраку мужа...

От этих мыслей закипала кровь. Артем приказал себе выбросить их из головы.

Минут через пятнадцать он, успокоенный ее размеренным дыханием, поднялся и пошел делать свой обход.

Люля, едва закрылась за ним дверь, в панике откинулась на подушки. Он ушел! Придет ли он еще к ней?

Ей отчаянно был нужен Артем, его тело, его близость... Не было ни «зачем», ни «почему», было только одно категоричное «нужно».

Но сказать ему об этом она не посмела. Что

230 подумает о ней Артем? Он не поймет... Он осудит ее.

Но если он не будет с ней эту ночь, она просто не доживет до утра... Чужое зло, чужая разрушительная энергия скопились в ней за эти долгие недели несостоявшихся убийств. И, не убив ее, зло осело в ней, как радиоактивный налет: на печени, на почках, на легких... Повсюду!

Артем ощущался чем-то вроде антидота. Почему? Она не знала. Она не была влюблена... Но она ему доверяла, только ему, единственному. Так доверяют врачу: он вылечит. Тяжесть его тела выдавила из нее смерть. Его горячее дыхание растопит в ней смерть. Его живая сила победит в ней смерть...

Она вышла из спальни, как лунатик, не зная толком, что собирается делать. Просто ей нужен Артем, вот и все.

Она тихо шла босиком. В доме было темно: Артему так удобнее наблюдать за пространством вокруг дома. На втором этаже она Артема не нашла и спустилась вниз. Лестница несколько раз скрипнула под ее шагами, и она ждала, что Артем ее окликнет...

Но он почему-то не окликнул. Не слышал?

...Он стоял у окна на кухне, заложив руки за спину. Люля бесшумно подошла, так и не решив, что сказать и что сделать.

Он не обернулся. Она остановилась в двух шагах от его спины, раздумывая.

Но он заговорил первым, все так же глядя в окно и не поворачиваясь к ней:

— Не спится?

— Ты слышал мои шаги?

— Конечно.

— А почему ты не подошел? В смысле, не пришел... Не спросил....

Она умолкла, запутавшись.

Артем повернулся и, чуть присев на подоконник и сплетя руки на груди, спросил, как Люле показалось, холодно:

— Зачем?

Она залилась краской. В темноте, к счастью, не видно... Неужто он догадался, прочел ее мысли?!

— Мало ли, по какой надобности ты вышла, — продолжил он. — Я ведь твой телохранитель, а не шпион. Это твой дом, Люля, и ты вправе ходить по нему куда и когда вздумается!

С этими словами все мгновенно усложнилось. Артем говорил с ней сдержанно и подчеркивал разницу между ними. Словно он сознательно нагромождал препятствия для... для...

Как-то Артем сказал ей: «Вы звезда...» Люля тогда вскинулась: «Что за глупости? У меня есть талант, да, но я его не заработала! Мне его бог дал или природа, не знаю... Вот и вся разница! Чего-то добилась своим трудом. Так и вы трудитесь Артем... Это у вас в голове расхожие штампы, выбросьте их на помойку!» — ответила она тогда гневно...

Но он, видать, не выбросил. Он нагородил между ними препятствия под тупым названием «социальная разница» и сейчас намекал на это...

Или просто прятался за ними?!

— Ты хочешь пить? — спросил он, по-прежнему не расплетая рук.

А ей хотелось, чтобы он их раскрыл и притянул ее к себе.

— Нет. Я пришла к тебе. Мне не спится, мне страшно...

Наконец он разомкнул руки и взял ее ладонь:

— Пойдем. Лучше будет, если ты примешь снотворное. Я посижу с тобой, пока ты не заснешь.

— У меня нет снотворного... — Люля не двинулась с места. — Ты знаешь, Артем, у меня на самом деле очень крепкие нервы! — Ей не хотелось в спальню, ей хотелось, чтобы он и дальше держал ее за руку, и она принялась болтать лишь бы что. — На моем месте, я думаю, многие не выдержали бы. В лучшем случае уже давно сидели бы на антидепрессантах... А я неизбалованна, Артем. Со мной никто никогда не нянчился. Не вникал в мои настроения и переживания. Вот только Владька... Но так недолго, что я не успела разбаловаться. Я привыкла справляться со своими нервами, настроениями, с тоской и депрессией сама. Я научила себя засыпать при любых обстоятельствах... Никогда в жизни не принимала снотворное. Но сейчас мне трудно справляться. Хотя я держусь. Правда же?

— Правда, — ответил он серьезно. — Я поражаюсь тебе. На твоем месте мало кто из мужчин выдержал бы. Ты молодчина.

И Люля вдруг почувствовала, что в устах Артема слово «молодчина» означало большой комплимент.

Она взяла стул и села, лицом к Артему, по-прежнему стоявшему у окна.

— Давай выпьем вина?

— Ты же знаешь, Люля, что я на дежурстве, — мягко напомнил он.

— Ну, только глоточек! Я себе полную рюмку

налью, а ты — глоточек. Чтобы чокнуться со мной, ладно? За судьбу, которая меня хранит!

Артем наконец отклеился от подоконника, нашарил в темноте штопор, взял указанную Люлей бутылку из шкафа, где лежал довольно большой запас хорошего вина в специальных деревянных ячейках. И, не проронив ни слова, откупорил вино и разлил его в две рюмки.

— Тебе не холодно? — кивнул он на ее босые ноги.

— Нет, — соврала Люля.

Артем поставил стул напротив, сел и поймал ее ступню. Она была ледяной. Тогда он поймал вторую и положил обе себе на колени. На теплые колени...

— Тебе так удобно сидеть? — поинтересовался он без всякого выражения.

Люля молча кивнула. Полная темнота придавала всему странный привкус нереальности. Она что-то меняла, она что-то колдовала, она что-то нашептывала... Артем вдруг показался совершенно другим. Он почему-то был холоднее с ней, чем обычно, и в то же время при свете дня он никогда бы не положил ее ступни себе на колени, тем более так непринужденно...

Он поднял бокал:

— За твоего ангела-хранителя.

Она выпила вино, не отрываясь. Он пригубил и отставил рюмку. И пристально посмотрел на нее в темноте.

— Ты пришла мне что-то сказать?

— Нет. Я просто пришла к тебе. Чтобы не быть одной. Налей мне еще вина.

Она соврала, потому что правду сказать не посмела. И, соврав, неожиданно сама поверила в то, что ей ничего и не надо от Артема. Она именно за этим пришла: поболтать с ним и выпить вина!

— Подожди, — сказал Артем. — Я обойду дом.

Он аккуратно снял ее ноги со своих колен и ушел. Его не было минут десять, а когда он вернулся, то принес для Люли халат и тапочки.

И больше не положил ее ступни к себе на колени. Действительно, зачем, когда есть теплые тапки! А теплый халат прикрыл ее тонкую ночную рубашку. Наверное, Артем счел, что она выглядит неприлично... Или принес только потому, что ей холодно?

...С чего она, собственно, взяла, что по одному ее жесту Артем должен броситься, осчастливленный, к ее ногам? Точнее, к ее телу... Он понимает, что она его не любит, а гордость не позволит ему принимать от нее подачку. Он же страшно гордый, Артем...

Люля залпом выпила второй бокал и попросила налить третий. Чуть помедлив, он налил.

— Ты хочешь напиться?

— Ага, — отозвалась она. — Хочу. Чтобы ни о чем не думать.

Она выпила третий бокал помедленнее, болтая что-то про Славку, про то, какой он смешной, талантливый и голубой. Она хотела, чтобы Артем сказал, что он не понимает геев, что это все далеко от него, как планета Марс, что...

Но он только молча смотрел на нее в темноте, и невозможно было разобрать выражение его лица.

Ну и хрен с ним. Может, он и сам гей? Может, Славка ему понравился?

— Налей мне еще.

— Хватит, Люля. Пойдем, я уложу тебя спать.

Он ею командовал! Надо же... Разошелся! А чего это он ею командует? Кто он такой, чтобы решать, хватит ей или не хватит?!

Люля была пьяна.

— Налей, я сказала!

Он молча встал, легко поднял ее со стула и понес на руках в спальню. Она уцепилась за его мощную шею, и его мерные шаги убаюкали ее. Она уже почти спала, когда он уложил ее в постель. Раскрыв глаза, сонно пробормотала: «Посиди со мной, ладно?» — и заснула.

* * *

Алексей отвез Влада, поддержал ему компанию на прогулке с Дурехой, распил с ним, как повелось, по маленькой, после чего оттащил обмякший тюфяк по имени Влад в кровать.

Вернувшись домой, Кис показал Ване листки, которые Влад воспроизвел по памяти.

— Что это? — удивился Ванек. — Класс А, какие-то латинские буквы, 40 — 120 мгб... Класс Б, опять буквы, опять цифры, мегабайты... Что за фигня?

— По-твоему, может ли здесь идти речь о компьютерных программах?

Ванька поднял его на смех: где это видано, чтобы программы продавались на общий вес? А уж если бы речь шла об объеме пересылки через Интернет, то, во-первых, такой объем не пройдет, а во-вторых, засекреченные программы по Интернету посылать никто не станет!

— Не умничай, — сказал ему Кис. — Я и сам знаю, что это туфта. Но что под ней? Что они продают?

— Может, порно?

Хм, любопытная мысль... Допустим, под этой простой схемой имеется в виду следующее: порно класса такого-то, буквы означают какие-то характеристики, столько-то штук, в общей сложности на столько-то часов...

Смущало одно: количество. Порно продаются тысячами. А в бумажках Влада указывалось ограниченное количество: сорок.

Видеокассет (СД, ДВД)? Если это число умножить на три, то как раз получится сто двадцать. Фильмы по три часа каждый? Класс А — порно с особыми извращениями? Класс В — с меньшими извращениями? Класс С — без извращений? Любопытно, что чем ниже спускался класс, тем большее количество штук и мегабайт указывалось... Возможно, что «особые извращения» идут только для узкого круга лиц и потому тиражируются в ограниченных количествах, тогда как более-менее «нормальное» порно идет на широкого потребителя и потому в значительно больших количествах?

Да нет, ерунда какая-то выходит. Порнофильмы по три часа каждый — такого не бывает. Кроме того, зачем отсылать копии фильмов? В таких делах посылается оригинал, а уж он тиражируется на месте...

Нет, никак не вписывались порнофильмы в эту схему.

Примерно таким же образом Алексей перебрал остальные варианты. У золотых слитков не может быть классов, золото в таких делах должно быть всегда одной и той же высочайшей пробы, без вариантов. Наркотики могли иметь классы, под которыми подразумевались бы разные типы: героин там, кокаин, ЛСД или еще чего. Но зато они не могли иметь четвертую графу — общий вес, кратный числу из третьей графы, под которым Алексей усмотрел количество штук. Если вес отборного наркотика класса А равен ста двадцати граммам (маловато будет, прямо скажем, для партии!), то выходило, что его расфасовали в сорок упаковок по три грамма каждая. Но в контрабандных делах никто такими мелкими упаковками не пользуется: по полкило еще куда ни шло...

Не попадала в схему и нефть: уж если ее переправляют, то всегда одним и тем же условленным объемом — будь то цистерны или хоть даже канистры.

Кис попытался подставить в схему оружие. Классы могли бы обозначать тип оружия. Но тогда третья графа означала не общий вес, а скорее цену, вряд ли кто-то продает оружие на вес, как металлолом! Однако и с этим допущением оружие никак не проходило: если класс А, к примеру, это пистолеты (револьверы, автоматы...), то сорок — это количество. Тогда сто двадцать цена в долларах? Да неужто пистолет, хоть самый никудышный, стоит всего три доллара?

Одним словом, к утру Алексей пришел к заключению, что речь могла идти только о драгоценных камнях. Только они ложились в эту схему. Класс А, допустим, алмазы (или бриллианты) в три карата, далее некие характеристики, обозначенные буквами, — всего сорок штук, общей массой в сто двадцать «мегабайт» (каратов). Класс В — алмазы по два карата, общим числом восемьдесят, общей массой в сто шестьдесят «мегабайт». Класс С — по одному карату, и так далее...

Короче, только в эту гипотезу укладывались графы и цифры из документов суперзасекреченной фирмы, в которой работал Влад.

С приятным чувством выполненного долга Алексей отправился наконец спать. Но не сумел заснуть до шести, думая о том, как проверить эту гипотезу...

К шести утра придумал.

Сестра Александры, Ксюша, конечно, спала, как и Реми: в Париже было всего четыре утра.

На сонный голос Ксюши Алексей рассыпался в извинениях. Время, мол, не терпит, прости!

Ксюша что-то недовольно проворчала, но мужа все же разбудила. Реми уже перестал удивляться этим русским, для которых нет ничего святого: они были способны звонить вечером, ночью, ранним утром, нарушая ужин, отдых, сон — одним словом, неприкосновенную частную жизнь. Но бороться с ними было невозможно, проще покориться судьбе, которая назначила ему русскую жену!

Реми явно досматривал последний сон, припав к телефонной трубке, десятой частью мозга внимая Алексею. Но Кис знал, что Реми и десятой части хватит, чтобы все схватить на лету.

Как и Алексей, Реми был частным детективом и умел найти информацию, когда требовалось. А требовалось нынче срочно выяснить, каков путь, который проделывают драгоценные камни от продавца к покупателю.

— Извини, старина, ты сейчас только накорябай два словечка на бумаге, чтобы не забыть суть вопроса, и мне информацию в течение дня скинь, ладно?

Реми обещал, и Кис, с сожалением глянув на часы, — спать уже было некогда! — пошел принимать душ. Он снова намеревался перехватывать Владилена по дороге на работу.

* * *

Люля проснулась внезапно и легко. Посмотрела на часы: она проспала всего около двух часов. Но больше спать почему-то не хотелось.

Артема рядом не было. Дежурит, ответственный... А сам сказал, что у них передышка!

И почти тут же раздались его шаги за дверью. Люля быстро свернулась калачиком и притворилась спящей. Она не успела подумать зачем. Может, ей хотелось подсмотреть, что он будет делать?

Он вошел в спальню. Постоял, вслушиваясь. Она со вздохом перевернулась на живот, будто бы во сне.

Артем подошел, присел на край кровати, осторожно погладил ее по волосам. «Спи, спи...» — прошептал он.

Похоже, что она спала. Его рука замедлилась и оторвалась от ее волос. Он вытянулся с краю и уставился в потолок.

...Сразу после Афгана, сразу после войны, он носил в себе много зла. Очень много. Оно скопилось в нем, сконцентрировалось, как раковая опухоль. Его первая после войны женщина, добрая, покладистая, безответная женщина, приняла все его зло на себя. Он знал, что виноват перед ней... Он не оправдывался и не просил прощения (не нашел слов), когда она от него уходила, но знал, что виноват.

Вторая его послевоенная женщина была противоположностью первой. Она потребовала от него максимум ласки и заботы. И он вдруг понял, что это именно то, что ему нужно: выплеснуться в заботе о ком-то. Словно раковая опухоль зла может рассосаться в абсолютной отдаче. В добре.

Наверное, он перестарался. Он так истово отдавал, так щедро и изобильно вкладывал себя в их отношения, что она... Эта женщина быстро, слишком быстро привыкла потреблять. В общем, Артем ей стал неинтересен. Она ушла к другому, который потребовал заботы о себе.

Потом был долгий перерыв. Артем избегал отношений. Он перестал понимать, что им нужно, женщинам. Им не нравилось, когда он был слишком жестким. Им не нравилось, когда он был слишком мягким... Проще без них.

Злость из него выветрилась давно, да. Но горечь — она осталась. К той, что накопилась за войну, прибавилась новая: горечь неудач в отношениях с женщинами. На войне казалось: вот только бы выжить, только бы вернуться, и все тогда будет счастливо и радостно!

Он особо не знал, что означает «счастливо и радостно». Ему страшно хотелось иметь семью. Хорошую, счастливую семью, с детишками и любящей женой...

Но не получилось. Он так и не понял, что нужно сделать, чтобы они его любили, женщины. Что-то в нем было не то и не так. Они его почему-то не могли любить нормально — брать его любовь и отдавать свою. Что-то все время перехлестывало в одну сторону. То он выкладывался чересчур, то она... Излишняя забота грузила. Недостаточная — обижала. А нормально, так, чтобы оба в равной мере, — так отчего-то не получалось.

И Артем отказался от самой мысли, от самой идеи. У него достаточно ран от войны. Незачем прибавлять к ним новые.

Но было поздно: они уже прибавились.

Артем почувствовал себя одиноким и чуждым всем, и черная хандра легко подхватила его на свое вороное крыло. Ему казалось, что жизнь решительно вознамерилась его обойти стороной, как ненужный, никчемный объект, препятствие на дороге... Ему постоянно снился один и тот же сон: он лежит, раненный, на поле боя, и никто не идет к нему. Его не видят, не слышат, проходят мимо... Его все бросили, оставили умирать, забыли...

Он запил. Бросил институт, где учился машиностроению, и весьма неплохо учился! Но Артему все стало по фигу. Алкоголь и депрессия сделали свое дело: зачем умирающему институт?

Запой длился почти год. И вдруг однажды, мутным воскресным утром, он остро почувствовал: надоело. Надоело оплакивать самого себя. Надо либо уйти из жизни, либо жить.

Он вышел из запоя на удивление быстро, сам, без врачей. И, выйдя, осмотрелся: жизнь продолжалась! Перестройка раскручивалась, народ вокруг суетился...

Он занялся спортом; он чуть не втянулся в местную банду; он чуть не восстановился в институте; он чуть снова не влюбился; он чуть снова не запил...

Но вовремя сумел сказать «нет» всему. И, подумав, пошел работать в охранное бюро — тогда еще одно из первых, экзотика...

С тех пор Артем многому научился. Он научился профессии, он научился не жалеть себя, он научился защищать свою душу от любви. От новых ран. Поэтому сходился иногда только с теми, которые искали *любовников* — не больше, чем развлечения на стороне.

Ну что ж, любовником он был хорошим.

Впрочем, пару раз его любовницы в него *влюблялись*. И со слезами неподдельного страдания на глазах объясняли ему, что богатого мужа/любовника бросить не могут... Как будто Артем просил объяснений!

Он их понимал. Не осуждал. Не жалел. Не любил. Они им пользовались — он пользовался ими. В этих отношениях все было точно, как в аптеке: сколько отдали, столько и получили.

Артем сделал вывод, что когда не любишь, то жить намного проще.

Вот так он и дожил до сорока лет.

И вдруг — Люля. Вот уж чего не ждал, вот уж чего не предполагал...

Она, казалось, принимала его таким, как он есть. Она не требовала немыслимого, того, на что он не был способен. Она не интересовалась тем, сколько он зарабатывает, она не стеснялась его в кругу своих друзей, она не настаивала, чтобы он одевался или вел себя так, как он не мог и не умел...

Ну понятно, это потому, что она не любила его... А те, прежние, — они любили?

Этого Артем точно не знал. Он вообще не слишком понимал, в каких случаях отношения начинают называться словом «любовь». Но одно он знал точно: от него требовали чего-то того, что он дать не мог. И чувства, которые принято называть словом «любовь», *никакой роли в этом странном деле не играли.* Они ничего, ничего не решали, эти чувства. Они были, да, поначалу, но это не мешало сложиться отношениям с перекосом. И этот перекос неизбежно разрушал чувства спустя некоторое время...

Когда он запретил себе чувства, все стало намного проще и легче.

А Люля... Это был опасный соблазн. Соблазн поверить в то, что *нормальные* отношения возможны! Слово «нормальные» расшифровке не поддавалось, но...

Пусть она не любила его, пусть их свели не отношения, а обстоятельства, тем не менее вот уже два месяца они жили вместе, деля кров и ужин, как семья. И Люля нуждалась в его заботе. И она принимала его заботу и его самого. Таким, как он есть. Это уже было непомерно много, это уже было почти счастье... Наверное, поэтому он к ней страшно привязался за это время, она стала ему родной... И желанной. Может, это тот самый случай, когда говорят о любви? Может, он должен себе сказать, что любит ее?

...А вот, собственно, он и сказал.

Люля, приоткрыв один глаз, посмотрела на его отрешенный профиль. «Сейчас он снова уйдет, — подумала она. И вдруг вспомнила: — А если Артему нравятся мужчины? А если ему понравился Славка?!»

Она почувствовала душную волну ревности. На ревность, Люля знала, у нее не было никаких прав, да только ревность не спросилась. Она при-

244 давила ее так, как будто Артем и впрямь принадлежал ей.

Люля выпростала руку из-под одеяла и погладила Артема по груди.

Ему показалось, что там змейкой заструился холодок. Он замер. Он спрашивал себя, что это значит.

Она гладила его.

Поверх рубашки на нем был тонкий темно-серый свитер без горла. Люля забралась ладошкой под свитер. Там, под ним, было тепло...

Ладошка замерла, словно решила пригреться у его сердца.

Как «котенок» или как...

Люля судорожно соображала: что делать дальше? Продолжать? Отступить? Артем лежал как бревно. Только грудь вздымалась мощной, шумной океанской волной.

Протекло несколько мгновений тишины и неподвижности. Ни один из них не шевелился, ни один не мог догадаться о мыслях другого. Два тела застыли в напряжении.

Наконец ладошка обрела жизнь. Она нашарила пуговки его рубашки. Расстегнула. Забралась под них и легла на его грудь, на его горячую кожу.

Артем задохнулся. Не может же быть, что она...

— Люля, ты спишь? — тихо молвил он.

— Нет.

Ладошка поерзала, сначала робко, потом уверенней. Потом погладила его — на этот раз по горячей коже, словно нечаянно тронув сосок.

— Люля... Ты не спишь?!

— Нет.

Если она не спит, значит, все это...

Он медлил. Он переваривал информацию.

Люля решила ему помочь:

— Погладь меня, Артем...

Он не заставил себя просить. Он погладил. Чувствуя через ткань ночной рубашки, как отзывается ее кожа... Неужели?!

Он приподнялся на локте, вглядываясь в ее лицо. Люля смотрела прямо на него. Артем склонился... Ближе, еще ближе... Она, не сводя с него глаз, ждала.

Он дотронулся губами до ее щеки, вопросительно дотронулся, как бы желая подтверждения, что правильно понял.

Она с силой потерлась щекой о его губы. Она подтверждала, что он понял правильно.

Он осторожно, невесомо коснулся ее губ, потом подбородка, потом шеи... Она откинула голову назад, чтобы ему было удобнее ее целовать.

Он все правильно понял!!!

Помедлив, он нашарил пуговки на ночной рубашке. Его рука скользнула под ткань, на ее горячую кожу, коснулась ее груди... И Артем отчетливо ощутил, *как* она ждала его ласки!

...Давно, когда ему было лет двенадцать, мама легла в больницу. И попросила поливать цветы в ее отсутствие. А он о них забыл. И однажды ужаснулся, увидев опущенные листья и завернувшиеся стебли. В панике Артем отнес все горшки в ванную и буквально утопил их в воде. А потом все смотрел на них: выживут? Ему тогда казалось, что это каким-то образом связано со здоровьем мамы: если ее цветы захиреют, то мама не выздоровеет... Он сидел и неотрывно смотрел на них. И помнил до сих пор, какое он тогда испытал счастье, видя, как поднимаются стебли и распрямляются листья, как наливаются они соком...

И сейчас ему казалось, что Люля одно из тех растений, которое под потоком его ласк наливается соком, распрямляет листья — возвращается к жизни, одним словом.

...Новое, неизведанное, острое чувство *ласки*. Обычно, раньше, с другими женщинами он, не мудрствуя, торопил момент финальных содроганий. Сейчас же он оттягивал этот момент изо всех сил: сам процесс ласк доставлял ему неимоверное наслаждение. Он исходил потоком, мощным и животворным потоком, вливавшимся в иссушенную почву, которая жадно впитывала его...

И он рухнул в нее, как грозовой ливень: оглушительный, сотрясающий всю землю, смертельный ливень. В нем все внутри вибрировало, он метался по ее телу, желая поцеловать и погладить, и там, и там, и еще там... Люля иногда тихо стонала, ее тело льнуло к нему, к его рукам, к его губам...

...Всего этого было так много и так внезапно, что Артем вдруг усомнился: сможет ли быть на высоте ее ожиданий? Он откинулся на спину. Ему надо чуть угомонить сердцебиение, чуть перевести дух...

Он даже не подозревал, что в нем так много чувств. Он просто не ожидал, что он захлебнется в собственном ливне с головой. Он совсем не мог предположить, что его сдержанная, спокойная, бережная к ней любовь способна принять масштабы вселенской катастрофы! Ливень смывал границы его жизни, его представлений, его «я» — все это рушилось и летело в пропасть, в тартарары, чтобы разбиться на тысячу мелких кусочков, а потом заново склеиться, сложиться в другого, нового Артема...

...Если она завтра попросит его надеть дурацкую одежду под названием «фрак», он наденет. Если она попросит слов нежности, он их найдет. Он перечитает за один день все на свете книги, чтобы этим словам научиться! Он, который хотел, чтобы его принимали таким, как он есть, теперь был готов сделаться другим... Таким, как она хочет!

Но она никогда не попросит его надеть фрак. Она никогда не попросит у него слов нежности. Она не любила его, Артем это знал. И это мешало. До сих пор не мешало или просто не имело значения: раз женщина с ним, значит...

Но теперь...

...А Люля просто ждала. Не торопила, не задавала вопросов — ждала. Как будто знала, что ему надо справиться со странными, неиспытанными чувствами.

Но пауза длилась, разъединяя их.

— Артем?

Он наконец повернул к ней голову. Ему было больно от всех этих мыслей.

— Артем... Ты ... Я...

Люля запуталась, замолкла. Но тут же снова отважилась. Она протянула к нему руки, обхватила за шею и, приблизив к нему свое лицо, пока лоб не уперся в лоб, прошептала:

— Будь со мной, Артем... Мне нужно. Очень нужно, чтобы ты был со мной эту ночь... Я не хочу ничего объяснять, я не хочу оправдываться перед тобой — я просто хочу, чтобы ты меня любил. Не осуждай меня — или осуждай, если хочешь, но будь со мной, пожалуйста, я без тебя пропаду, Артем...

...И внезапно он понял. Люля, которую столько раз хотели убить, — она искала возможности вернуться к жизни. И он, Артем, служил зыбким мостком для ее возвращения к жизни.

Что ж, пусть так. Он согласен.

— Иди сюда, маленькая, — прошептал он и заключил ее в свои руки.

И Люля в них упала. И Люля в них пропала. И он пропал вместе с ней. Они оба потерялись в лабиринтах бесконечной ласки, в глубинах нежной, чуть горькой страсти, где они бродили, как дети, взявшись за руки, немного пугаясь ее сияющих аттракционов...

...Огни погасли. Луна-парк закрылся. Опустошенный, Артем вытянулся рядом. Вот и все. Он выполнил свое назначение, его роль отыграна. Она не продлится до прав приготовить ей завтрак, поймать ее в коридоре и притянуть к себе, помочь ей застегнуть сапожки или поругать за то, что ходит по холодному полу босиком. Утром они будут снова друг другу чужие. Это не повторится *никогда*.

Он не должен был себе позволять влюбиться. Это большая ошибка с его стороны, и... Он вспомнил, как пил по-черному, и тошнота подступила к горлу.

— Что с тобой, Артем?

Он не знал, что ответить. Ему хотелось встать и уйти, но не хотелось, чтобы это было обидно.

И он лежал рядом, молча, не зная ни что сделать, ни что сказать.

— Хорошо, — заговорила Люля через некоторое время, не дождавшись его ответа. — Ты прав. Это свинство с моей стороны...

Артем молчал. Люля продолжила:

— Сейчас как раз был бы подходящий момент для признаний... Но я не хочу лгать. Я могу сказать одно: ты мне нужен, и мне хорошо с тобой, Артем. — Она помолчала и добавила: — А теперь — как хочешь. Можешь уйти. Я пойму.

Вместо этого он перевернулся. Снова засияли огни луна-парка, снова заиграла музыка и помчались головокружительные аттракционы. Снова он любил ее долго и нежно. Так, как только был способен.

Люля наконец запросила пощады.

— Артем, — прошептала она. — Если бы ты только знал...

Но он не хотел знать. Он заткнул ее вспухшие губы поцелуем. И сказал, что ему надо сделать обход дома.

И он ушел. Ее тело-хранитель... Которому теперь доверили ключи от объекта охраны.

Люля обняла подушку и заплакала. Она сама не знала отчего.

* * *

...Влад, в противоположность вчерашнему утру, был свеж и бодр. Он сразу узнал Алексея, говорил возбужденно и весело.

— А я ведь мобильник новый завел, записывай номер, детектив! И вообще, по-моему, память стала потихоньку возвращаться! Ты знаешь, я сегодня вспомнил, как мы с Владькой шашлыки на даче жарили!

— А чем ты с Владькой в фирме занимался, не вспомнил? — на всякий случай поинтересовался Кис.

— Фирма? Да ну ее на хрен! Деньги платят, и ладно... Питер вроде бы доволен, так чего мне еще надо?

— Питер? В каком смысле? — ухватился Кис. — Почему Питер должен быть доволен? Вы отправляете программы в Петербург?

— Петербург?!

— Ну да, ты сказал «Питер»! Или это имя?

— Это я сказал?

Ну, начинается... Кис сделал все-таки попытку, догадываясь, что она безнадежна.

— Ты только что сказал: «Питер доволен»! Питер — это Петербург?

— Петербург? Ты о чем, Алеха?

Ладно, все, проехали. «Питер» выскочил нечаянно на поверхность и тут же утонул в черной пучине амнезии. Бесполезно настаивать.

— Ты не помнишь, вы, случаем, не алмазами торговали?

— Алмазами?!

— Это не значит, что ты держал их в руках... Ты мог наладить поставку, обеспечить надежных людей и систему без сбоя для того, чтобы перегонять неучтенные камни, ограненные или нет, к какому-то покупателю. Подумай, Влад! Не помнишь?

— То есть ты думаешь, что мы не программы продаем?

Так, это тоже проехали. Дальнейшие вопросы бессмысленны.

— Я сегодня после работы к профессору, — сказал Влад. — То-то порадуется!

— Тому, что ты шашлык с Владькой вспомнил? Ну да, конечно, порадуется... У меня дело к тебе, Влад. Рассмотри как следует, как у вас на работе запирается входная дверь.

— Тебе зачем?

— В гости собираюсь. Может, и про «Питер» узнаем заодно.

— «Питер»?

— Неважно, не бери в голову. Ты свой старый мобильный где держишь?

— Дома, как ты велел.

— Постарайся запомнить: новый держи на работе выключенным. Включай только после ухода. Сегодня ты, как только выйдешь от профессора, позвонишь мне сам. С улицы. Ты понял?

— Чего тут не понять! Ты уж совсем меня за дебила держишь! — обиделся Влад.

— Не забудешь?

— Если забуду, звони мне сам!

— Не могу. Я не знаю, в какой момент ты будешь на улице. А домой тебе звонить нельзя! У тебя микрофоны повсюду, забыл? Они должны исправно передавать звуки твоей жизни: ты ходишь, ты кашляешь, чихаешь, смотришь телик — не знаю, пукаешь, наконец! Но никак не звонок твоего нового сотового! Они не должны догадаться, что ты завел новый мобильный. Я понятно объясняю?

— Вот холера! Достал ты меня со своими вопросами!

— Влад, ты не забудешь?

— Иди ты...

Алексей и пошел, и вернулся домой как раз вовремя: Александра изволила пробудиться. Она даже успела принять душ и теперь пила свой утренний кофе.

— Саша, — налетел на нее Кис с порога, — мне нужна «утка» в прессе! Поможешь?

Саша замахала на него руками:

— Эй, эй, полегче! Во-первых, где утренний поцелуй? Во-вторых, меня нельзя кантовать с утра!

Алексей сбавил темп, выдал причитающийся утренний поцелуй, налил себе тоже кофе, умыкнул у Александры тост с сыром и сел напротив за столик.

— Значит, так. Мне нужно пропустить где-нибудь информацию о том, что Управление по борьбе с организованной преступностью начинает расследование по левой утечке алмазов с разработок.

— С каких?

— Не знаю, — пришлось признаться Алексею. — Всех. Какую-нибудь чушь типа: «Ущерб государству от незаконной торговли алмазами... Планируется усилить контроль за учетом камней на шахтах... » Ну, ты сама придумаешь, ты же у меня гений журналистики!

— Ага, поэтому ты меня и эксплуатируешь нещадно!

— Сашка, мне очень нужно...

— Хочешь посмотреть на реакцию? А если они к журналисту придут? Я не хочу подставлять ребят!

— Не придут, — убежденно заявил Кис. — Не посмеют. Если они решат, что это правда, то им негоже светиться. А если решат, что это утка, то тем более! Поймут, что крючок для них. Надеюсь, что они не идиоты, чтобы на этот крючок попасться.

— Ты уверен?

— Практически да.

— Практически? — подняла Саша брови.

— Хорошо. Если придут, так пусть твой журналист скажет, что информацию ему слили из ГУБОПа! Сомневаюсь, что они пойдут проверять в логово к волку.

Александра покачала головой... Но пообещала. И Кис с чувством выполненного долга завалился наконец спать.

* * *

Люля проснулась поздно. Солнце нещадно било в окно. Она распахнула его. Воздух одуряюще пах весной. Люля потянулась, чувствуя во всем теле негу и радость. Словно в ней тоже бродили соки, как в деревьях под окном...

Артем, вспомнила она. Это его энергия бродит в ее венах...

Она улыбнулась и закружилась по комнате, полы ночной рубашки вздулись вокруг ее ног колоколом. Все будет хорошо. Все обязательно будет хорошо! Ее теперь не будут убивать — Артем сказал, что не будут! Славка оценил ее новые разработки, и теперь она будет жить и работать! А не готовиться каждый день к смерти! Слышишь, Владька? Я жива! Ты рад?

Счастье существовать, счастье жить бурлило в ее крови. Накружившись, она упала на кровать с блаженной улыбкой. Она себя чувствовала, как тяжелый больной после кризиса в тот первый день, когда у него прорезается наконец аппетит. Да! У нее появился аппетит к жизни!

Она хотела бежать к Артему, обнять его и прошептать слова благодарности ему на ухо. Она даже двинулась из комнаты...

И остановилась. Только сейчас до нее дошла вся беспардонная суть ее благодарности. Что она скажет ему? «Спасибо, что ты позволил мне использовать тебя, как лекарство»? А дальше что? Она ведь прочтет в его взгляде: «А дальше что?»

А дальше — ничего... «Будем друзьями... Мы провели эту ночь вместе, но это не повод, чтобы стать любовниками... Потому что я в тебя не влюблена... Потому что ты дал мне силы любить Владьку... Не убиваться по нему, а просто любить его дальше, любить его всегда...»

Любить всю жизнь, разговаривать с ним, забыв, что его нет, потому что другого такого собеседника у нее нет и не будет никогда... Потому что даже оттуда, где обитает сейчас его душа, он говорит с ней, он смотрит на нее, он любит ее оттуда...

Хорошее настроение как рукой сняло. Она чувствовала себя безмерно виноватой перед Артемом. Она у него в долгу... И отдать свой долг не сможет. И если он подумал... Если он ждет...

Если он ждет, если он подумал, что отныне они все ночи будут проводить вместе...

Боже! Какими словами она станет ему объяснять... Как она выдержит его взгляд?!

Убитая этими мыслями, она поплелась в ванную. Артем сейчас наверняка спит, на вахту заступил Дениска. И у нее есть время до вечера, чтобы найти слова...

Но она ошибалась. У нее не было времени до вечера. Выйдя из ванной с тюрбаном полотенца на голове, она обнаружила в своей спальне Артема. В спальне, откуда он ушел несколько часов назад. В спальне, где стены еще резонировали от его хриплого стона. В спальне, где простыни еще хранили его пот, его тепло и запах.

Внутри у нее все сжалось в противный комок. Артем пришел к ней по праву их *отношений...* Сейчас придется объяснять ему, что отношений у них нет, несмотря на проведенную вместе ночь... Боже, как скверно чувствовала она себя! Какой скверной чувствовала она себя...

Она стояла на пороге ванной с глупой, неискренней, напряженной улыбкой.

— Артем... — заговорила Люля, проклиная фальшивую сладость в своем голосе. — Я хочу сказать тебе...

Артем рывком встал, подошел к ней близко-близко и заключил ее в свои руки, крепко прижав ее к себе. Он склонил лицо к ее волосам и прошептал: «Ничего не говори, пожалуйста, ничего!»

...А она уже ничего и не говорила. Все слова улетучились, пропали, растаяли. В его руках было хорошо и надежно. Ни о чем не хотелось думать. Она больше не чувствовала себя виноватой, глупой и безнравственной, она себя чувствовала в его руках *живой.*

Она прижалась к его груди щекой; его тепло грело ее.

— Люля... Меня отзывают.

Она не поняла, о чем он. Она подняла порозовевшее лицо к нему.

— Меня отзывает фирма. Я им нужен. Мне придется уехать.

ЧТО?!

— Почему?! А как же я? Они не имеют права!

— С тобой останется Денис. Мальчик стал неплохо соображать, уверяю тебя. Последние события его сильно тряханули. Я его проинструктировал... Ты можешь на него положиться. К тому же я не думаю, что ты сейчас рискуешь новыми покушениями... Но если ты боишься, фирма пришлет тебе другого охранника.

— Но почему не ты?!

— Там у них одно сложное дело... Я им нужен. Меня отзывают.

Люля отстранилась. Он говорил неправду. Она ему не верила. Он просто хотел уйти от нее.

— Ну что ж...

Она отодвинулась, и он разжал руки.

— Когда ты уезжаешь?

— Только вещи соберу. Минут через пятнадцать.

Прямо сейчас? Через пятнадцать минут? Он спасается бегством? От нее?

— Хорошо, — сухо произнесла она. — Дай мне переодеться. Я выйду попрощаться с тобой.

Артем повернулся и вышел из ее спальни. Ни одного лишнего жеста, ни одного лишнего взгляда, ни одного лишнего слова.

Как только за ним закрылась дверь, Люля набрала номер его агентства. И через пять минут убедилась в том, что никто Артема не отзывал. Это он сам — сам! — позвонил рано утром в агентство и сказал, что его услуги Люле больше не нужны!!!

— А что, вы против? — спросил ее мужской голос на том конце провода, учуяв ее сомнения.

Люля заверила, что она не против. И что Артем все правильно изложил.

...Иными словами, он все понял. Он все почувствовал сам — все то, что собиралась сказать ему Люля... И разрешил сложную ситуацию на свой лад. Он не хотел навязываться. Он не хотел услышать ее объяснения. Гордый, он поторопился уйти первым.

Браво! Она его недооценила! Какой тонкий, какой умный, ну надо же! Как ловко избежал он неловкой ситуации! Как ловко избавил Люлю от тяжелых объяснений! Как ловко он избавился от них сам...

Злые слезы навернулись на глаза. Слезы обиды, задетого самолюбия и... И еще чего-то... Сожаления?

Никаких сожалений! Артем молодец, он все правильно понял, он все правильно решил, он молодец.

Через пятнадцать минут она прохладно поцеловала его в щеку и вежливо помахала ему с крыльца, когда его джип выезжал за ворота.

Дениска жевал что-то на кухне. Не глядя на него, Люля поднялась наверх, плотно закрыла за собой дверь и бросилась на кровать. Где пролежала без слез, без сна и без мыслей до вечера.

Уже в сумерках она спустилась вниз. Денис торчал у окон.

— Я буду теперь дежурить по ночам, — сказал Денис хрипловатым баском, подражая дяде. — А спать буду днем.

Этот хрипловатый басок доконал ее. Она проплакала всю ночь, зная, что больше не замрут шаги Артема под ее дверью, больше не войдет он и не погладит ее по волосам, и не будет лежать рядом, опираясь на локоть, пока она не заснет...

Она все испортила сама. Она не имела права

столько просить — и ничего не отдавать. Артем все понял... И теперь его нет. И уже никогда не будет.

Ей суждено в этой жизни только терять. Что там говорил Артем про судьбу?

Она не хранит ее, нет.

* * *

Вечером Влад не объявился. Раздосадованный Кис позвонил ему на домашний номер и попросил Влада через сорок минут спуститься вниз с собакой.

Но во дворе его через сорок минут не было. Алексей подождал, наблюдая за его окнами. Во всех горел свет. И за двадцать минут ничего не изменилось. Алексей помнил, что, выходя из квартиры с Дурехой, Влад оставлял свет только в коридоре...

Он поднялся наверх. Колебался: звонить в дверь? Не хотелось фиксировать в микрофонах лишний раз свой контакт с Владиленом...

Алексей дернул дверь: вдруг не заперта?

«Вдруг» сработало. Дверь бесшумно отворилась. С холодком в груди детектив переступил порог. Неужели?..

...Влад сидел на полу в прихожей. В дубленке, с поводком в руках. Дуреха лежала рядом. Завидев Алексея, она жалобно заскулила и кинулась к нему.

Алексей вспомнил, как она уже рыдала недавно за запертой дверью пропавшей Жени, ее хозяйки... Бедный пес.

Уклоняясь от собачьих нежностей, он присел

на корточки перед неуклюжим телом, завалившимся на бок к подзеркальной тумбе.

...Тело издавало негромкий храп. Влад спал, открыв рот.

Сходив на кухню, Алексей понял: белая таблетка с «водовкой» уже употреблена. Он, пыхтя, оттащил Влада на кровать, взял приседавшую от нетерпения Дуреху на поводок, прогулялся с ней минут десять, вернулся, проверил наличие воды в собачьей миске и ушел, проклиная все на свете, в том числе свою склонность к благотворительности и повышенное чувство ответственности.

...Ванька оказался дома, и Кис изложил ему свою идею: если двери фирмы, где работал Влад, окажутся преодолимы, то забраться туда поздним вечером, вскрыть компьютер Мити, подключить к нему принесенный с собой чистый диск и перегнать на него содержимое Митиного компьютера. После чего дома в спокойной обстановке Кис сможет изучить все основные документы фирмы.

— Кис, — сказал в ответ Ванька с чувством жалостливого превосходства, — и ты всерьез думаешь, что комп, который запускается по отпечатку пальца, можно открыть простой отверткой?

— А что? — удивился Кис. — Разве нет?

Ванька воздел руки к небу.

— Да ты представляешь, сколько существует методов защиты от подобного взлома? — возопил он.

— Нет, — честно ответил Кис.

И Ванька пустился в пояснения, от которых у Алексея немедленно вспухла голова. Последнее, что он запомнил из длинного перечня всех возможных видов защиты, была устрашающая картина саморасплавляющегося при несанкционированном вторжении «харда», то бишь жесткого диска...

Иными словами, даже если они проберутся в фирму, то крайне маловероятно, что им удастся получить доступ к информации, содержащейся в компьютере Мити.

И все-таки упрямый Кис желал самолично убедиться в том, что его идея ни к черту не годилась. Посему следующий день Кис начал со звонка Владу. К нему имелись два поручения: изучить винты на кожухе компьютера и обратить внимание на малейшее проявление паники со стороны Димы. На Интернете, на одном из скандальных сайтов, стараниями Александры была размещена утром нужная «утка», и Алексей жаждал увидеть произведенный эффект.

Он ожидал звонка от Влада с нетерпением. Вот только позвонит ли сегодня Влад?

Он позвонил, не забыл. Все винты на всех компьютерах фирмы залиты каким-то зеленым пластиком, отчитался Влад, лишая детектива последних надежд. И ничего похожего на панику Влад не приметил... Рабочий день прошел как обычно.

— Ну, совсем ничего странного? Подумай, вспомни, Влад... — почти жалобно попросил Кис.

Разочарованию его не было пределов. К содержимому компьютеров не подобраться (прав был Ванька!) — это раз. Зеленый пластик, который запечатывал винты от компьютеров, физической преграды не представлял, но он бы немедленно засвидетельствовал о попытке взлома. К тому же

за ним взломщика могли поджидать другие ловушки...

На «утку» они не среагировали — это два. Не
прочитали? Меж тем она была подхвачена еще
несколькими изданиями, в том числе и печатны-
ми. Не поверили ей? Но паника, хотя бы легкая,
должна была, просто обязана была случиться!
Пусть только на день, на два — до «выяснения
обстоятельств». Но она не случилась *совсем*.

И к журналисту никто не заявился с вопросом,
откуда подобная информация.

Но почему они никак не напряглись? Даже
если предположить, что их бизнес крышует кто-
то из верхов, — этот человек, пусть даже из самых
сверхверхов, действует незаконно и тайком. И он
не мог в тот же день заверить, что никаких акций
не намечается, что это просто журналистская
лажа!

Кис прекрасно понимал, что акции, готовя-
щиеся в одном кабинете, далеко не всегда известны людям из соседнего кабинета. И чтобы навес-
ти осторожно справки, нужно время. А пока эти
справки не наведены, то участников незаконной
деятельности должен бить колотун! Однако Митю
он явно не бил...

И по всему выходило, что Кис дал маху со своей гипотезой.

Неужто придется все начинать сначала?..

— ...Может, это странно, тебе виднее, — вдруг
прорезался Влад, — но вот только сегодня Митя
мне первый раз сказал, что «наверху» не знают о
том, что со мной приключилось.

Кис немедленно оживился.

— Ну-ка, ну-ка, поподробнее!

Влад подумал, поморщил лоб и воспроизвел
диалог:

— Митя сказал примерно так: «Если вам вдруг позвонят... Сверху, я имею в виду. Я хочу вас предупредить, Владилен Владимирович: они там не знают, что с вами приключилось...

«Как это — не знают?! Я почти год пролежал в коме, а наше начальство не в курсе?»

«Это не начальство... Это... Вы их знали, вы ведь были директором... То есть я хочу сказать, что вы и сейчас директор, конечно, но просто временно не занимаетесь делами в силу вашей амнезии... А *они* — это наш партнер. Они никогда не звонят сюда. Вы с ними сами как-то держали связь. Но это случалось крайне редко, вы мне сами объяснили, когда взяли на работу, что наша фирма очень засекречена и разные звенья не знают друг друга. И вступают в контакт только в случае крайней необходимости».

«А как же вы обходились с моими отпечатком и подписью? Ведь без нее дело должно было застопориться?!»

...И вот тут, Алеха, Митя сконфузился! И признался, что они посылали все это время электронную копию моей подписи... И счастье, что в нашем деле все на доверии и никому не пришло в голову проверять — не то обнаружить подмену было бы очень легко... И что он безмерно рад, что я вернулся, и теперь все идет нормально, без подлога... Потому что все это время он страшно боялся разоблачения. Хотя, с другой стороны, связаться с партнером и честно доложить ему о ситуации он никак не мог: ни одного контактного телефона у него нет. Пришлось бедняге выкручиваться самому.

— И чем ваш разговор закончился?

— Он попросил его не выдавать и не рассказывать, что я был в коме, а теперь страдаю амнезией. И что на данный момент бизнес ведет фактически Митя.

— И ты обещал?

— Обещал. А чего парня подставлять? Он же для дела на такое пошел. И все равно другого варианта у него не было. Может, я на его месте так бы точно и поступил...

— А почему он именно сегодня решил тебя предупредить?

— Вот этого я не знаю. Может, потому, что я стал лучше соображать? Видишь, таблетки мне помогают. Я сколько всего запомнил сегодня!..

— Так партнер тебе звонил?

— Пронесло! Я ни-ко-го из них не помню. И какую бы ахинею я нес?!

У Алексея был свой ответ на вопрос, почему именно сегодня. *Потому что сегодня появилась в прессе «утка».* И она сработала! Детектив не сомневался: Митя уже был в курсе этой информашки и так-таки забеспокоился. Однако несколько иначе, чем Кис предполагал. Обеспокоиться и проверить достоверность информации должны были партнеры. И будь Влад на месте и при памяти, то он, директор, тоже забеспокоился бы. Потому что он *отвечал* за бизнес. А Митя не более чем нанятый служащий, получающий не доходы от бизнеса, а зарплату. Хоть и очень высокую.

Кис усмехнулся: «Грамотно Влад действовал! Людей с такой зарплатой крайне трудно подкупить. Слишком дорого обойдется покупка информации потенциальному шпиону. Откуда и доверие. *Хорошо оплаченное доверие...*

264   Итак, «утка» сработала! Стало быть, мы имеем дело с алмазами!»

Запрошенная информация от Реми уже пришла по электронной почте. Путь драгоценных камней в Европе выглядел следующим образом.

Сначала они попадали в руки крупных оптовиков, выставляющих свой товар на «бриллиантовой бирже».

На биржу шастали оптовики помельче, обслуживающие свою «родную», исторически сложившуюся группу небольших ювелирных фабрик, которые Реми называл «ателье».

Эти фабрики производили товар либо готовыми сериями, которые предлагали ювелирным магазинам, либо выполняли штучные изделия по заказу магазинов.

Магазины, в свою очередь, либо покупали у фабрик готовые украшения, либо отсылали им заказ от конкретного клиента. К примеру: некто вздумал сделать подарок жене (любовнице) и принес свой собственный рисунок-модель, по которому должно быть выполнено кольцо (серьги, браслет, колье). Ювелирный магазин сам работы не выполняет — следовательно, отсылает их на «свою» фабрику. Что-то вроде союза дантиста со «своим» протезистом...

В сообщении Реми была еще одна интересная деталь: русская огранка очень котируется в бриллиантовом мире. Она ценится выше, чем ЮАР или Индия...

«Стало быть, огранка должна делаться здесь, в России... Алмазы с шахт шли к неким огранщикам... И уже после огранки — за бугор», — рассудил Кис.

Реми сообщил и о распространенном методе нелегальной транспортировки: пожилые дамы, как правило, выезжающие по турпутевке или по приглашению, с не менее пожилым супругом, прятали бриллианты во влагалище... Конечно, таможенный медосмотр мог бы легко это выявить. Но *пожилые дамы* обладают в глазах таможенников определенным кредитом доверия и обычно проходят границу без подозрений. В силу чего их и используют в подпольном трафике бриллиантов.

Чудненько! Из всех данных вырисовывалась следующая схемка: левые камни с разработок, пройдя русскую огранку, попадали на европейскую бриллиантовую биржу. И далее своим путем, который уже детектива не интересовал.

Что ж до пожилых дам, то здесь Кис позволил себе усомниться: цифры из воспроизведенных по памяти документов Владовой фирмы никак не вписывались, извините за выражение, в размеры «влагалища». Разве что несколько подобных своеобразных «контейнеров» пересекали границу еженедельно? И каждому «контейнеру» достаточно дорогой билет? Да еще и в паре с супругом?

Скорее, судя по достаточно высоким цифрам, у фирмы Влада были свои способы переправки бриллиантов за рубеж.

Алексей был уверен, что трафик камней встроен в чьи-то чужие регулярные транспортные перевозки. Неважно чего — свежей рыбы или мебели.

Куда важнее, что все эти «звенья» должны каким-то образом отчитываться перед фирмой Влада. Именно перед ним, так как партнер, о котором говорил Митя, — это явно люди, покрывающие левый уход алмазов с разработок. А Влад контролировал их дальнейшее прохождение: огранку и транспортировку за границу. Он же держал связь с зарубежным покупателем по имени Питер... Следовательно, в других компьютерах непременно существует эта деловая переписка... Вот только как к ней подобраться?!

Кроме того, было бы логично предположить, что перед отправкой бриллиантов их качество кто-то проверяет. Доверие доверием, но если товар проскочит некачественный, то и пресловутое доверие рухнет в одну секунду... Стало быть, в фирме Влада есть «контролер». И весьма вероятно, что это не Влад, иначе на время его отсутствия им пришлось бы взять другого человека...

Проблема была в одном: как подобраться ко всей информации? Как схватить за руку убийцу? Как доказать, что у него был мощный мотив для заказных убийств?

Кис знал через свои милицейские каналы, что оставшийся в живых киллер, взятый Артемом в ту ночь, когда убийцы обкладывали взрывчаткой дом Люли, все валил на мертвого. Заказчика знал только убитый, и баста! Валил он, разумеется, и все те покушения, в которых не был замечен: и наезды, и пожар, и убийство первого охранника Люли...

Следствию не удалось найти ни записок в бумагах мертвого киллера, ни следов телефонных переговоров. Видимо, все инструкции получались вживую... Или через какой-нибудь сайт на Интернете. Здесь был полный тупик.

Кис оказался в вынужденном тайм-ауте, что для него нисколько не имело привлекательности отдыха. Для него тайм-аут означал тупик.

Он был уверен, что не ошибается: убийства заказывал Митя. Сев в директорское кресло, он, без сомнения, завернул часть колоссальных прибылей к себе в карман — ради чего все и затеял. По словам Реми, средняя стоимость одного карата равна пятнадцати тысячам долларов! А их в общей сложности переправляли по паре сотен в неделю!

Разумеется, фирма Влада немалую часть доходов отдавала тем, кто крышует утечку левых алмазов. И Митя должен был строго следовать правилам, переправляя деньги на нужные счета, иначе бы его быстро прищучили. Другая часть денег, неважно какая, доставалась Владу Филиппову. Остальные были на зарплате. Какие деньги Митя заворачивал в свой карман? Долю Влада? Или он сумел договориться о «лишних» алмазах, которые докладывались в партию, но доходы за них получал Митя лично?

Влад не помнил, куда переводились раньше деньги и где у него счет. Наверняка за границей, но он не мог даже сказать, в какой стране. И, понятно, не мог проверить, притекают ли туда доходы от бизнеса и в каком размере. Он вообще с большим трудом и обрывочно вспоминал что-то из прошлого, хотя с настоящим его память кое-как справлялась. Впрочем, день на день не приходился.

Алексей не видел пока более остроумного решения, чем проводить как можно больше времени с Владом, донимая его вопросами, в надежде поймать какое-нибудь очередное слово, обрывок информации, вроде «Питера», за которым Кису упорно мерещилось имя западного партнера-покупателя, а не города Петербурга. Город Петербург, по определению, не можт платить бабки, ради которых совершаются дорогостоящие убийства и покушения. А вот мистер или мсье Питер — оптовик на «бриллиантовой бирже» — это превосходно вписывалось в схему.

Однако проводить побольше времени с Владом означало светиться.

И здесь все было непросто. Люлю они, похоже, оставили пока в покое. Но сам Алексей получил недвусмысленное предупреждение... Конечно, они понимают, что избавиться от детектива им посложнее будет, чем от остальных. На то он и детектив, чтобы расследовать, а коль скоро он расследует, то существуют и зафиксированные где-то материалы, досье. Детектива уберут, а материалы останутся. И попадут в руки следствия... Перспектива для убийц мало оптимистическая.

Тем не менее риск существовал. Убийство можно сочетать с ограблением, к примеру... Двери-то у него надежные, сигнализация и прочее, и даже крошечная камера наблюдения, встроенная в «глазок». Но если, к примеру, они подстерегут Ваньку на лестнице, то неужто он не запустит в квартиру незваных гостей, с ножом-то у ребра? Запустит, конечно...

Значит, надо уговорить Влада, к примеру, «вспомнить» какую-нибудь «тетю» и «уехать» к ней хотя бы на недельку. А там уж Кис позаботится о нем лучше родной тетки!

*   *   *

...От обиды на Артема Люля мучилась один день. На второй пришла к выводу, что он поступил благородно: избавил ее от мучительной неловкости дня, чреватого воспоминаниями ночи. И эта мысль сразу все поставила на места.

Она вдруг стала думать о том, что она не самостоятельна, что она все время цепляется за кого-то, кто мог бы, как Владька, вести ее по жизни...

Но ведь она прекрасно справлялась ДО Владьки — и вполне может справиться и после!

Она помнила, как он говорил: «Все в тебе, Люля. Я не волшебник, я просто твоя страховка на высоте, как у воздушных гимнастов. Я тебе ничего не дал, я тебя только открыл. Ты всегда была талантливой художницей и красивой женщиной, и не мне надо говорить спасибо, а природе, тебя создавшей! Я не более чем лакмусовая бумажка, которая засвидетельствовала все эти качества, чтобы ты смогла в них наконец поверить!»

Владька был не просто умным, он был очень честным. Он никогда и ни в чем не пытался набить себе цену. Он легко и не стесняясь говорил о своих достоинствах и так же легко и не стесняясь о своих недостатках. Он никогда не врал, и потому она ему верила.

И теперь ей снова повезло — с Артемом. Он дал ей силы — безвозмездно, ни на что не претендуя. Пусть это была всего лишь одна ночь, но для Люли она стоила целой жизни... Артем вытащил ее из засасывающего болота смерти. И скромно ушел, чтобы не вынуждать ее мучиться в поисках адекватной благодарности. Все так и должно быть: ей пора научиться верить в себя без посторонней страховки. Она должна снова стать красивой, она должна дальше работать, и у нее есть еще Славка, и он тоже «лакмусовая бумажка», которая подтверждает ее талант... Это ведь уже очень много, очень... Ей действительно невероятно везет, и судьба ее хранит, и она не имеет права впадать в депрессию!

Люля потратила целый день на эти мысли, а ночью ей грезились вперемешку Владька, Артем, Славка — эти трое мужчин, которым она должна была отдать свой талант и свою любовь. Каждый из них по-своему вдохнул в нее жизнь. Без них бы она не справилась, ей все же чего-то не хватало, чтобы справиться самой...

Весь следующий день она провела в блаженной эйфории и всю следующую ночь в экстазе набрасывала эскизы. Легла спать под утро, в счастливом состоянии усталости и любви. Любви вообще, ко всем. Это было не конкретное, но дивное ощущение, от которого она казалась себе очень сильной...

...Славка долго рассматривал ее новые работы, не произнося ни слова. У Люли внутри все сжалось: зря она поторопилась нести незрелые плоды своей эйфории Славке!

Обычно она находила какую-то «придумку», которую затем обыгрывала в десятке совершенно разных стилей и фасонов. Ей нравилось крутить свою идею и так и сяк, открывая в ней каждый раз новые возможности. Но на этот раз Люля — не иначе как под влиянием ночной эйфории — напридумывала так много, что в результате нагородила черт знает что. Все в кучу, сплошная эклектика, идеи остались неразвиты! Она изменила себе, своей стройной и последовательной системе поиска приложения каждой новой «придумки»... И теперь Славка мрачно рассматривал ее эскизы.

Наконец он разродился.

— Мда... Это совсем другое...

— Ну, Слав, не тяни кота за хвост! Я и сама знаю, что это другое! Идеи не проработаны...

— Не проработаны, нет. Только намечены...

Славка был ужасно хмур, и Люля почувствовала приступ отчаяния: а если он в ней разочаруется?!

— В принципе, это не страшно... — медленно, словно раздумывая вслух, выговаривал Славка. — Идею всегда можно развить, отточить, довести до совершенного воплощения...

— Ну, Славка, ведь у нас так всегда и было! — жалобно проговорила она. — Я разминала идею, ты ее доводил до совершенства. Что теперь изменилось?

— Изменилось? — Славка помолчал, не глядя на нее. — Изменилось у нас вот что, Люлька, — с горечью проговорил он. — То, что я их больше доводить не буду.

— Но почему?!

— Потому что теперь ты сама будешь этим заниматься. Ты стала большой девочкой, Люля. Ты должна делать *свои* коллекции.

У Славки покраснел кончик носа. Он смотрел на Люлю так, словно с ней прощался. А до нее с трудом доходил смысл сказанного.

— ...Славка! — выдохнула она, когда смысл дошел.

Она протянула руки, чтобы обнять его. Но Славка уклонился, быстро встал и принялся расхаживать по своему ангару.

— Я на первых порах тебе помогу, — говорил он, мотаясь взад-вперед, тебе не хватает уверенности, но это дело наживное. Уверенность уже появилась в твоих разработках, это главное. Ты многое пережила, Люлька, ты повзрослела. У тебя еще осталась поведенческая неуверенность, вернее, привычка к ней, но она быстро выветрится, потому что внутри себя ты уже...

— Славка! — Люля перегородила его путь. —

272 Ну-ка прекрати со мной прощаться! Я не собираюсь от тебя уходить!

Он остановился от удивления.

— То есть тебе маэстро говорит, что ты должна творить собственные коллекции, а ты смеешь спорить?!

Он принялся раскачиваться с пятки на носок, заложив руки за спину и всем своим видом демонстрируя высокомерно-холодное возмущение. Но Люля знала, что в глубине души он страшно рад ее словам.

— Ты прекрасно разработаешь эти идеи, и мы сделаем великолепную коллекцию, — пообещала Люля.

— Люлек, *мы* этого не сделаем. Это будет уже не творческая кооперация с твоей стороны, а плагиат с моей. То, что ты принесла мне сегодня, — это основа *самостоятельной* коллекции! И ты думаешь, что я могу ее выпустить под своим именем?

— Ну, ты скажешь, как всегда, что я принимала участие в разработке... — пролепетала Люля, уже понимая, что назад ходу нет.

Слава посмотрел на нее укоризненно.

— Ну что ты несешь? — мягко ответил он. — Ну какое «участие в разработке»?

— Хорошо, давай ее сделаем вдвоем!

— Люлька, — простонал он, — ну что ты ребячишься! Ты же прекрасно знаешь, что мое имя — это уже марка, которой соответствует определенный стиль — мой стиль, стиль Святослава Мошковского! Раньше я работал с твоими идеями, включая их в *мой* стиль. Теперь у тебя свой стиль, *свой*, понимаешь, балда?

Но она не желала понимать. Она не хотела

свою коллекцию. Она не была к ней готова. И она **273**
не хотела расставаться со Славкой.

— И что с того?! — не сдавалась Люля. — Разве
Маэстро не может себе позволить маленький
прикол: выпустить коллекцию вместе со своим
учеником? Ведь писали же великие художники
картины со своими подмастерьями, которые позже сами становились великими художниками?
Или писатели: Дюма — отец и сын? Или актеры?
Просто надо придумать, как это подать, а на придумки ты мастер! Ты кого угодно можешь выпустить на подиум, верно? — пылко говорила Люля,
видя, как постепенно разгораются Славкины глаза. — И суметь подать свою идею так, чтобы все
ахнули! Так вот, теперь выпустишь на подиум
свою ученицу, только не ножками, не физически,
а коллекцией! Назовешь показ «Школа одежды»,
или «Академия моды», или еще как-нибудь и пре-
вратишь все в дивное зрелище!

Славка уже улыбался и даже чуть не облизы-
вался. Идея ему явно пришлась по душе, он ее
уже развивал в воображении, уже видел детали,
уже шил костюмы, уже подбирал музыку и ставил
свет.

— Значит, вот как, — говорил он с воодушев-
лением, — на основе твоих идей мы создадим два
совершенно различных стиля, но при этом они
будут существовать в диалоге! И мы их перепле-
тем в показе так, что получится настоящий спек-
такль! Согласна?

Как будто это он ее уговаривал, а не она его!

— Конечно, — улыбнулась Люля. — Только ты
обязательно обозначь нашу общую коллекцию в
параметрах «мастер — ученик». Ты ведь Мастер,
Славка, у тебя уже должна быть своя школа!
Представляешь, как это прозвучит?

Славка подпрыгнул от восторга.

— Гарсон, шампанское! — гаркнул он и попилил к холодильнику, откуда выудил холодную бутыль «Вдовы Клико». — Гарсон, бокалы! — На этот раз Славка вытащил из буфета два хрустальных бокала. — Только с условием, что ты выйдешь сама в финале, ножками, на помост!

После третьего бокала он просительно заглянул ей в глаза.

— Надо бы Артема привлечь к этому делу... Ты видела, как он ходит?! Да он же готовый клиент, его даже учить не надо! Ну, разве самую малость... А эти узкие бедра! От них сойдет с ума добрая половина нашей развратной столицы!

— Ты серьезно? — Люля поставила свой бокал. Она-то надеялась, что Славка забыл об Артеме. — Он ведь страшно зажат... И вряд ли согласится, а если согласится, то умрет на сцене от неловкости!

— Ну, ты мне будешь рассказывать, — усмехнулся Славка. — Ты же знаешь, что его неловкость я превращу в убийственный шарм... Что у тебя с ним?

— Ничего, — ответила Люля и покраснела.

— Ага, ничего... — согласился Славка. — Ну что, Люлек, отдашь ты мне Артема?

— Бери, — неискренне сказала Люля.

— Брось, Люлька! Я ж тебя знаю как облупленную. Этот парень твой. Я такие вещи сразу чувствую, поверь уж. Это мужчина для тебя... Ну, чего разрумянилась, как вишня? — Славка ей подмигнул. — Ты только мне его все же пришли, я с ним поработаю. Может, и впрямь выпущу на подиум. Не бойся, я у подружек мужиков не отбиваю!

— Городишь незнамо что! — обиделась Люля.

— Что, думаешь, Владька с того света ревновать будет?

— Ты чушь несешь!

Славка вдруг сделался серьезным.

— Люлёк, Владик вот тут. — Он положил свою небольшую ладонь на середину ее груди. — А вот тут, — он перенес теплую ладонь на ее лоб, — вот тут не надо, Люля. Это лишнее. Не надо любить головой. Не надо никаких надуманных вещей. Твой траур по Владьке — он навсегда с тобой, его не надо высиживать ни девять дней, ни сорок, ни год или сколько там... Он не уйдет ни через какие положенные сроки, он останется с тобой, и ты будешь всегда оплакивать Владьку и всегда благодарить его за то, что он жил и тебя любил — до конца своих дней!

Он смотрел на нее необычайно сурово, почти торжественно — ему это даже не шло, вечному прикольному шутнику, который, казалось, никогда и ничего не воспринимает всерьез.

— Я знаю, что ты не готова любить. Я знаю, что твои крылышки опалило смертью. Я знаю, что у Артема нет чертиков в глазах. Я знаю, что в нем есть дно, тогда как Владька был бездонный... Я все знаю, душенька.

Славка подошел к ней, обнял за плечи, коснулся щекой ее щеки. Он вообще любил обнимать Люлю, чему она всегда удивлялась, полагая, что гомосексуалисты должны избегать физического контакта с женщинами. Но Славка любил ее прижать к себе, и она дорожила его близким прикосновением — оно, лишенное всякого сексуального аппетита, выражало только его дружбу, нежную-нежную, теплую-теплую, как солнечный луч на щеке...

Она прижалась к Славкиной щеке, и ей стало очень хорошо от этой близости. Славка помогал. Ничего не ожидая взамен, он отдавал ей кусочек, квант своей теплой энергии. И она жадно впитывала его.

«Так и с Артемом, — подумала вдруг она. — Я тоже впитываю его энергию. Ничего не отдавая».

— Но не гони его, Люлька. Не гони, не отталкивай. Ты зарылась в сложностях своей многогранной женской души, ты боишься видеть в нем мужчину...

— Но я, — Люля оторвалась от Славкиной щеки и посмотрела на него, — что я могу дать взамен?

— Что он для тебя, Люлек? Подумай, скажи мне — что?

— Убежище.

Она вдруг вспомнила темные волоски на животе Артема. Это было место, в котором можно было *жить*.

— Убежище? — Славка поднял свои детские брови. — Убежище: доверие, защита... Так ведь это очень хорошо! Это то, что ему нужно!

— Откуда ты знаешь? — усомнилась Люля.

— Я много чего знаю, душа моя... Иногда достаточно перехватить один взгляд, чтобы по нему, как по канату, дойти до самых сокровенных глубин!

Люля коснулась губами его скулы.

— Ты славный, Славка.

— А ты мне его все-таки пришли, слышь?

— Нет уж, дружище, уламывай его сам. Записывай телефон. На что спорим, что Артем не согласится?

— Люлек, ведь проиграешь! Ну, говорю тебе: проиграешь!

— На ящик шампанского, — постановила Люля. — Можешь прямо сейчас идти покупать!

* * *

...Однако Киса ожидал неприятный сюрприз: уговорить Влада не ходить несколько дней на работу не было никакой возможности. Он уперся: «Я там нужен!»

Хорошо же они ему промыли мозги! Мысль о том, что раньше он руководил фирмой, нисколько не мешала ему спать спокойно. Он превратился в скромного служащего, гордого своей «нужностью» фирме! Вот чудеса...

Видимо, вся его былая тяжелая важность строилась на самоосознании себя начальником. Она не была в характере Владилена — она была его ролью, его маской: так он понимал «образ начальника». И теперь, потеряв знание о своем высоком положении, он потерял и все связанные с ним «идеи», если не сказать «заморочки». Откуда и эта шокировавшая Люлю простота поведения, в которой она узнала манеру своего Владьки... А на самом деле эта манера была свойственна когда-то им обоим, зачатая в их общем детстве. Только Владька, насколько Кис мог судить, никогда и ничего не наигрывал, несмотря на изменение своего статуса. А Влад пытался создать «имидж»... Вот откуда и его неловкость в общении, и страх сближения с людьми: «имидж» мешал, как громоздкий шкаф посреди дороги.

Интересно, каким он будет, когда память вернется к нему? Обретет ли он свою прежнюю начальственно-барственную манеру? Погонит

Митю, как щенка, со своего директорского кресла?

И неожиданно Алексею ситуация открылась с другой стороны — как если бы камера резко переменила угол зрения, и теперь в центре кадра находился Митя. И новый угол зрения открывал новую перспективу, а с ней и новые мысли...

Ведь память рано или поздно должна вернуться к Владилену! И что тогда будет делать Митя? Он потратил столько усилий и денег, он совершил столько убийств, чтобы убрать от Влада тех, кто мог помочь вернуть ему память! И неужто это все ради некоего неопределенного срока, в который он мог посидеть на месте директора?

Чушь какая-то... Или за это время Митя успеет разбогатеть так, что после ему хоть трава не расти?

Тем не менее, по свидетельству специалистов, опрошенных Алексеем, память может вернуться к больному амнезией в любой момент. В лю-бой! Она могла вернуться уже месяц назад, а может вернуться завтра... Такой риск? При подобных затратах?

Бред какой-то. Только больной мозг мог придумать эту комбинацию! Да, вот что было самым нелепым во всей истории: затраты по охране беспамятства Владилена Филиппова были несоизмеримы с риском, что память может вернуться к нему в любой день и час!

Значит...

Значит, он должен быть уверен, что память к нему не вернется!

Боже, застонал Кис, ну ведь это же очевидно, ну ведь это же у него под носом лежало все это время!!! Владилен Филиппов был особо беспамятным утром и вечером. В середине дня его мозги более-менее работали! А что у нас происходило утром и вечером, дети мои?

Ну, конечно! Молодцы, детишки, садитесь, всем по пятерке! УТРОМ И ВЕЧЕРОМ ВЛАД ПРИНИМАЛ СВОИ ЛЕКАРСТВА!!!!

Ключики от квартиры Филиппова были по-прежнему у детектива, он не спешил их возвращать, коль скоро хозяин не просил: как чувствовал, что еще пригодятся!

Кис рванул на Октябрьскую. Время было дневное, рабочее, и наличие Влада дома не предполагалось.

Его и не было. Кис благополучно прошествовал на кухню, нашел упаковки с лекарствами, откуда Влад пополнял «недельку», и старательно списал все названия. После чего, памятуя про микрофоны, он тихо вышел из квартиры и, едва забравшись в свою «Ниву», нетерпеливо приступил к прозвону соответствующих специалистов.

Результат его убил. *Все медикаменты выписаны правильно* — таков был вердикт его консультантов. Разом поскучнев, он вяло тронулся в сторону дома, совершенно не представляя, с какой стороны ему теперь подкопаться к Мите. Может, сдать всю контору к такой-то матери? Пусть с ними ГУБОП разбирается?

Но сдать их Алексей не мог. Он должен был найти того, кто посылал к Люле убийц. Да, он не сомневался в том, что во главе угла находится Митя. Но ни одним доказательством Кис не располагал! И ему позарез нужно было найти нечто, ясно свидетельствующее, что исчезнувшая Женя, убитый парикмахер Лева, умерший от инфаркта

Вова, попытки убрать всеми средствами Люлю — это не разрозненные события. Эти люди — свидетели Владовой памяти, носители опасной информации! Именно поэтому им было назначено умереть... Это необходимо доказать, но для этого надо сначала доказать, что вокруг памяти Филиппова происходят определенные манипуляции...

А доказательств пока нет. Перемещение Влада Филиппова с директорского кресла на рядовое Митя легко объяснит непригодностью Влада выполнять свои прежние функции. А те мелочи, на основе которых увязал свою гипотезу Кис, — они не тянули для суда и даже просто для задержания...

Кроме того, если он затеет «сдачу» Мити, то Люля снова окажется в опасности. Фактически она единственная, кто может подтвердить некоторые соображения детектива. Стало быть, пока Митя не чувствует себя в опасности, Люля в ней не находится. Вот такая интересная взаимосвязь получается...

И еще: «сдача» означала бы, что Алексей расписался в своем бессилии. А он это делать страшно не любил.

Короче, со «сдачей» Кису торопиться не стоило.

Почти доехав до дома, Алексей неожиданно развернулся и поехал обратно. Следовало проверить свою мысль до конца и кое в чем убедиться!

Снова квартира Влада, снова кухня, снова коробочки с лекарствами. Он выдавил из фольги по таблетке из каждой упаковки, все положил аккуратно на место и убыл восвояси. На этот раз окончательно.

Остаток дня Кис посвятил непростой задаче: найти лабораторию, которая взялась бы сделать анализ таблеток. Наконец через знакомых ему удалось договориться с лабораторией при одном химическом институте.

Кис попал туда только к концу рабочего дня и удвоил сумму гонорара, добившись, чтобы анализ был проведен немедленно.

...Долгое ожидание и сумма гонорара себя оправдали! Результат, даже если Алексей его и предполагал, потряс его до глубин организма: *Влада пичкали психотропными средствами!!!*

Вот тебе и амнезия! Невинные таблетки, который Влад принимал, полагая, что ему дают их для улучшения мозгового кровообращения и памяти, действовали ровно наоборот! Они память ухудшали, стирая целые куски и фрагменты жизни, создавая в ней беспорядочные полосы забвения и воспоминаний, накладывая их одно на другое. Кис вспомнил: «мерцающая память», «неисправный телевизор». Именно так Влад охарактеризовал свою память, которая словно силилась прорваться через помехи. И именно так сказала ему лаборантка: «Под действием этих средств память становится похожа на экран неисправного телевизора, где чередуются бессмысленные полосы».

Иными словами, *амнезии у Владилена Филиппова не было никогда!* Ему амнезию *обеспечили!*

Теперь все стало на свои места. Теперь понятно, на что рассчитывал Митя, пойдя на множественные убийства. Он организовал Владу «амнезию» и попытался убрать всех, кто мог помочь его памяти вернуться. Память не имела права вернуться к Владу раньше, чем скомандует Митя!

Ну и дела...

Кис пока не понимал, как воспользоваться этим открытием. Но одно он знал точно: в руках у него теперь имелось прямое доказательство, что Владу амнезию подстроили. И если хорошо тряхануть психиатра и пластического хирурга, то они, Алексей не сомневался, быстро расколются и укажут на заказчика — Митю.

Проблема, однако, в том, что это никоим образом не доказывало, что Митя заказал еще и убийства! Он покается, скажет, что хотел подсидеть начальника, всю жизнь, мол, мечтал о директорском кресле...

Кис долго раздумывал, как уговорить Влада прекратить прием лекарств. Посвящать ли его в суть дела? Или наплести что-нибудь? А не проговорится ли он на работе?

Так и не решив, Кис положился на судьбу и поехал к Владу вечером следующего дня.

Влад ему страшно обрадовался, но тут же обиженно пожаловался, что «Алеха» его совсем бросил, и заявил, что с друзьями «так не поступают». Кис извинился, сослался на дела, заверил Влада в вечной дружбе и охотно согласился на совместный ужин. Пока он ассистировал Владу в священнодействии приготовления ужина, Алексей раздумывал, как бы ему удержать Влада от «водовки» и особенно от белой таблетки. Хотя бы до их разговора!

Выручила Дуреха. Она, перевозбудившись от прихода Алексея, вдруг резко запросилась на улицу и затанцевала у дверей. И детектив легко подбил Влада пойти прогуляться с псиной до ужина.

На улице, убедившись, что никаких мобильных с прослушкой и прочих подозрительных вещей в карманах Влада не водится, он сказал:

— Я разговаривал о тебе с несколькими знакомыми психиатрами. И они высказали мнение, что тебе назначили не совсем верное лечение. Я назвал твои лекарства, и знаешь, что мне сказали? Что у тебя слишком сильные антидепрессанты, — вдохновенно привирал Кис. — И они мешают вернуться твоей памяти. Я тебе что хочу предложить, Влад, — давай съездим к ним вместе! Я уже с ними договорился.

Алексей даже вздрогнул от неожиданности — с таким напором прозвучал ответ Влада.

— Мой врач мне сказал, что эти лекарства по могут вернуть память!!! Он заслуженный человек, профессор, известный специалист! Он знает, что делает! Без них у меня начинается депрессия, я плачу, мне плохо, плохо, плохо!

— Погоди, Влад, — попытался исправить положение Кис, — я ж тебя не заставляю, я только предложил... Почему бы тебе не узнать мнение других врачей?

— Мне не надо других! У меня есть один, хороший! — почти закричал Влад. — Я должен принимать прописанные мне средства, только они мне помогут!

В темноте Алексею показалось, что на глазах у Влада выступили слезы, как у детей при истерике.

— Пошли домой! — скомандовал Влад. — И больше не говори такие вещи, а то мы поссоримся!

Больше не бери мои игрушки, а то я с тобой

водиться не буду... Ну надо же, и какая муха его укусила?

— И мне, кстати, надо лекарство принять! Пошли!

— Влад, ты только не нервничай так... Ну попробуй хоть разочек пропустить прием. Вот хотя бы сегодня: не принимай свою белую таблетку. И завтра утром не принимай остальные. А если тебе и впрямь станет плохо, так выпьешь их! Делов-то...

— Ты хочешь, чтобы я снова попытался повеситься, да? — Влад вдруг развернулся к Кису, и детектив понял, что еще секунда, и его пошлют к чертовой бабушке. И тогда только останется надеяться, что со своей «амнезией» Влад в следующий раз забудет об их ссоре...

— Ладно, — покладисто согласился Кис. — Как хочешь.

Больше он в этот вечер к разговору не возвращался, радуясь, что из инстинктивной осторожности не сказал Владу правду. Неизвестно, как бы он отреагировал, с его абсолютным доверием к психиатру Емельянову Валерию Валерьевичу. Еще побежал бы жаловаться!

Пришлось Алексею превращать «сказку в быль»: утром следующего дня он уже сидел в кабинете у Веры, психолога и хорошей подруги[1], и пересказывал слова Влада.

— У меня такое ощущение, что ему полностью промыли мозги. Послушать его — так зубы сводит: с работы он отлучиться не может, потому что

---

[1] См. роман Т. Светловой «Шалости нечистой силы».

он там очень нужен, пропустить прием таблеток он тоже не может, потому что его врач самый лучший в мире... Впечатление такое, что Влад впал в детство! Он боится остаться без этих таблеток, как младенец без мамы!

Вера внимательно изучила заключение лаборатории о «лекарствах». Затем полезла в какие-то файлы в своем компьютере. Она что-то долго вычитывала, сверяясь с заключением... И, наконец, произнесла: «Гипноз».

— Что?!

— Ты сказал, что Влад дважды в неделю ходит на прием к своему психиатру? Так вот, я уверена, что психиатр вводит его в состояние гипноза и закладывает основные параметры в его мозг. Их, видимо, два: жизненная необходимость для Влада работы и назначенных лекарств. Ему это простонапросто прочно внушили. И внушение регулярно освежается, чтобы сбоев не было. Влад ни за что не переступит запреты, и не надейся, Алексей. Только если ты его силой заставишь не принимать лекарства...

Ну, ешкин кот, и история! А Кис уже, можно сказать, раскатал губу: вот перестанет Влад принимать препараты, и память к нему быстренько вернется, и тут-то Кис получит недостающую информацию и свяжет между собой обрывки догадок и фактов!

Да, поторопился детектив с раскатанной губой, поторопился...

И что теперь делать, спрашивается? Не похищать же Влада насильно?

Собственно... А почему бы и нет?..

...Она не скучала по Артему — она просто ждала, что он придет.

И он пришел.

Люля открыла глаза. Раннее утро. Солнечный свет бьет в окно. Она не знала, который час, да и без разницы, если возле нее сидит Артем.

— Ты мне снишься? — спрашивает Люля, зная, что это не сон.

— Ага. Я пришел узнать, как тут у вас дела.

Ну да. Как будто телефона нет!

— Все нормально... Не беспокойся, Артем.

Пауза. Он смотрит на нее, она на него. Он рядом, очень близко, но он не предъявляет на нее права. Он понял, что та ночь не дала ему прав.

— Ты знаешь, я очень сильная на самом деле. Я могу жить сама. И я не нуждаюсь в сочувствии или жалости.

— Это не жалость, Люля, — отвечает он. — Это что-то другое... Извини, я пришел не затем, чтобы вести философские беседы. Просто хотел удостовериться, что у вас все....

Люля протягивает руку и гладит его по свежевыбритой щеке.

— У нас все в порядке! Хорошо, что ты пришел, Артем, — шепчет она. — Я рада тебе...

Она приподнимается, чтобы дотянуться до Артема, и обхватывает его руками за крепкую шею, прижимается к его скуле. Артем подхватывает ее под спину, сжимает, вжимает в себя...

И почти сразу же отпускает:

— Мне пора. Я заехал перед работой...

И уходит.

А с ней остается его тепло.

Прошла неделя — первая неделя, в которую ее не убивали. Время стало драгоценным, и она впитывала его по капле, смаковала по крошке. Пейзаж из низких быстрых облаков в окне, теплый, душистый ветер, любимая песня по радио, важный Дениска, с которым она делила ужин, — все исполнилось небывалого значения и красоты. Она работала с вдохновением, прерываясь только на еду и сон. Комнату усыпали эскизы, и она часто расхаживала между ними, раздумывая. Иногда присаживалась к компьютеру и фантазировала на нем, комбинируя цвета и формы. Иногда она разговаривала с Дениской, который с недоуменным любопытством рассматривал ворох бумаг и рисунков, а когда Дениски не было рядом, она разговаривала сама с собой или с Владькой.

«Похоже, что я схожу с ума», — весело решила она, поймав себя на том, что спрашивает Владькиного мнения и пытается «услышать» его ответ.

Неожиданно ей захотелось увидеть еще раз Влада Филиппова. Она не знала точно, зачем: убедиться в том, что он на самом деле на Владьку не похож? Или сквозь него, через него, как через медиума, снова увидеть Владьку?

Она решила посмотреть на Влада для начала со стороны, чтобы избежать нового шока. От Алексея Кисанова она знала его расписание. Денис сел за руль Владькиного «БМВ» — своей машины у него не было. И они поехали в Москву.

Она видела, как Влад вышел из дома и направился к метро. Она внимательно всматривалась в его фигуру в сером полупальто, строгом и элегантном, в его походку, тяжелую и собранную, словно она была припечатана важными государственными думами. У ее Владьки была небрежная походка, чуть вразвалку, как будто он никуда и никогда не торопился, как будто он получал удовольствие от самого процесса ходьбы, радуясь жизни... В одежде у обоих Владов были схожие вкусы, но если дорогое пальто Влада (Хьюго Босс, кажется) как бы определяло его солидный облик, то Владька сам давал облик своим вещам, он подчинял и приспосабливал их к себе, к своему радостному и легкому мироощущению...

И в то же время от высокой фигуры Филиппова веяло чем-то невозможно родным, наверное, их общим анапским детством, их долгой, как жизнь, дружбой...

Люля вышла из машины и спустилась вслед за Владом в метро. Она пока не решила, стоит ли ей вступать с ним в разговор, но ей хотелось еще понаблюдать за ним, еще раз ощутить это «что-то родное»... Однако у нее не было билета. Поколебавшись, она кинулась к окошку кассы, все оборачиваясь на Влада, уже прошедшего через автоматы.

Когда она спустилась на платформу, Влад входил в вагон. Люля стремительно бросилась в закрывающиеся двери.

...И попала прямо в руки к Владу.

— Люля? — удивился он. — Люля, это ты?

— Я, — выдохнула она, запыхавшись от бега.

Влад внимательно и немного удивленно рассматривал ее, держа за плечи.

— Я давно тебя не видел, — сказал он. — Ты бы зашла ко мне как-нибудь вечерком, а то я все один и один... Поужинали бы вместе, поговорили...

Он все всматривался в ее лицо.

— Заеду как-нибудь, — ответила Люля не слишком уверенно.

Не то чтобы она ждала чего-то конкретного от

этой встречи, нет... Но что-то было не так. «Родное» вдруг улетучилось без следа. Перед ней стоял просто добрый знакомый, и все, и не больше.

— Заедешь? — удивился Влад. — А мы разве с тобой не на одной лестничной площадке живем? Ты не моя соседка?

Она вышла на следующей станции, едва сдерживая слезы от острого чувства потери. Она ехала к Владу в надежде снова ощутить через него Владьку.

Но Влад своим беспамятством предал его. Сначала он его убил, а теперь предал его память! Он, конечно, не виноват — да только что с того Люле? Потеря-то состоялась...

Дома она с остервенением схватилась за работу, надеясь прогнать жестокую боль, которую вызвала в ней встреча с Владом. Они со Славкой договорились, что каждый сначала доводит до четкой идеи свою часть коллекции, а потом они будут работать вместе, выстраивая диалог между двумя стилями.

Разложив несколько новых набросков на полу, Люля вдруг поймала себя на том, что придала своим нарисованным фигуркам-манекенщикам великолепно-небрежный аллюр Владьки.

— Владька... — села она на ковер посреди бумажных листков и погладила пальцем один из рисунков. — Все меня бросили, Владька... Может, это так надо? Может, это правильно? Я ведь ждала встречи с тобой... Я хотела увидеть Влада, чтобы увидеть тебя! Но, ты представляешь, Владька, если бы так оно и вышло, куда бы это могло меня завести? Я бы ходила за ним по пятам, я бы поселилась в его квартире, я бы жила фрагментами вашего сходства... А потом попала бы в психушку. Ты согласен?

Ей показалось, что один из похожих на Владьку нарисованных манекенов ей кивнул одобрительно. Конечно, в слезах все расплывалось, и ничего такого она увидеть не могла, а все-таки он ей кивнул!

— Да, — ответила Люля на кивок. — Мне сегодня было необходимо удостовериться, что в нем нет тебя.

Изумленное лицо Дениса мелькнуло в раскрытой двери. Пожалуй, скоро мальчишка сбежит от нее — страшно жить с сумасшедшей!

На ее счастье, позвонил Славка. Ну, просто очень кстати! Она больше не могла сидеть тут одна среди рисунков, похожих на Владьку...

Славка вечно что-то выдумывал с ее именем, но на этот раз он превзошел самого себя:

— Люлюлюнчик?

Он это пропел в трубку страшно довольным голосом. И в довольстве слышалась легкая издевка.

— Ты ящик шампанского уже купила? Если нет, то дуй в магазин!

— Неужто Артем согласился? — ахнула Люля.

— А приезжай, увидишь! — ответил довольный Славка.

**

Утром в среду Алексей подстерег Влада по выходе из дома. Взял под руку и интимно сообщил:

— Влад, сейчас ты вернешься домой, позвонишь с домашнего телефона на работу и скажешь Мите, что вспомнил о своей тетке. В связи с чем решил срочно навестить ее — у тебя никого не осталось из близких, кроме нее. Ты меня понял?

— Мне надо на работу, — тупо ответил Влад. — Я нужен в фирме.

— Посмотри сюда, Влад. Видишь? Это пистолет. Если ты меня не послушаешься, я тебя убью.

— Ты, мой друг? Ты меня убьешь?!

— Я тебе не друг, Влад. — Алексею было неприятно это говорить, но иного выхода просто не существовало. Влад под воздействием гипноза и психотропных средств, одно из которых чувствительно предрасполагало к гипнотическому воздействию, — он не согласится мирным путем. — Я детектив, — продолжал Кис. — И я веду следствие в связи с покушениями на жену твоего друга, на Люлю Филипченко. Я за это расследование бабки получил и отрабатываю их. Понял? И мне нужно, чтобы ты позвонил на работу. А потом поехал со мной. Если ты этого не сделаешь, я тебя убью, Влад.

Не сказать чтобы Кис был мастером гипноза, но, видимо, мозг Влада, восприимчивый к любому внушению, поддался на блеф детектива. Влад испуганно косился на его пистолет. В лице его отразился простодушный детский страх перед черным кусочком металла под названием «пистолет».

— Пошли! — скомандовал Кис.

Влад послушно вернулся к дому.

— Чего говорить-то? — спросил он, открывая дверь квартиры.

Кис повторил инструкцию. Он вошел вслед за Владом в квартиру, держа его на мушке. Влад, опасливо косясь на пистолет, набрал свой рабочий номер и сообщил Мите, что берет отпуск на три дня.

Три рабочих дня плюс выходные. Кис очень

292 надеялся, что пяти дней хватит, чтобы вызвать память Влада из небытия.

Митя, судя по разговору, пустился в расспросы. Влад уклончиво ответил, что расскажет, когда придет на работу, — в понедельник то есть.

Все. Теперь Влад был в распоряжении детектива.

Он махнул пистолетом к выходу. И Влад послушно вышел. Кис, подхватив Дуреху на поводок, последовал за ним.

Они приехали на Смоленку.

— Вот здесь ты будешь ночевать, — показал детектив Владу комнату.

Он решил ему уступить свою, а сам намеревался спать в кабинете. Дуреха же сама нашла себе место: быстро освоилась под столом на кухне.

— Алеха, зачем это все?

Влад, казалось, никак не воспринял пистолет, вернее, он его воспринял как надо, но на Алексея почему-то не обиделся, как если бы пистолет был отдельным живым существом, никак не связанным с рукой, его державшей.

— Влад, я тебе потом расскажу, ладно? Мне нужно, чтобы ты пожил у меня. Мне очень скучно одному. Ты же сам говорил: хреново, когда не с кем разделить трапезу! Вот, поживем, поделим...

— А работа? Меня же там ждут?

— Уже не ждут, Влад. Ты ведь позвонил и сказал насчет тети!

— Ты чего-то крутишь, а?

— Влад, ты принял утром свои таблетки?

— Да... Погоди-ка, ведь я их не взял с собой! Алеха, надо за ними съездить!

— Обязательно. Не беспокойся, я съезжу!

Кис и впрямь за ними съездил. Для того, чтобы принять участие в официальном протоколе изъятия медикаментов из квартиры Влада Филиппова. Для этого Алексею пришлось не только задействовать свои связи на Петровке, но и поделиться гипотезами со следствием...

Кис страсть как не любил делиться гипотезами раньше времени, но угроза того, что таблетки исчезнут из квартиры Влада, если Митя что-то заподозрит, существовала. Пришлось делиться — все в этом мире так: баш на баш...

Заодно он прихватил собачий корм, о котором не подумал раньше.

Он проморочил Владу голову разными историями остаток дня и два последующих: то пробки на дорогах, то ключи забыл, то лекарства не нашел...

Влад верил. Алексею даже стало стыдно: все равно как обманывать ребенка. Но дело того требовало. Этот ход должен, просто обязан себя оправдать!

И он начал себя оправдывать на следующий же день. Влад стал вспоминать. Потихонечку, полегонечку, но память принялась делать маленькие подарки. Сначала шли лирические воспоминания о том, как они с Владькой... Видимо, это были самые сильные, самые счастливые воспоминания в его жизни.

Потом стал прорисовываться контур семьи, жены и дочери.

Это стоило детективу нескольких душераздирающих сцен: Влад каялся в своей нелюбви к семье, в ее нелюбви к нему, в том, что был за рулем разбившейся машины, в том, что выжил, в том, что жил...

Алексей утешал Влада, как мог. Вера предупределила, что к подобным лекарствам наступает привыкание, как к наркотику, и первое время Влад будет испытывать сильное беспокойство, раздражительность, вплоть до повышенной плаксивости, физического недомогания и неумеренной жалости к себе и ко всему миру.

Так оно и было. Влад плакал, каялся, винил себя во всем на свете и требовал таблеток. Кис под разными предлогами уклонялся, как мог, обещая их вот-вот, сегодня же, через час... К счастью, Влад время от времени о них забывал, давая детективу передышку в поисках бесконечных предлогов, под которыми Влад не получал свои таблетки.

Через три дня Кис счел, что он успешно прошел экзамен на сестру милосердия, психиатра, духовника и санитара в психушке.

А на четвертый день воспоминания посыпались из Влада, как гравий с самосвала: тяжело и одновременно.

— Переехали они, должно быть, пока я в коме лежал, — рассуждал Влад. — И теперь Митя сел на мое место. Конечно, с моими провалами в памяти это понятно. Я это время не мог руководить фирмой. Но пора мне взяться за дела! Вот вернусь, погоню Митьку! Слышь, Алеха, а ведь лекарства ты мне так и не привез! Хотя я и без них видишь как здорово стал все вспоминать? Этот профессор, Емельянов — мне говорили, что он гений. И видишь, вправду гений — результаты налицо!

— Результатами ты обязан не Емельянову, Влад, — мягко проговорил Кис. — А ровно наоборот: тому, что ты не принимаешь прописанные им лекарства!

— То есть как это?!

— Сколько дней ты у меня, Влад?

— Четыре.

— Все эти четыре дня ты не принимаешь лекарства. Вывод сделаешь или помочь?

— Ты хочешь сказать... он неправильно выписал мне лекарства?!

— Нет, Влад, я не это хочу сказать. Лекарства он тебе назначил совершенно правильно: для того, чтобы ты все на свете забыл!

Влад долго не понимал. Но слушал детектива внимательно, не споря. И когда понял, то коротко спросил:

— Зачем?

— Вот в этом ты и должен помочь мне разобраться. Пока ясно одно: тебя надо было сместить с директорского кресла, но при этом сохранить твою подпись. И занял твое место Митя. Через вашу фирму шли крупные суммы, и он наверняка решил организовать тебе «амнезию», с тем чтобы завернуть деньги в свой карман... Скажи мне, чем вы торговали?

— Компьютерными программами, — не сразу ответил Влад.

Вот тебе, бабушка, и Юрьев день! Память вернулась к Владу в полном комплекте, вместе с его секретами, с его «мифами и легендами Древней Греции».

— Они у вас в каратах измеряются, ваши программы?

— Я не могу тебе сказать!

Кис перевернулся на кухонном табурете, привалился спиной к стене, сплел руки на груди и демонстративно уставился в потолок.

— Это не мой личный секрет... — добавил

Влад немного виновато, глядя на профиль детектива.

— Ты помнишь, как я тебя из петли вытащил? — произнес Кис, все так же глядя в потолок.

— Ну...

— А за эти дни, сражаясь с твоими капризами и сопливыми мольбами дать лекарства, я вернул тебе память. В подарочной упаковке, можно сказать! С розовым бантиком!

— Ну...

— Как ты думаешь, ты мне за это что-нибудь должен?

— Должен, — серьезно ответил Влад. — Много должен! Проси что хочешь! Но только не это. Пойми ты... Если бы это был только мой бизнес... Я просто не имею права.

Кис резко перевернулся на табурете.

— Я у тебя что, милостыню выпрашиваю? — заорал он. — Я от нечего делать сую нос в твои дела? Я ночи не сплю, пожрать не успеваю от непомерного любопытства? Он мне нужен, твой дерьмовый бизнес?!

Влад смотрел на него растерянно, с некоторым недоумением. Алексей помолчал, потом добавил мягче:

— Извини, Влад, я не с того начал. Скорей всего, ты плохо представляешь себе, что происходило в течение этих двух месяцев, в которые тебя пичкали психотропными средствами. Я тебе сейчас расскажу... Тебе о чем-нибудь говорят имена: Люля, Женя, Лев, Вова? Кто эти люди, что ты о них помнишь?

— Люля, Владькина жена. Что я о ней помню? Она *другая*, как инопланетянка. Она вызывает у меня какой-то трепет, почти священный. Я такую женщину не смог бы любить, такой можно только поклоняться... Или избегать. Но Владька ее любил, как мужик любил, нормально... Дальше. Женя, моя любовница. Мы с ней расстались незадолго до моей автокатастрофы, повздорили...

— Ты взял к себе ее собаку, ты помнишь, Дуреху?

— «Дуреху»? Женька звала собаку Магдой... Женька... Не помню, из-за чего мы поссорились. А жалко, она хорошая баба. С ней было просто, легко...

— Вот и отлично. А Льва помнишь?

— Ленкин парикмахер. Вообще нормальный мужик, знаешь... Он к нам часто на дом приходил прическу ей делать, а потом иногда засиживался... Ленка, бывало, свалит куда-то, а мы с ним по пивку...

— Ты ему одалживал деньги?

— Было такое... Он хотел собственную парикмахерскую открыть.

— А потом ты неожиданно потребовал вернуть долг раньше срока?

Влад приподнял густые брови.

— А-а-а... Смотри-ка, сколько ты обо мне всего вынюхал! — усмехнулся он. — Я случайно узнал, что он спит с Ленкой. И при этом ходит к нам в дом, пьет со мной и заодно просит у меня денег в долг! Мне плевать, с кем она спит, но. по-моему, это перебор: наставлять мне рога и просить у меня денег! А? Как ты думаешь?..

— Влад, — напомнил Кис, — Лены больше нет.

Влад помолчал.

— Да, я знаю. Просто у меня все еще немного путается в голове...

— А Вову помнишь?

Влад теперь помнил и Вову, и Кис удостоился нескольких подробностей из жизни Вовы.

— Так вот, Влад, они все убиты. Вова, Лева... И Женя тоже — теперь я знаю это точно. Так что можешь считать Магду своей собакой.

Влад вскинул глаза на детектива и, казалось, хотел что-то воскликнуть, но промолчал.

— Все... — проговорил он через некоторое время. — Почему *все*? Что это значит?! А Люля?!

— Ты не так давно ее видел, не помнишь? Она жива.

— Я помню, что видел. Только не знаю, когда это было...

— Люля единственная избежала смерти — чудом, можно сказать. Ее очень старались убить, очень.

— Всех моих знакомых... Тут есть связь, да? Объясни!

И Кис пустился в описание событий, произошедших в период беспамятства Влада. Тот слушал и мрачнел лицом.

— ...И все эти люди имели только одну точку соприкосновения: тебя, — продолжал Алексей. — Они знали о тебе многое. И кто-то очень сильно не хотел, чтобы они рассказали тебе то, что знали. За время твоей комы фирма переехала по новому адресу, сечешь?

— И я переехал... Зачем? Я не помню такого, чтобы я собирался переезжать! У меня была прекрасная квартира на Патриарших Прудах!

— Стало быть, тебя «переехали»... А для того, Влад, чтобы соседи по офису или по дому не сказали тебе невзначай: «Здрасте, Владилен Владимирович!» Тогда как тебе надлежало быть Владиславом Сергеевичем...

— И кто это сделал?!

— Митя. Больше некому. Он занял твое место. **299**
И он все обустроил таким образом, чтобы ты не
сумел вспомнить, что это место — твое. Потому
что через твое место пролетают бешеные бабки,
Влад. И я уже знаю, откуда и куда они летят. Но
хочу услышать от тебя подтверждение. Алмазы?

— Значит, так, детектив, — проговорил Влад,
и с этими словами его лицо переменилось. Оно
собралось, перестроилось, перелепилось, чтобы в
результате оказаться застывшей, тяжелой, словно
вырубленной из гранита глыбой, как на его старых фотографиях. — То, что ты от меня услы-
шишь, должно умереть вместе с тобой! — Он
встал и принялся энергично расхаживать по кухне. — Да, мы переправляем за границу алмазы.
Канал у нас неофициальный, но при этом легаль-
ный. Он обеспечен несколькими инстанциями на
высшем уровне. А больше тебе знать не положено. Что же до этой гниды, Митьки, то я свяжусь с
нашими людьми, и завтра от него останется мок-
рое место! Спасибо, что поставил меня в извест-
ность... Но больше ты этим делом не занимаешь-
ся, Алексей. Теперь занимаюсь им я!!!

Кис подошел и не очень сильно, но чувствительно ударил его под дых. Влад сел от неожиданности на табурет.

— Не выйогивайся, Влад! — сказал ему Кис,
едва сдерживая ярость. — Будешь строить начальника перед своими подчиненными, понял?!

— А если я тебе в зубы дам? — угрюмо спросил
Влад. — Я тебя выше и тяжелей в два раза!

— А ты попробуй, — встал в стойку Кис. — Ну
давай, пробуй!

Влад смотрел на него исподлобья несколько
мгновений — и вдруг расхохотался.

— Ну, ты даешь! — сказал он. — Вот и Владька

такой был, он один меня не боялся! Вечно на х... посылал! Я за это его и любил.

— Слушай сюда, Влад, — жестко заговорил Кис. — Командовать будешь в своей конторе, понятно? А здесь командую парадом я, понятно? Я тебя из дерьма вытащил, и ты мне кое-чем обязан! Понятно?

— Понятно, — Влад улыбался, глядя на Алексея.

И под его теплым, добрым взглядом было совершенно невозможно на него злиться.

— Так вот, — Кис все еще горячился, хотя обороты немного сбавил, — это *мое* дело! Усвоил? Мое! Я его начал, и я его доведу до конца! А ты будешь делать так, как скажу тебе я!

— Что, детектив, свои лавры не уступишь? — насмешливо отозвался Влад.

— И не мечтай! И потом, я ненавижу корпоративные разборки. Митя должен пойти под суд. Меня не устраивает вариант, в котором его тихо переместят в другое место. Или тихо сбросят в речку. Суд — и никаких других вариантов!

— Ты ментом раньше был? — спросил вдруг Влад.

— Был. Что дальше?

— Ничего. Ты нормальный мужик. Уважаю. Слушай, давай выпьем, а, Кис?

Это он у Ваньки подслушал: «Кис». Алексей аж крякнул от такого неожиданного поворота в разговоре.

— Черт с тобой, наливай... Но имей в виду, вздумаешь мне тут снова ...

— Да ты не выйогивайся, детектив. Все путем. Давай чокнемся!

Без белой таблетки «водовка» не произвела на Влада заметного впечатления. Он чуть возбудился, но соображал на удивление хорошо.

Секреты Влада и тех, кто стоял за торговлей алмазами, детектива совершенно не интересовали. Он только спросил, не опасается ли Влад на случай, если дело дойдет до суда. Ответом ему было уверенное «нет». А вот что занимало Алексея, так это способ, которым Митя мог сделать деньги в отсутствие Влада. Деньги, ради которых он пошел на все убийства.

— Тебя кто-то сверху контролировал, Влад?

— Практически нет. Кроме бумажных отчетностей. У нас же все *на доверии*.

Стало быть, Митя мог считать себя на свободе...

— Деньги за камни как переводились?

— Сюда деньги переводились как за *компьютерные разработки*, а разница — на счета за границей.

— Чьи счета?

— Мой и еще троих человек.

— Кто такой Питер?

Влад помотал головой, словно хотел сказать: «Ну ты даешь!»

— А номер счета в банке тебе не продиктовать?

— Влад!

— Хрен с тобой. Наш партнер из Голландии. И чего это я тебе так доверяю, интересно?

— Потому что я вызываю доверие, — глубокомысленно ответил Кис. — Митя за границу выезжал? У него может быть свой счет в банке?

— Да у нас все выезжали... С такой зарплатой можно себе позволить.

Значит, у Мити счет за границей наверняка

был. И на него могли поступать левые доходы. Только для этого Митя должен был договориться, чтобы деньги за левые партии поступали именно на его счет. А, следовательно, он должен был с кем-то делиться — с самим Питером, к примеру. Имя не имеет значения, Кис не собирается проводить расследование в Голландии. Важно только то, что кто-то в Голландии был с Митей в сговоре. И этот кто-то, условно Питер, деньги за некоторые партии отправлял на Митин счет. И на свой собственный, разумеется.

В таком случае Митя должен был каким-то образом предупреждать Питера о том, что в партии имеются левые камни. И если внимательно посмотреть его переписку за время отсутствия Влада, то в некоторых должна обнаружиться какая-нибудь пометка... Невинная, типа лишней точки или опечатки...

Ладно, со стороны зарубежного покупателя все более-менее складывается. Но ведь нужно было еще левую партию заполучить у поставщиков! Значит, Митя и там вступил в сговор с кем-то?

Кис попросил обрисовать схему работы фирмы.

— Ко мне приходит из Голландии заказ на крупные камни. Мы работаем только от одного карата и выше, мелочью не занимаемся. Питер связан с бриллиантовой биржей, он прикидывал, сколько сможет продать. А подробностей я не знаю, да мне и до фени. Он бабки платил, и ладно. А дальше хоть он их с супом ест, мне без разницы!

— Хорошо, к тебе приходит заказ. А дальше?

— Я передавал распоряжение на место, производителям. Там подбирали нужные камни и присылали подтверждение, что могут обеспечить заказ. Сбоев почти не было... Короче, после этого

камни шли сюда, в Москву. После чего я сообщал
Питеру об отправке. А он уж знал заранее, где и
когда.

— А огранка?

— Чего — огранка?

— Где ее делают?

— Тебе адресок дать? — оскалился Влад в
ехидной ухмылке.

— Понял. Меня, собственно, другое интересует: камни кто-то контролировал? Качество там,
цвет, прозрачность, чистота... Кто-нибудь проверял перед отправкой?

— А как же! Только зачем тебе, не пойму?

— Так просто, для ясности схемы. Как ты думаешь, Митя добавлял в партии левые камни? За
которые деньги шли в его карман? В таком случае
он в сговоре с кем-то из ваших поставщиков... Не
на дачной же грядке он лишние камешки выка-
пывает!

— Это исключено! Всю цепочку организовал
я, самолично! У меня каждый человек проверен
до кишок! На этом весь наш бизнес держится!

— А Митя что же, непроверенный? — подко-
вырнул Кис.

Влад промолчал.

— Ты сильный лидер, Влад. Все держалось на
твоем авторитете. Без тебя дело поехало по швам...
Так всегда бывает, — утешил Кис...

Разговор длился далеко за полночь. Алексей
жадно усваивал детали, одновременно пытаясь
выстроить схему дальнейших действий. Впереди
оставался еще один день, всего один день.

Чисто теоретически Влад мог бы не выйти на
работу и в понедельник. Но Алексей не хотел на-

прягать Митю. Он наверняка не слишком поверил в историю про тетю. Невыход Влада в понедельник может его испугать, и тогда он сотрет в компьютере файлы, которые Алексею было совершенно необходимо увидеть...

Остаток ночи он провел в размышлениях. Он сидел в кабинете, курил, пил кофе с коньяком, думал...

Где-то в его версии существовала натяжка, существовала, мерзавка. И он снова прогонял по пунктам основные соображения: итак, Владилен Филиппов, директор анонимной фирмы, занимающейся под видом компьютерных программ торговлей алмазами, попал в автокатастрофу. Но остался жить. *Пока* остался: исход комы никто не мог предвидеть. И Митя волею судьбы попадает на вожделенное кресло директора. Временно или нет — будущее ему покажет. Но пока что он решает воспользоваться отсутствием Влада и своей нечаянной властью, чтобы успеть положить в карман крупные суммы. Зарплату Митя получал завидную, но ведь психология человеческая такова: а у соседа больше! И глаза почему-то никогда не смотрят в сторону того, у которого меньше...

И Митя начинает действовать. Доля Влада, похоже, осталась в неприкосновенности: Влад вышел на какой-то хорошо защищенный сайт, где смог просмотреть свои счета. Кис деликатно оставил его в кабинете одного и лишних вопросов не задавал.

Значит, Митя не заворачивал долю Влада к себе в карман. Тогда оставалось одно, как и предположил Алексей: Митя обеспечил левые бриллианты в партиях. Для чего сговорился с людьми из налаженной цепочки. При этом Влад говорит, что люди в цепочке крайне надежные...

Но это означает, что их непросто было уломать. Кроме того, принцип их деятельности, как и любой другой нелегальной, таков: одно звено не знает другое. Иными словами, Влад и, по его словам, еще трое из верхнего эшелона знакомы друг с другом, но остальные, все те, кто получал просто зарплату, — им не положено! И Митя из их числа. Следовательно, на поиски подходов ушло время. Немалое время. Плюс вызвать доверие, убедить в отсутствии риска, соблазнить крупными и быстрыми деньгами...

А вот теперь тайминг, временной расклад событий. Влад провел десять месяцев в коме. Никто не мог заранее сказать, сколько продлится кома и чем она закончится. Но предусмотрительный Митя начал страховаться на случай выхода из комы. И тут-то Митя договорился с лечащим психиатром о том, чтобы в случае выхода из комы пациенту Филиппову немедленно организовали амнезию. А чтобы уменьшить шансы на возвращение памяти, Митя заплатил хирургам за то, чтобы внешность Владилена была максимально приближена к внешности Владислава...

Владик Филипченко был в фирме рядовым работником, несмотря на давнюю дружбу с директором. Скорее всего, Владька сам не захотел лезть в сложные начальственные дела и игры — это вполне в его характере. Высокая зарплата его устраивала, и зачем ему, спрашивается, нужна была начальственная головная боль? Он оставил приятелю единолично играть в его бизнес-игры, сочтя, что сам он уже наигрался предостаточно.

Итак, Митя решил, что Владилену на случай выхода из комы надлежит считать себя Владиславом, рядовым сотрудником, но при этом сохранить его директорскую подпись. А если вдруг

Влад усомнится, то ему впаривали «раздвоение личности». И чтобы никто не смог невзначай помочь его памяти, Митя устроил два переезда — рабочий и домашний, выкрал его записные книжки и убрал ближайших друзей (только с Люлей промахнулся, к счастью). Натыкал прослушивающих устройств повсюду, чтобы контролировать Влада и его память повсюду. А купленный с потрохами профессор два раза в неделю устраивал ему сеансы гипноза...

Все это говорит о том, что к моменту выхода Влада из комы Митя уже все продумал, все устроил, уже почувствовал приятный трепет при виде цифр на своем счету.

До этого момента все понятно и стройно. Кроме того, что все *слишком* стройно. Подходы к нужным звеньям в цепочке — сначала узнать, кто и где, затем сломать сопротивление, убедить и заверить, что риска нет, — десять месяцев для такой аферы — ничто. А ведь еще надо было эту мысль выносить... Осознать, какие возможности открываются вместе с директорским креслом... Превратить мысль в конкретный план и приступить к действиям... И это при том, что Митя тщательно скрывал, что занял место Владилена Владимировича Филиппова, взломав доступ в его компьютер и посылая его подпись в электронном виде?!

Нет, увольте меня из детективов, скажите, что я ничего не смыслю в людях, но подобный план, рискованный и грандиозный, продуманный и выверенный, выношенный бессонными ночами, — подобный план не придумывается и не осуществляется в рекордные сроки!

И снова закралась мысль о том, что автокатастрофа подстроена. Кис не видел в этой версии логики: Влад Мите нужен был живым, с его подписью и авторитетом *доверия*. А гарантировать исход автокатастрофы никто не мог...

Но что, если... Шофер был пьян, да, из чего не следует, строго говоря, что это единственная причина автокатастрофы. Он мог получить *заказ* и при этом принять для храбрости. А что, если он, будучи пьяным, *не смог выполнить заказ так, как договаривался*? Его, допустим, просили *только стукнуть* машину, а он под хмелем не рассчитал?

Ну да!!! Вот так все сходится: этот план Митя выносил заранее! И ему нужно было только одно: положить Влада в больницу! В руки к профессору Емельянову!

Ну что ж, теперь остается только подсказать следователю, как прижать шофера грузовика. Он до сих пор кается и бьет себя в грудь, винится в смерти людей — и следователь полностью поверил в его искренность. И правильно: потому что шофер *искренне раскаивается*! Он не должен был *убить* — он должен был *отправить в больницу*!

* * *

...Люля не верила своим глазам: при помощи компьютера Славка «одел» Артема в целую серию костюмов, в которых роскошь венецианских дожей сочеталась с современными линиями.

Артем в этом фестивале тончайшего кружева и темных парчовых тканей, со всеми теми находками в крое и в деталях, которые разработала Люля, смотрелся потрясающе непривычно и... потрясающе естественно! Его крутой подбородок, его узковатый овал лица, его шрамы вдруг приобрели абсолютное благородство принца крови, его губы тронул легкий каприз усмешки, а взгляд — легкая ирония.

Она представила, как Артем в процессе одевания смотрел на Славку, обстегивающего его кусками тканей и булавками, и улыбнулась.

— Как я его нашел, а?!

На Славкином языке это означало, что этой серией костюмов, пока еще экспериментальной, ему удалось найти неожиданные грани личности Артема.

— И он согласился?!

— Как видишь! — потирал руки довольный Славка.

— И на подиум — тоже согласился?!

— Интересное кино, — обиделся Славка. — Я делаю основную линию коллекции под него, и еще бы он не согласился!

— Да как же ты его уговорил? — недоумевала Люля.

— Секрет!

Люля помрачнела. Неужто у Артема со Славкой...

Но Славка не заметил перемены в ее настроении, набросившись, как кот на рыбу, на увесистую папку с ее эскизами. Люле даже послышалось, что он урчит от удовольствия.

Они долго рассматривали и обсуждали ее работы. Славка забраковал несколько («Ты любишь повторяться, Люлька, ты почему-то хочешь до полного изнеможения отработать каждую находку — в этом весь твой перфекционизм, но это лишнее, душенька!»), большую часть отложил в сторону и еще раз перебрал.

— Вот, Люлек, понимаешь, вот это — стиль, — тыкал он пальцем в один из рисунков. — А вот это просто набор деталей! — тыкал он в другой. —

Даже если каждая из них и оригинальна, то вместе они не составляют стиля! Ты, как женщина, очень сильна в нюансах, но глобальное видение у тебя хромает... И смелости не хватает! Смотри сюда: вот смелая находка! И что же? Ты от нее ушла! Забоялась! Засомневалась! Знаешь, почему в высокой моде почти одни мужики? Потому что мы наглые. Мы не боимся ляпсусов, мы их превращаем в моду! Малевич нагло берет черный квадрат и делает из него предмет искусства! Подводит под него идейную базу, и все аплодируют! А ты бы на его месте никогда не посмела, ты бы сказала себе: художник должен *рисовать*, а это не рисунок... Вы, девочки, слишком прилежные ученицы, вы делаете так, как научил учитель... Люлька, надо иногда прогуливать уроки! Надо получать двойки и колы! Иначе твоя башка будет прочно забита разным хламом, типа «как надо»! Но в искусстве не существует общего на всех «надо», в искусстве существует только *личный* стиль! Красота идеи, мастерство. Твое «надо» — это то, как *тебе* хочется, нравится и думается. А дальше вопрос таланта... У тебя он есть. Точка.

— Классно, — улыбнулась Люля. — Непременно используй для следующего интервью!

— Вот ведь поганка, я ее жизни учу, как добрый папочка, а она насмешничает!

И Славка с уморительно-оскорбленным видом пошел готовить ужин.

Вечер пролетел незаметно за обсуждением тканей, цветов, фасонов, деталей, аксессуаров и прочих приятных вещей. Уже когда Люля уходила, уже после нежнейшего в мире Славкиного объятия, уже после того, как она вышла за дверь его квартиры, Славка ее окликнул:

— Эй, принцесса! Это он ради тебя согласился...

Люля поняла мгновенно, о чем он.

— То есть? — подняла она брови. — Я никогда не просила Артема быть твоей моделью!

— Ты его не просила, верно. Он сам так решил.

— Что решил?

— Он сказал, что хочет понять твой мир... Поэтому и согласился. Какой парень, а, Люлька? Ох, завидую я тебе, подруга!..

Последнюю фразу Славка произнес жеманным женским голосом, но Люля даже не улыбнулась.

Артем — охранник, афганец, солдат — погрузился в инопланетный мир моды, мир капризов и причуд, *нефункциональных* одежд, сказочных тканей и фантастических покроев? Он согласился выйти на подиум, под пристрастные взгляды расфуфыренной публики, под ослепляющие вспышки фотоаппаратов? И это ради нее? И даже ей ничего не сказал?

В этом было что-то на грани обиды. Словно Артем все решил за нее. И без нее.

В этом было что-то на грани восхищения. Артем принимал свои решения самостоятельно. В его жесте не было ничего показного, он не приносил жертву к ее ногам, ожидая благодарности. И Люля знала: если она вдруг вздумает сказать ему «спасибо», он ответит, что сделал это для себя.

Он был очень честным, Артем. Как Владька.

Он не любил показуху. Как Владька.

Только у него не было чертиков в глазах...

— Из твоего компьютера на работе можно просмотреть другие посты? Вы ведь в Сети? — спросил утром Кис.

— А ты чего там хочешь увидеть?

— Ваши посты так надежно защищены, что Митя мог расслабиться и оставить там, к примеру, переписку со своими левыми партнерами... Не знаю, мало ли!

— На другие посты можно выходить только из моего *бывшего* компьютера. Теперь его занимает эта сволочь Митя... Знаешь, я должен был раньше насторожиться: он мне как-то предлагал смошенничать, искусственные камни в партии подкладывать. Тот, кто способен на воровство, тот и на убийство пойдет!

— Не согласен, — ответил Кис. — Совсем необязательно, не стоит обобщать... Хотя в данном случае, пожалуй, так и есть... А в твой бывший комп у тебя больше нет доступа?

— Слушай, а ведь все посты должны открываться по моему отпечатку! — Влад сам, кажется, удивился всплывшей информации. — Ну да! У меня единственного был доступ ко всем!

— Влад, нам надо сегодня сходить к тебе на фирму!

— Так воскресенье же!

— Именно! Пока никого нет, надо просмотреть переписку Мити.

— Так я завтра и просмотрю! Погоню его со своего места и посмотрю!

— Нет. Ты завтра придешь как директор, но волну гнать не будешь. Скажешь только, что память вернулась, и все. Никаких нагоняев, никаких подозрений и лишних вопросов. Митя и так наложит в штаны со страху, будь спок. И следующей же ночью непременно припрется стирать свои файлы. Тут-то мы его и подловим... Но до этого я хочу сам их просмотреть и распечатать. Не забывай, суду нужны доказательства, а не просто умственные выкладки!

Влад согласился. Прихватив Ваню, они отправились в фирму. Влад все двери открыл своими ключами — красота! Дверной глазок-камера выводила изображение на небольшой монитор, стоящий рядом с дверью, только в реальном времени, без записи, так что и здесь проблем не имелось. Влад завел все компьютеры, включая бывший Владькин, ныне бесхозный, по своему отпечатку. Все пока складывалось как нельзя лучше.

Влад был отпущен домой, а Алексей с Ваней селись за экраны: Кис на месте Мити, Ванька на одном из других.

Они просидели до темноты. Разочарованию Алексея не было пределов: ни один из документов, отправленных Питеру, не носил ни малейшего знака, который мог бы выдать фальшивую накладную... Все выглядело аккуратно и чисто: вот письмо с заказом на программы, вот ответ от разработчиков, вот сообщение Питеру об отправке. И все, ничего лишнего, ни точки, ни помарки.

Позвонил Влад: «Я ужин приготовил, телячьи отбивные. Вы когда приедете?»

Кис был голодный, как африканский тигр, при мысли об отбивных у него немедленно скрутило в животе. Но уходить было рано: он не мог себе позволить уйти ни с чем. И он со страдальческим вздохом велел не ждать их к ужину.

— Ванек, у тебя что-нибудь подозрительное есть?

— Кис, я не врубаюсь в их дела. Они тут все

якобы о компьютерных программах речь ведут. Ясно, что это лажа, но откуда мне знать, что странно, а что нет? Ты тоже, такое мне задание интересное дал: поди туда, не знаю куда, принеси то, не знаю что! Все вроде бы понятно: у каждого своя электронная подпись, каждый заверял свою часть работы. Гена, ювелир-контролер, дает характеристики товару — они зашифрованы, но можно догадаться, что он описывает качества отправляемых алмазов и гарантирует, что он их проверил. Другой пост, его Влад назвал Сашей, что ли? Так вот, Саша занимался финансами. Каждый из своего компа отсылал все на директорский пост, никто из них не имеет выхода в Интернет.

Мда... Влад, на данный «недиректорский» момент его жизни, тоже отправлял все к админу (Мите), откуда подписанные им документы переправлялись к Питеру.

— А что в компьютере Владика Филипченко?

— А что там может быть, коли человека уже год как нет в живых? — проворчал Ванька, пересаживаясь. — К тому же он ведь у них компьютерщиком был, как я понял? Бизнесом, значит, не занимался... — Ванька с поразительной быстротой открывал и закрывал окошки программ. — Погоди, а это что такое?!

Кис бросился к экрану.

— Ты о чем, Ванька? Где?

— А ты на дату посмотри!

Дата была свежей, пятничной. В письме говорилось о том, что разработчик сможет выполнить заказ в сроки.

Кис кинулся обратно к посту Мити, открыл одно из писем аналогичного рода. Этот разработчик имел другой электронный адрес, и его письмо было датировано другим днем.

— Хорошо бы из этого какой-нибудь умный вывод сделать, — проворчал Кис. — Да только я что-то не вижу, какой... Хотя... Ну-ка, глянь, Ванек, это письмо куда дальше шло? К админу?

— Нет. Висит здесь в почтовом ящике.

Этот пост имел выход в Интернет, что логично: на нем работал Владик Филипченко. А какой же компьютерщик может обойтись без Интернета? То драйвер скачать надо, то программку... Владика уже нет, но его пост по-прежнему подключен к Сети... Кто-то им воспользовался, чтобы вести сепаратную переписку?

— Ответ на письмо есть?

— Есть: «OK».

— Можешь понять, от чьего имени он ушел?

— От Владика Филипченко. Все, что уходит из его компа, автоматически получает его подпись.

Алексей взял второй стул и сел рядом с Ваней.

— Меня этот компьютер очень интересует, — сказал он. — Будем смотреть все подряд. Спрятанные файлы на нем есть?

— Были, — сказал Ваня. — Я включил опцию их показа... Вот те, что побледнее, смотри!

— Звуковые файлы? — Кис удивленно ткнул в экран. — Они музыку с Интернета скачивают, что ли?

— Нет, формат не тот. Посмотрим...

Ваня щелкнул мышкой на первый.

...Это была запись с микрофонов, установленных в квартире Влада.

По большому счету, надо было бы официально запротоколировать содержимое бесхозного компьютера. Но в воскресенье вечером это практически нереально. Алексей попросил Ваню перегнать все файлы к ним домой.

Но на этом сюрпризы не кончились. Бесхозный компьютер оказался пещерой Али-Бабы! Ваня просмотрел адреса, по которым с этого поста совершались выходы в Интернет: они оставили следы. К примеру, на сайт под названием «Киллер». Сайт, однако, был наполнен похабщиной, и не более... Но Алексей не намерен был отступать. Они просмотрели ссылку за ссылкой, пока не наткнулись на страницу поиска, сделанного с мотора Рамблер. Поиск был заявлен на словосочетание «услуги киллера».

На мгновение Алексея охватило чувство ирреальности происходящего. Они не зажигали света из предосторожности, и только мерцание экранов освещало их лица. Этот компьютер, стоявший в неудобном углу, — бесхозный компьютер, ничей пост — вдруг показался призраком, оживленным потусторонней силой. В нем происходила странная жизнь по неведомо чьей воле, а в этой ирреальной голубоватой темноте можно было поверить в любую, самую безумную фантазию, как в детстве. Можно было представить, например, что компьютер наводнили вирусы, которые там размножились до сложного организма и теперь сами стали управлять машиной. Можно было представить себе черных страшных пиратов, управлявших компьютером на расстоянии. Можно было вообразить, как ночью крадется сюда убийца, чтобы сделать на компьютере свое черное дело, пока весь мир спит...

Александра часто ему говорила, что он не умеет «слушать вещи». Кис никогда не понимал, о чем она. А вот теперь, кажется, понял. Владькин компьютер ощущался пораженным тяжелым недугом. От него исходил дурной запах, удушливая волна чьего-то больного воображения, завладевшего этим бесхозным компьютером и изобретательно устраняющего все препятствия на пути к большим деньгам. От него несло истерией недоразвитого ребенка, извивающегося на полу в припадке одноклеточного «хочу!»... Теперь Алексей слышал «голос вещи».

Лучше бы не слышал...

...Как это ни выглядело невероятным, мотор поиска выловил в Интернете объявления, в которых предлагались услуги киллера «по разумным ценам и надежно». С указанием электронных адресов.

В электронной переписке следов писем, направленных по этим адресам, не оказалось — понятно, их стерли. Но случайно затерялось и оказалось неуничтоженным одно письмо-ответ, гласившее: «5 тыс.».

Надо думать, это стоимость заказного убийства...

Кис с трудом верил в такую удачу. Или, скорее, в такую невероятную простоту: нужен киллер? Вперед, в Интернет!

— Кис, а это не лажа? — подал голос Ванька. — Неужто вот так вот можно найти киллера?

— А как их, по-твоему, находят, Ванек? Ну, представь на минутку, что ты недоучившийся студент по фамилии Раскольников. И тебе очень надо убить непочтенную старушку, которая занималась тем, чем ныне занимаются почтенные ломбарды. Но ты *новый* Раскольников, живущий более века спустя от прообраза... Неужто топор в руки? Фи, в наше время это неизящное решение! И что ты пойдешь делать, студент? Спрашивать приятслей: мужики, у вас нет, случаем, знакомого киллера? А, Ванек, пойдешь? Нет, конечно. И куда же ты пойдешь, образованный ты мой, коль скоро знакомого киллера совершенно случайно не водится среди твоих друзей? Ну, конечно же, дитя двадцать первого века, ты пойдешь в Интернет! Может, даже не надеясь на удачу... А она вот взяла да выплыла тебе в руки! В мировой паутине можно словить любое дерьмо... Было бы желание. Вот и все.

— Во, блин! Рассказать кому — так не поверят!

— А ты и не рассказывай, Ваня, — ласково ответил Кис. — Зачем делиться с народом подобной информацией? Глядишь, и невзначай еще один новый Раскольников образуется... Не бери греха на душу, не всякое просвещение во благо...

Алексей с трудом устоял перед соблазном забрать компьютер с собой. Нет, так не годится. Их ночную незаконную вылазку адвокаты убийцы непременно используют для его защиты... У него есть время подумать до завтра, как все устроить.

На радостях аппетит разыгрался так, что уже никакой мочи не было терпеть. Ваня переслал на всякий случай все ссылки и документы на домашний компьютер Алексея, и они покинули темный офис.

...Влад обрадовался их появлению, словно они были членами одной семьи. Они с Дурехой, то есть Магдой, суетились в прихожей, и Влад разве что хвостом не вилял заодно.

«Ничей человек», — вспомнил Кис. Плохо быть ничьим. Вот Кис, к примеру, Сашкин.

318 И Ванькин. Он никогда не думал, что это так много!

Влад, оказывается, так и не поел: их ждал. Они втроем весело набросились на еду, и Кис снова вспомнил: *разделить трапезу*... Да, вот так живешь и не подозреваешь, какой ты счастливый человек: у тебя есть с кем разделить трапезу...

Еда и недосып сделали свое дело: мозги отказывались работать, фатально клонило в сон. Кис отправил всех спать и сам прилег, заведя будильник, чтобы проснуться через два часа: надлежало подумать.

...Два часа пролетели отвратительно быстро. Душ, кофе, капля коньяку, пепельница. Вперед, мозги, на абордаж! Где Митя надыбал «лишние» бриллианты?..

В разговоре Влад обронил, между прочим, фразу о том, что Митя ему как-то предлагал перейти на торговлю фальшивыми алмазами. А Влад категорически отказался.

Кис пошел, растряс Влада.

— Митя говорил тебе о синтетических алмазах? Кто их производит, где, помнишь?

Влад быстро проснулся.

— Да я слушать не стал... Послал его, и все.

— Ну хоть фразу лишнюю, — взмолился Кис. — Он же пытался тебя убедить, нет? Аргументы приводил?

— Ох ты господи, и зачем только память ко мне вернулась? Раньше меня никто не будил по ночам!

— Влад, пожалуйста, напрягись...

Влад сел на кровати.

— Ща, дай сообразить... Значит, он говорил, что из каких-то низкосортных делают высокосортные... Вроде лаборатория какая-то... Подробнее не помню. Все, Кис, отвали, мне на работу вставать!

Кис оставил Влада в покое. Сел за компьютер, вышел в Интернет, сделал поиск. Спустя два часа он знал все об поддельных алмазах, существовавших на данный момент на рынке. Строго говоря, они не были поддельными: определенным манипуляциям подвергались низкосортные желтые алмазы, которые шли по низкой цене, восемьсот долларов за карат — против пятнадцати тысяч за белые. Умельцы нашли технологию, по которой эти алмазы заново кристаллизовались, приобретая чистоту и прозрачность, а заодно и новую стоимость. Такие алмазы относительно недавно стала производить американская компания «Дженерал электрик» в Соединенных Штатах. Как утверждала компания, они неотличимы от настоящих. Однако Европа приняла вызов, и французские ученые из Нанта нашли способ их отличить при помощи специальной сложной аппаратуры...

Лабораторной аппаратуры, которой, однако, не располагают ювелиры.

В сообщении было упомянуто, что, помимо Соединенных Штатов, большими специалистами по такого рода подделкам являются Россия и Украина. Которые в отличие от американской фирмы вовсе не намерены предупреждать клиентов о фальшивке...

А если Митя решил наладить трафик фальшивок? В этой фирме все на исключительном доверии, как всем уже хорошо известно. Подпись Влада исправно подтверждала передачу партии драгоценных камней, и этой подписи доверяли. Но какие именно камни были в партии? Фальшивки?

Если так, то понятно, отчего Митя никак не запаниковал после «утки» в прессе. Мите атас на шахтах до фени! Потому что его камешки шли не с шахт, а из подпольных лабораторий отечественных кулибиных?!

К утру Кис счел, что у него в руках не версия, а конфетка. Засыпая, он еще пытался подсчитать: если стоимость одного чистого карата равна хорошенькой сумме в пятнадцать тысяч долларов, а себестоимость искусственно очищенного алмаза равна восьмистам долларам (плюс расходы по очистке), то какова же прибыль, которую Митя успел положить в карман за время «амнезии» Влада Филиппова? Даже если он докладывал всего по одному камешку в партию, то он в неделю получал пятнадцать тысяч долларов?! Ну, пусть минус расходы, то-се, пусть даже десять тысяч, — но в неделю! И то, это если бриллиантик отправлялся один. А если пять?

«Ба-а-а-атюшки, — ахнул Кис, — это ж какие деньги!» Понятно теперь, почему Митя потратился на дорогостоящую прослушку и оплату киллеров: коли мерить жизни на доллары, то игра стоила свеч...

Он снова не выспался, но чувствовал себя в отличной форме. Возбуждение, которое в нем вызывала эта головоломка, держало его в хорошем рабочем тонусе. Ванька, охальник, его называл в таких случаях «Кис в сапогах», имея в виду повышенную умственную и физическую активность детектива. Мозги работали на автопилоте, пока

Кис пил свой утренний кофе с молоком, принимал душ, брился...

Влад уже убыл на работу, и в обеденный перерыв Алексей должен был с ним встретиться в одном из ближайших к офису кафе, чтобы услышать все подробности его появления в родном коллективе. Кис велел ему по возможности заметить и пресечь все звонки. Мало ли, вдруг уже новый киллер ждет распоряжений!

Разумеется, любой мог позвонить из туалета или, к примеру, с лестницы. Но на этот случай в общем на этаже туалете уже находилось незаметное прослушивающее устройство, а на лестнице торчал специально экипированный человек. В конце концов, не так уж и плохо, что все в этом мире баш на баш: Алексей милиции версию — милиция ему людей...

— ...И говорю: «Ну, гаврики, соскучились тут без меня? Надеюсь, вы вели себя хорошо, пока я был в отпуске? Митяй, что ты делаешь на директорском месте? А ну брысь!» Ох, видел бы ты, Алеха, как они на меня смотрели! Словно я с того света вернулся!

— Да оно почти так и есть, — ответил Кис. — Давай дальше!

— Ну, велел я Мите рядом присесть и докладывать. «Расскажи-ка, — говорю ему, — почему наш офис переехал? И почему меня не спросились?» ...В ответ Митя растерянно плел что-то о том, что владелец помещения, где они снимали офис, повысил цену, и они сочли неразумным тратить такие деньги... А я, мол, находился в коме, и спросить у меня не было никакой возможности...

«А вы, — как я понял, — теперь все вспомнили, Владилен Владимирович? Память к вам вернулась?» — робко уточнил Митя. «Как видишь! Ты ведь за главного все это время был? Ну, теперь отчитывайся, Митяй...» — ответствовал ему Влад.

— Браво! — сказал Кис. — А двое других, они как отреагировали?

— У меня такое впечатление, что на них на всех напал полный ступор. Вроде как привидение к ним явилось.

— Митя пытался позвонить?

— Да они там все пытались. Распустились без меня! Но я их быстро приструнил: работа есть работа! И никаких посторонних разговоров!

— Что там с Владькиным компьютером?

— Там тоже история интересная. На нем вдруг оказалась прилеплена табличка «Не курить». А под ней все же видно, что зеленый глазок-то засветился! Я им сразу: «Это что еще за дела? Кто тут пользуется посторонним компьютером?!» Митя аж затрясся весь. Но ответил: «Не знаю...» Генка с Сашкой туда же, руками развели. Ну, я компьютер выключил, от всех проводов отсоединил. «У каждого свой пост, — говорю, — с вас хватит! Вы тут порнушку лазаете смотреть, что ли?»

— Молодчина, Влад, — похвалил Кис. — Теперь давай так: ты к вечеру объявишь, что Владькин комп забираешь с собой, домой. Типа того, что на досуге просмотришь, как они там без тебя проказничали. Понял?

— Это ты что ж, хочешь, чтобы ко мне с пистолетом ночью пришли, что ли? Митя же после такого заявления придет убирать меня!

— Вот и хорошо, — серьезно ответил Кис. — Тут-то мы его и сцапаем. Или ты боишься?

— Ты чего, спятил? Да чтоб ты знал, я никого не боюсь! А уж Митька, так тот и вовсе тряпка. Как он только отважился на такое дело, не пойму...

— Возможно, вечером я тебе объясню, — загадочно ответил Кис. — Значит, ты сегодня к себе домой, с компьютером. Слови такси. А я к тебе потом подъеду. До вечера тогда, Влад!

До вечера Алексей успел сделать множество дел. Он переговорил со следователем, который вел дело о покушениях на Людмилу Филипченко, и в очередной раз выгадал свой «баш на баш».

Он переговорил с Артемом и попросил его на всякий случай быть в эту ночь рядом с Люлей. Он переговорил с Люлей и попросил ее набросать портрет водителя машины, которая дважды пыталась ее сбить, — если она хоть немного запомнила его лицо.

— Немного запомнила, — ответила Люля. — Сейчас попробую.

— И сразу отфаксуйте мне на номер Влада, хорошо? — попросил Кис.

Люля обещала.

После чего Алексей дал некоторые поручения Ваньке — тот долго ворчал в ответ, ссылаясь на утреннее раннее вставание.

— Выселю с квартиры, — пригрозил Алексей. — Разленился ты у меня, пацан!

Ванька в ответ тяжело вздохнул и смирился с жестокой судьбой, которая ему представлялась исключительно в образе Алексея Кисанова, являвшего собой все враждебные силы мира: он был одновременно его шефом, квартиросдатчиком, старшим товарищем и «двоюродным отцом», как иногда шутил Ванька.

Надо заметить, что авторитет «двоюродного» был в его глазах куда выше, чем родного...

После чего Кис отправился к Владу.

* * *

...Когда Артем позвонил и сказал, что приедет ночью, Люля испугалась. Зачем? Чего он хочет?.. Или он считает... Или он собирается...

Она уже была готова решительно отказаться, но Артем добавил:

— Алексей Кисанов просил меня быть этой ночью начеку. Они собираются взять убийц, но мало ли как повернется...

Ах, вот оно что! Он едет к ней по просьбе детектива!

— Конечно, Артем, приезжай, — сухо сказала она.

Ей стало обидно. Она, конечно, совершенно не хотела, чтобы Артем приезжал к ней для... С какими-то другими намерениями... В смысле, как к женщине... То есть просто так... В общем, она ничего подобного вовсе не хотела.

Но все-таки было обидно.

...Артем был новым. То есть он был абсолютно другим! Новая прическа ему необыкновенно шла — Славкина затея, без сомнения, но дело было не в ней. Он увереннее держал голову, отчего смотрел на Люлю чуть сверху вниз, но дело было тоже не в этом. От этой новой осанки он стал будто еще выше, но дело было тоже не в этом...

Вот что главное: исчезла та пленка, которая

вечно туманила его глаза непроницаемостью и еще черт знает чем, словно их только что вытащили из морозилки, как запотевшую бутыль. Нет, теперь его глаза стали живыми, они прямо сияли какой-то непонятной ей радостью... Радостью жизни, наверное?

«Это Славка, — ревниво подумала она. — Это Славка его разморозил. Может, они уже любовники? Любовь, она согревает», — зло усмехнулась Люля.

— Что стоишь? Заходи.

Она посторонилась. Артем, как ей показалось, окинул ее немного насмешливым взглядом и прошел.

— Как поживаешь, Люля?

Он вдруг взял ее за плечи на расстоянии вытянутых рук, словно отодвинув от себя, и принялся ее рассматривать с видом эксперта.

— Недосыпаешь? Круги под глазами... Слава говорит, что ты очень много работаешь. И еще, что ты гений. Он на меня цепляет куски тканей булавками и говорит, что это все придумала ты. Только я ничего не понял, что именно ты придумала, потому что, кроме тканей и булавок, я ничего не вижу... И еще он заставляет меня все время маршировать взад-вперед. И я хожу, как чучело в булавках... Это очень забавно.

Он улыбался. Люля чуть повела плечами, словно хотела сбросить с себя его руки. Ей не нравилось то, что Артем говорил. Ей не нравилось, как он изменился. Он стал слишком непринужденным, раскованным. Он стал чужим, *общим*. А совсем недавно он был *ее* Артемом. Он жил ее шагами, взглядами, дыханием. Теперь же он стал жить в блестящем мире высокой моды, перспективы ему уже кружат голову, а Славка мастер напеть в уши: «В тебя влюбятся все московские писюхи». А может, и все московские геи... Или все сразу...

— Тебе надо перебираться в город, Люля, — заявил Артем, отпуская ее плечи. — Ты здесь сидишь дикаркой и никого не видишь. Если сегодня все пройдет так, как задумано, то тебе уже совсем нечего будет бояться...

Надо же, он теперь ее учит жить! Если ему понравилось жить в толпе, то Люля никогда этого не любила! Она даже в тесном мире блесток жила обособленно, она в их мире оградила свою, неприкосновенную нишу, в котором творчество было прочно отделено от мишуры. Если Артему нравится все это — его дело, но учить себя она не позволит!

— Дядя! — донеслось из коридора. Дениска вышел из душа. — Во классно, что ты приехал! А я уже спать собирался... Детектив сказал, что можно больше по ночам не дежурить, так я последние дни и не дежурю...

Артем метнул взгляд на Люлю. Немой гневный вопрос расшифровывался примерно следующим образом: «Это ты парню напела от имени детектива? Пожалела мальчишку?»

В ответ Люля только слегка пожала плечами и отвернулась.

Они неловко стояли посреди комнаты. Артем потерял права обитателя дома и теперь был в нем гостем, а Люля потерялась между ролями опекаемой клиентки и хозяйки дома...

И еще однажды, когда-то очень давно, в другой жизни, которая была две недели назад, они вместе потерялись в сияющем луна-парке. А сегодня, спустя две недели, они потеряли друг друга.

В общем, сплошные потери.

Люля вздрогнула, вспомнив ту ночь.

— Ужинать будешь, Артем? — будничным голосом спросила она.

— Буду! — весело отозвался он.

Они с Дениской уже поужинали, и Люля разогрела еду для Артема. Себе налила чаю. Дениска посидел с ними немного, позевывая, и ушел спать.

— Как тут мой племянник? — спросил Артем.

— Нормально, — ответила Люля.

Артем совсем не так представлял себе эту встречу. Он, конечно, не думал, что Люля бросится ему на шею, но все-таки ждал, что обрадуется. Хоть немного... Но она сидела с отстраненным видом, даже неприязненным, пожалуй. С трудом верилось, что они каких-то две недели назад провели вместе ослепительную ночь... Наверное, как говорится в старом анекдоте, это еще не повод для знакомства?

— Тебе идет новая прическа, — сообщила Люля.

«Я ее сделал для тебя, Люля», — этого Артем не сказал.

— И вообще, я нахожу, что общение со Славой тебе идет на пользу. Ты изменился... В лучшую сторону.

«Я это сделал для тебя, Люля», — и этого Артем не сказал.

Он помнил, как в *ту ночь* он пообещал себе, что для нее наденет даже фрак. И самым непредсказуемым образом это случилось! На него уже чего только не надевали: и фрак, и мундир, и еще какие-то странные вещи, названия которым он не знал... Поначалу он чувствовал себя клоуном. Но удивительно быстро чувство легкой иронии по отношению к происходящему дало ему возможность естественно воспринимать самого себя в этой роли. И даже в любой другой роли... Ирония, вдруг понял он, — вот чего ему не хватало всегда!

Он не сумел бы это объяснить, но ирония, точнее *самоирония*, создала как бы некоторую дистанцию по отношению ко всему, воздух, легкость... И с этим стало намного радостнее жить. Увлекательней.

Он был невероятно благодарен Славке: эта самоирония пришла от него. Нет, Славка не учил его и не философствовал — Славка его просто заразил этим воздушным отношением к жизни. И Артем понял, что он стал ближе к Люле. Как и почему — не знал, но так он чувствовал.

А она вот теперь сидит напротив него, хмурая и чужая. Наверное, жалеет о проведенной с ним ночи. И стыдится, быть может...

Он так и не придумал, что сказать. Он поднялся.

— Спасибо за ужин. Пойду я на пост.

И, кивнув, он вышел из кухни.

Вышел чужой, как в самые первые дни... Слезы навернулись на глаза. Люля тихо всхлипнула. Что-то неправильное происходило, но она не могла понять, что именно. Только больно было от этой неправильности, больно...

— Извини, я телефон оставил на столе!

Артем вернулся на кухню, взял свой мобильный, мельком, но внимательно глянул на Люлю и снова ушел.

Она утерла слезы, налила себе вина и подошла с бокалом к окну. Артем велел выключить в доме свет, и в темное окно хорошо было видно, как две пятнистые кошки сходились и расходились в ритуальном танце. Вернее, кот и кошка: весна, любовь, черт побери...

Потом она снова налила себе вина и пила его маленькими глотками, пытаясь понять, что именно у них неправильно и как с этим бороться.

Потом она поняла, что именно неправильно: это было для Артема всего лишь увлечение. Их близость в одном доме, мужчине в таких ситуациях трудно устоять... Но Артем ее не любит.

И бороться с этим невозможно.

Люля налила третий бокал.

Артем поначалу испугался, увидев Люлю, упавшую головой на стол. Но очень быстро все встало на свои места: недопитый бокал вина стоял перед ней. Она совершенно не умела пить, и алкоголь даже в слабых дозах смаривал ее очень быстро. Он склонился к ней, провел по волосам:

— Люля? Люля, давай я отведу тебя в спальню?

Она его не слышала: спала крепко. Под его рукой резинка, стягивавшая ее волосы в хвост, соскочила, и волосы рассыпались, выпустив из своей сердцевины легкий запах духов...

На секунду им овладело безумное желание ее раздеть, сонную, прямо здесь, прямо сейчас, на этом столе!

Он в панике отступил назад, пока не уперся ягодицами в край тумбочки. Сплел руки на груди, стараясь прогнать волну возбуждения. Ее лицо было повернуто к нему, щекой она упиралась в свою руку, положенную на стол, отчего рот ее соблазнительно и в то же время по-детски приоткрылся.

Артем резко повернулся и вышел из кухни.

330 И почти тут же зазвонил его мобильный: детектив спрашивал, что у них происходит.

А у них ничего не происходило. Он любил ее, отчаянно любил, но разве же это происшествие, о котором пишут в газетах?..

* * *

— Все должно быть как обычно, — сказал Кис. — Раньше ночи никто не придет, не дергайся.

— Я и не дергаюсь, — оскорбился Влад.

Все и было как обычно: Влад приготовил вкусный ужин (баранья нога под грибным соусом), потом они поговорили за жизнь, потом Влад потянулся за водкой. Вот это было не как обычно: Кис резко пресек его жест.

— Не сегодня.

— Да я чуточку!

— Нисколько, Влад. Если они придут, то придется реагировать быстро и по ситуации.

— Они придут, чтобы меня убить?

— Скорей всего... И забрать компьютер — или просто уничтожить на нем все файлы.

— А ты говорил, что без меня им никуда. Что им нужен мой отпечаток и подпись. А теперь говоришь: убить!

— Ситуация изменилась, Влад. У них теперь земля под ногами горит. Они ведь знают, что можно найти во Владькином компьютере. Запахло арестом, запахло тюрьмой, а тут уже не до перспектив в бизнесе, тут свою шкуру спасать надо!

— А, собственно, кто «они»? Наемные убийцы? Новые?

— Сомневаюсь... Так называемых «киллеров» нашли через Интернет, контора «Рога и копыта», непрофессионалы, решившие нажиться на убийствах... После того как Артем их устранил, контора и закрылась. Я послал туда письмо, мне пришел ответ, что почтовый ящик переполнен. Население нашей необъятной страны весьма живо заинтересовалось «услугами киллеров», похоже. Но письма по этому адресу больше никто не получает. Стало быть, контора больше не функционирует. Уверен, что их всего двое и было. Один убит, второй сидит в кутузке.

— А кто же тогда? Митька, сука, кого-то на подмогу нашел?

— Нет, Влад... Скажи-ка мне, Митя в информатике силен?

— У меня все сильны. Я людей нанимал, чтобы без нянек обходиться. Мне лишний человек, лишние глаза и уши совершенно ни к чему.

— И лишнюю зарплату платить?

— На лишнюю зарплату я Владьку взял. Он и впрямь был полезен, мои гаврики время не теряли на всякие поломки-недоразумения... Компьютеры, особенно в Сети, это такая вещь, знаешь. Вечно что-нибудь не фурычит. Владька всю эту фигню взял на себя. Но, с другой стороны, я хотел, чтобы Владька перестал болтаться, как кое-что кое-где. Чтоб остепенился. Он неугомонный был, Владька. Вечно куда-то его заносило, в какие-то приключения. И даже когда у меня стал работать, все равно сладу с ним не было: на бирже играть вздумал, акциями какими-то баловался...

И Влад снова потянулся за водкой.

— Нет, — сказал Кис. — Не сегодня, Влад.

— Иди ты...

Влад двинул детектива по руке.

— Я только одну. Ты такое можешь понять: я лучшего друга убил! Можешь ты такое понять?!

332

— Надо еще проверить, надо будет доказать, но не думаю.

— Чего ты не думаешь?

— Твою автокатастрофу подстроили, Влад...

— Кто?!

— Скажи-ка, Митя хороший руководитель?

— Ты чего мне зубы заговариваешь? Я тебя спросил: кто?!

— Влад, сегодня вопросы задаю я!

Влад тяжело уставился на него покрасневшими глазами. Похоже, он размышлял, не дать ли детективу в зубы.

— Я додумываю мысль... — примирительно произнес Алексей. — С прошлой ночи, когда мы обнаружили Владькин комп, я мало спал и много думал. Еще надо увязать последние детальки. Ты мне ответь, а я тебе, обещаю, все выложу потом. Как на духу.

— Хреновый. Митька — хреновый руководитель. Все? Тогда говори: кто?!

— Ты помнишь, я тебя ночью разбудил? И про искусственные алмазы расспрашивал?

— Ну!

— Так вот, Влад... Я теперь не думаю, что это Митя. Я жду звонка от Люли, и если мое предположение подтвердится, то...

Зазвонил телефон. Влад снял трубку.

— Факс, — удивленно проговорил он.

— Ну, так принимай!

Листок бумаги медленно выполз из щели аппарата. Влад взял в руки, подвинулся к лампе.

— Кто это? — с изумлением спросил он.

— А на кого похож?

— На Сашку немного похож... От кого факс?

«Владислав Филипченко», — прочитал он наверху страницы.

Пальцы его непроизвольно разжались, и лист бумаги, петляя, полетел вниз.

Влад цветом лица сделался как этот лист.

— Это не привидение, — заверил его Алексей. — Это Люля прислала. Видимо, в факсе остались координаты Владьки... Так ты говоришь, на Сашу похож?

Влад медленно приходил в себя. Он подобрал с ковра листок почти со священным трепетом. Снова посмотрел, покрутил в руках.

— Ну. И что это все значит?

— А то, Влад, что за всеми этими делами не Митя стоит. А Саша и Гена. Кто имел возможность подменить настоящие алмазы искусственно очищенными? Только тот, кто имел непосредственный доступ к камням перед самой их отправкой, то есть контролер! Иными словами, Гена. Он брал их в руки, рассматривал, проверял как бы. И незаметно подменивал. И об этом не знал никто. Ни твои здешние партнеры, ни Питер. На подобное никто бы из всей вашей цепочки не пошел: одно дело соблазнить сообщника левыми бриллиантами, и совсем другое дело — всучить фальшивки... Да Питер бы первый «сдал» их всем инстанциям, своим и российским! Следовательно, сообщника у них не было. Из чего вытекает, что именно Саша сводил финансы так, чтобы комар носа не подточил.

— Погоди... Это ж Митя ко мне подъезжал с предложением!

— Я тебя не случайно спросил, каков Митя руководитель. Плохой, сказал ты. А что такое плохой руководитель, Влад? Это тот, кто не умеет

334 принимать самостоятельных решений! Тем не менее Митя был к тебе ближе, чем Гена и Саша. И потому эта парочка сунулась к Мите с просьбой уговорить тебя... Ты отказал, Митя им передал и об этом забыл. А эти двое гавриков нашли способ тебя обойти.

— Да откуда же ты знаешь?

— Влад, а ты Митю спросил, откуда идет предложение? Держу пари, что нет! Ты разорался, послал сразу же на... Не так?

— Ну так... А офис кто сменил? Митька! Он взял на себя функции директора! И к врачу подъехал тоже он, с моим фальшивым пропуском, — ты же сам так сказал! И фотки принес не мои!

— Влад, успокойся. С Митей я пока не говорил, придется подождать до завтра, но я уверен, что все происходило примерно следующим образом: Митя сменил офис потому, что владелец здания поднял цену. А владельцу за это заявление заплатили Гена с Сашей. Далее: Митя ощутил себя начальником и стал с наслаждением распоряжаться. И послал кого-то из подчиненных в больницу передать документы... Ты бы точно так поступил, верно? Сам бы не поехал, не барское это дело, а отправил бы того же Митю... Вот и Митя тебе подражал: отправил туда Сашу или Гену. Они же и врача твоего подкупили, когда еще ты в коме был. А потом Мите было сказано, что пациент желает называть себя *Владиславом Сергеевичем*! И врач настоятельно рекомендовал больному, то есть тебе, не перечить. Послушный Митя выполнил просьбу лечащего врача. Который «лечил» тебя по заказу этой парочки, Гены и Саши... По той же схеме фотографии: кто ездил за ними на твою квартиру? Те же Гена или Саша, по распоряжению временного директора Мити. И таким образом они приобрели ключики от твоей квартиры... Для того, чтобы напихать ее микрофонами.

— Алеха, я потерял нить, извини. Почему Гена?

— Потому что он единственный имел доступ к товару «живьем» как контролер, специалист по камням. И потому единственный мог произвести подмену.

— Хорошо. А почему Сашка?

— Потому что он был финансистом, а без него Гена в одиночку не сумел бы получить деньги за фальшивки. И потому что Люля «нарисовала» его за рулем машины, которая пыталась ее сбить. Это два первых покушения на нее. Выходы в Интернет с Владькиного компьютера на поиски киллера датируются десятью днями позже. Иными словами, они сначала пытались устранить ее сами. У них не получилось — они стали искать профессионала. Тех, кого они нашли, профессионалами не назовешь. Тем не менее заказ был сделан. Сначала на Люлю и на Вову, а потом, в силу твоей неожиданной инициативы, на Женю и Леву. Им удалось все, кроме Люли: ее спасло везение и Артем, ее телохранитель.

— Ты сказал: мне автокатастрофу подстроили. Объясни!

— Слишком уж стройно все сложилось, Влад. Можно, конечно, предположить, что они ею просто воспользовались и, пока ты был в коме, разработали план: как тебе память отшибить, от дел тебя устранить, но при этом сохранить твою подпись и отпечаток. Однако вспомни: ты через Митю отказался даже слушать о подмене алмазов.

Татьяна Гармаш-Роффе

336 Логично предположить, что они сразу стали думать, как тебя обойти. И в таком случае твоя автокатастрофа была первым этапом.

— Но я же мог и сам в ней убиться! И что тогда?

— Шофер грузовика кается, что никого не хотел убивать, и клянет себя, что выпил лишнего. Скорее всего, так оно и было. С небольшой разницей: ему заплатили за то, чтобы он твою машину *стукнул*. А он для храбрости принял и не рассчитал траекторию. Так что кается он вполне искренне... Саше же с Геной нужно было только одно: чтобы ты попал в руки к врачу, к Валерию Валерьевичу. Надо думать, что его они обработали заранее. Если мы завтра спросим у Мити, кто посоветовал клинику, в которую тебя забрали из Склифа, то уверен, что ответом будет «Гена» или «Саша»... А доказательства мы подсоберем, как только их возьмем. Врачей расколем быстро: твои таблетки уже изъяли, так что профессоришке твоему крышка: это он тебе их дал! На работу хирурга найдем эксперта, который легко докажет, что твоя внешность была намеренно приближена к другому человеку. Он же в ловушке сидит, хирург: если будет утверждать, что восстановил тебя по твоим снимкам, то результат налицо, ты на себя не похож. А если будет утверждать, что ему подсунули чужой снимок, так опять мимо: он должен был это увидеть...

— И сейчас эти гниды сюда вдвоем придут?

— Скорей всего. Они же теперь повязаны кровью. Они не могут оставить этот комп в твоем распоряжении. И они не рискнут оставить тебя в живых. А киллеров у них больше нет. Значит, явятся вдвоем. Если не струсят, конечно...

В два часа Алексей стал немного нервничать. Ожидание изводило его, клонило в сон. Влад прикорнул одетым на диване, но Кис себе такой роскоши позволить не мог. Он позвонил Артему на мобильник: у них все тихо.

Вероятность, что Гена с Сашей разделятся, и один поедет к Люле, а другой к Владу, была невысока. Даже если они уверены, что Артема больше в доме Люли нет, даже если они не догадываются, что у Влада их поджидает детектив, то все равно не рискнут. С Владом им, непрофессионалам, можно справиться только вдвоем, он ведь здоровый, как мамонт...

Кис совершенно не представлял, как собираются действовать убийцы. Попытаются тихо открыть дверь, ведь у них есть ключи? Наоборот, задумали позвонить в дверь и выстрелить, как только Влад откроет? Раздобыли пистолет с глушителем? А потом вынесут тело, чтобы спрятать в каком-нибудь лесу... И, конечно же, в компьютере все сотрут...

В три часа позвонил Ванька.

— Он вышел. В руках большая сумка. Идет к машине... Все, завелся! Что теперь, Кис?

— Теперь дуй домой.

— Может, мне к вам приехать?

— Тебе же рано вставать, кажись? Вот и отправляйся спать. Часика три еще успеешь придавить.

— А может, мне...

— Ванька, тебе чего сказали?! Спокойной ночи, малыши. Спасибо за миссию, орден выдам завтра.

Кис разъединился и пошел будить Влада: «Они едут!»

* * *

Артем сделал еще один круг по дому и вернулся на кухню. Люля по-прежнему спала, щекой на столе. На этот раз он решительно затормошил ее:

— Люля, не дело это, спать за столом! Давай-ка в кровать!

Она подняла голову, сонно посмотрела на него и обхватила его за талию обеими руками, прижавшись щекой к его животу.

Прошло минут пять. Артем боялся пошевелиться. Кажется, Люля вознамерилась досыпать у него на животе... Он решительно не знал, что делать и как понимать этот жест, и потому стоял столбом.

Неожиданно в коридоре зашлепали босые ноги, и через несколько секунд на кухне появился сонный Дениска. Оторопело встал на пороге.

— Тсс, — сказал Артем, которому вдруг стало до чертиков смешно: представил, как смотрит на их скульптурную группу племяш. — Она спит!

Дениска понимающе кивнул: обычное, мол, дело, женщины всегда спят, сидя на стуле, упершись щекой в живот стоящего рядом мужчины, эка невидаль...

— Я только попить, дядя, — прошептал он, едва дрогнув губами в непроизвольной улыбке.

Он открыл холодильник, достал бутыль с водой, налил себе в стакан и принялся пить, кося глазом на «скульптурную группу». Артем ему подмигнул.

— Надеюсь, что ты не все ночи проводишь по стойке «смирно», — шепнул Дениска и, хихикнув, убрался восвояси.

Выждав, пока затихнут его босые шлепки, Артем расцепил Люлины руки, замкнутые на его пояснице, подхватил ее со стула и понес наверх, в спальню. Положил на кровать. Ее широкая рубаха — Люля носила дома широкие штаны, больше похожие на длинную юбку, и просторную блузу-размахайку — расстегнулась до середины живота. Виднелась белая полоска лифчика...

Артем колебался еще секунду. Он был уверен, что она не спит, уже не спит. И он дотронулся до оставшихся застегнутыми пуговиц.

Люля открыла глаза. Артем посмотрел на нее и невозмутимо продолжал расстегивать пуговки. Она не шелохнулась. Ничего не сказала. Только молча глазела на него в темноте. Она тоже что-то решала.

Когда он приподнял ее за спину, чтобы стащить рубаху, она молча и послушно последовала движению его рук.

Когда он сдернул ее широкие брюки на резинке, она молча и серьезно созерцала его жесты.

Когда он поцеловал ее в теплый, нежный живот, она не шелохнулась.

— Я пошел делать обход, — сказал Артем, оторвавшись от ее тела. И укрыл ее одеялом.

Он вернулся через пятнадцать минут. Люля лежала в той же позе, на спине, глядя широко раскрытыми глазами в потолок, словно кукла, уложенная хозяйкой спать.

Артем тихо усмехнулся. Люля скосила на него глаза. Он не знал, о чем она думает, но зато понял, что с ней происходит. Она не была чужой, нет, она была все той же девочкой, с которой они заблудились среди ослепительных аттракционов луна-парка, но она боялась. Не его, Артема, — себя. Боялась предать своего Владьку...

Он приблизился. Осторожно откинул одеяло.

— Тебе стоит только сказать «нет», и я уйду, — прошептал он, касаясь губами ее кожи.

Кожа покрылась мурашками от его прикосновения. Артем продвигался дорожкой поцелуев все выше, добрался до ее шеи. Потянув легонько за волосы, вынудил ее запрокинуть голову и стал целовать нежное горло, вызвав новую волну мурашек на ее коже...

Но она не сказала «нет». Она просто молчала и не шевелилась, смешная девочка, застрявшая между «да» и «нет».

Когда он услышал ее первый прерывистый вздох, он снова встал и ушел делать обход. Он, конечно, не нарочно оставлял ее — он просто не мог покинуть свой пост. Но из этого выходила сама по себе игра, непроизвольно, и она веселила Артема. В ней было что-то то, что он понял за последнее время у Славы Мошковского. Иронии, которой он научился (или открыл ее в себе?), давала некоторую дистанцию по отношению к вещам, а ведь дистанция позволяет увидеть вещи получше! И теперь, не воспринимая с абсолютным серьезом поведение Люли, он сумел понять и ее маленькую игру, разглядеть ее желание и страхи...

Он вдруг вспомнил, как пару часов назад он думал фразой из анекдота: «Это еще не повод для знакомства». И ему сделалось смешно. Конечно же, повод! У нормальных людей, по крайней мере, это очень даже хороший повод для знакомства!

К ней в спальню он вернулся с абсолютной уверенностью, что он понял все. И он знал, как себя с ней вести, потому что он точно знал, что он нужен ей, а она нужна ему. Главное, что об этом необходимо срочно сказать друг другу. Срочно, прямо сейчас!

Называлось ли это словом «любовь» или каким иным словом, без разницы. Свои чувства Артем, пожалуй, осмелился бы так назвать, ее — пожалуй, нет. Но при этом он Люле точно нужен, хотя бы для того, чтобы спать на его животе...

Артем улыбнулся. Сказать бы такое кому — кто это поймет? А меж тем это было очень важным обстоятельством. Артем был ее убежищем. Она в убежище нуждалась — он нуждался им быть. Ну и все, чего тут еще рассуждать? Потом они могут ждать, долго и обстоятельно решать, как жить и как быть, как устроить и устроиться. Они разные, очень разные, и все будет непросто... Но это потом. Сейчас же у них есть «повод для знакомства», и нужно немедленно им воспользоваться.

Чтобы уже познакомиться, наконец!

Без лишних слов он поцеловал ее в губы — они едва дрогнули в ответ, но Артем только довольно улыбнулся.

Без лишних слов он вывернулся из своей рубашки и прижал ее к себе, ощущая ее прохладную грудь на своей горячей коже.

Без лишних слов он ласкал ее, то прижимая целиком к себе, то отодвигаясь для поцелуя, чувствуя, как в прошлый раз, как наливается жизнью это хрупкое тело, которое он крепко держал в руках...

И он снова ушел. Ушел тогда, когда уже было невозможно уйти, невозможно оторваться, когда Люля уже кусала губы, а он был готов искусать ее...

Но — надо было. И он, совладав с одуряющей

волной возбуждения, пошел снова осматривать окна и двери. Зная, что Люля его ждет. И что она не скажет «нет». И это его радовало, придавало ему уверенности в себе, в ней, в завтрашнем дне... Он жил! Он больше не пребывал на перманентном излечении от прошлых ран — они исчезли, затянулись. Он вышел из больницы своих воспоминаний. Он жил.

И Люля, она тоже должна это сделать. Позволить затянуться ранам прошлого и перестать проводить время в их зализывании. Надо жить. И осмелиться быть счастливой!

Когда он вернулся, Люля сидела на кровати, сложив ноги по-турецки, и смотрела на дверь. Красивая и нагая.

Увидев Артема, она протянула к нему руки. Она не сказала ни слова, она не сказала «нет», она не сказала «да» — они просто упали друг в друга, и снова пропали друг в друге, и снова играла музыка, крутилась карусель и взлетали качели, и они, держась за руки, пробирались, изумленные и пьяные от ощущений, по извилистым лабиринтам луна-парка...

Когда Артем уходил в следующий раз, Люля рассмеялась.

— Как будто игра какая-то, правда?

— Правда, — ответил Артем.

Он никогда не был так счастлив.

На этот раз, вернувшись, он застал Люлю у темного окна. Он подошел и обнял ее сзади, прижался к прохладным ягодицам.

— Я поначалу думал, что та, прошлая ночь — это «не повод для знакомства», — улыбнулс, он ей в затылок. — Но теперь я думаю, что повод. Давай будем знакомиться, Люля?

Он поцеловал ее в шею.

Люля обернулась, изумленная.

— Как ты сказал?!

— Я сказал: давай знакомиться! — пожал он плечами. — У нас для этого есть отличный повод!

И Артем, смеясь, одним броском уложил ее на спину на кровать, раскинул ее руки по сторонам, прижав их к постели своими.

Люля вдруг замерла, вглядываясь в темноте в лицо Артема, возвышавшееся над ней. Ей показалось, быть может... И в этом виновата темнота... Но в его глазах дурачились *чертики*!

— Меня, к примеру, зовут Артем, — продолжал он весело, не понимая, к чему отнести ее изумление. — И чтобы сразу тебе все рассказать обо мне, я холост. Я, конечно, не Принц, но хорошо зарабатываю. И я люблю тебя. Так что моя рука, мой кошелек и мое сердце к твоим услугам. Можешь даже замуж за меня выйти, если очень захочется...

Артем на мгновенье умолк, почувствовав ее удивление. Конечно, он и сам себя не узнавал: еще каких-то пару недель назад он ни за что бы не осмелился выдать подобную тираду! Но он хотел измениться, он хотел стать новым — и он стал... Это оказалось до потрясения просто. Словно знающие люди ему показали кратчайший путь к метро, который он быстро освоил.

Секрет же был в отсутствии страха *высказаться*, перед возможностью отказа собеседника. Артем с ним неожиданно совладал, с этим страхом. «Зачем заранее отказывать самому себе? — решил он. — Предоставь другому сделать эту работу!

Типа, с больной головы на здоровую», — улыбнулся своим мыслям Артем.

Но ему мешало удивление Люли. Он немного напрягся: он что-то сказал не так?

Отступать, однако, было поздно.

— Строго говоря, — продолжил он, — теперь твоя очередь знакомиться. И, по справедливости, надо тебе предоставить слово. Но я сегодня ужасно несправедлив, потому что мне очень хочется поцеловать тебя, — договаривал он, приближаясь к ее губам, — а вряд ли ты сможешь рассказать что-нибудь путное, когда твои губы заняты...

Когда он оторвался от ее губ, когда он оторвался от ее тела, предстоял очередной обход, он проворчал: «Стрессовые условия, прямо скажем!» И поцеловал ее в щеки. И тут ощутил их соленый вкус.

— Что-то не так, маленькая? — Артем застегнул джинсы на голое тело и присел на край кровати.

Она не ответила. Он вгляделся: ну точно, у нее на глазах поблескивали слезы. Артем протянул руку, погладил ее по щеке. Люля схватила его ладонь двумя руками, поднесла к губам.

— Все так, — прошептала она. — Иди, не волнуйся. Ты даже не представляешь, до какой степени *все так!*

* * *

Примерно полчаса спустя Алексей услышал подозрительный шорох на лестничной площадке. Крадучись, он вышел в прихожую, прислушался: кто-то возился за дверью, словно скребся.

Кис растормошил Влада, заснувшего на диване, а сам снова бесшумно выполз в коридор. Осторожно припал к дверному «глазку».

На лестничной площадке стоял... Ванька!

— Ну ты даешь, — сказал Кис, отпирая дверь. — Ты зачем сюда приперся?

— На подмогу, — буркнул Ванька. — Вдруг вас тут убивают?

— Ага, а ты как раз служба спасения, — съехидничал Кис, пропуская Ваньку в прихожую.

Выполз из комнаты сонный Влад и, увидев, что явился не кто иной, как Ваня, немедленно уполз обратно на диван.

— На чем ты доехал?

— Тачку словил.

— А их до сих пор нет... Ты точно видел, что Гена свою машину завел?

— Точнехонько.

— Ладно, Ванек, топай домой. Спасибо за службу.

— Нет, — заупрямился Ванька. — Я их дождусь!

— Бессмысленно, Ваня. Они должны были быть уже здесь. И раз их нет...

Кис умолк.

— Раз их нет, то что? — потребовал объяснений Ваня.

— То я ошибся в расчетах. Иди спать. Они вряд ли придут.

Ваня посидел немного с Алексеем на кухне и все-таки ушел. Влад спал, Кис ждал.

Он позвонил Артему, прекрасно понимая, что если бы что-то произошло у Люли, то Артем уже бы и сам отзвонил.

— Тихо, у нас тихо, — сказал Артем, почему-то запыхавшись.

Он там отжимается по ночам, что ли?!

346 Алексей прождал до пяти утра, напряженно вслушиваясь в жизнь подъезда. А в пять зазвонил его мобильный.

— Кисанов? Павлов беспокоит.

Павлов — это один из оперов, с которым детектив делился информацией и договаривался «баш на баш».

— Все, Кисанов, отбой. Мы их взяли в аэропорту, Гену и Сашу. Они пытались улететь с первым рейсом на Кипр. Приходите завтра с Филипповым, нужны ваши показания.

Кис едва не взвыл от возмущения. Сбежали, подлецы, собаки, трусы! Лишили детектива эффектного жеста и лаврового венка, гады, сволочи!..

— Да ладно тебе, — утешал его Влад, когда, растолканный Алексеем, он врубился, что к чему. — Чего ты как маленький: не дали поиграться! Взяли их, так и слава богу. Все равно ведь на твоих мозгах выехали! Ты это знаешь, я это знаю — чего тебе еще? Пойдем лучше водовки выпьем: надо же такое событие отметить! А завтра забуримся в ресторан — отпразднуем! Я приглашаю.

— А все-таки паскуды, — ворчал Кис, плетясь за Владом на кухню. — Хоть бы предупредили! Так нет же, я тут, как ежик, торчу у твоих дверей, а они их гонят в аэропорт! И ни одна собака не додумалась мне позвонить и сказать, что два этих труса решили смыться! Это называется «баш на баш»? Свинство-хамство это называется, вот как!

Влад разливал ледяную водку по стопкам, пока Алексей звонил Артему и давал отбой.

— Я тебе к завтрему самолично лавровый венок сплету, — сказал Влад, поднимая свою стопку. — И гонорар в придачу выплачу, равный тому, что Люлька тебе обещала! Ты, главное, приходи ко мне, не забывай, будь другом!

Зазвонил мобильный Алексея. Люля долго и нежно благодарила его «за все, за все, за все».

— Это Люлька? — спросил Влад. — Скажи ей, что завтра ужинаем вместе! Празднуем победу над сучарами!

— Ты, говоришь, приглашаешь? — спросил Кис, закрывая телефон.

— А то!

— Тогда учти: я приду с Александрой. Ты ей должен: она меня за последние полтора месяца считаные вечера видела! И не исключено, что Люля придет с Артемом.

— Это что еще за Артем?!

— Телохранитель. И друг, как я понимаю.

— Во бабы! Едва Владьку похоронила...

— Влад, не лезь в чужие койки! Это не твое собачье дело, понял?

— Да я что... — быстро сдался Влад. — Пусть приходит с кем захочет...

— Погляди: Владьки нет, а ты себе ищешь нового друга. Тебе надобно «разделить трапезу» — хреново жрать одному-то! А она — женщина! Она восемь раз прощалась с жизнью за последние два месяца! Ты на минуточку можешь представить, что это такое?

— Да чего ты так завелся!

— Ненавижу, когда лезут со своими убогими суждениями в чужие дела!

— Экий ты чувствительный... — усмехнулся Влад.

Кис помолчал, разглядывая его.

— Да, — произнес он крайне сухо через некоторое время. — Чувствительный. Что означает,

348 что я способен представить, что чувствуют другие люди. Поэтому, к слову, столько трапез с тобой и разделил. А если бы я не был чувствительным, как ты выразился, то давно бы послал тебя к такой-то матери. И хавал бы ты в одиночку, и вешался бы сколько влезет!

Влад смутился. Он смешно, по-собачьи, отвел глаза в сторону и принялся изучать что-то на полу...

Алексей молчал. Он ждал. Он хотел увидеть, каким окажется этот новый Владилен Филиппов с вернувшейся памятью...

Наконец Влад посмотрел на него.

— Слышь... Я понимаю. Плохо быть *ничьим*, Алеха... Давай дернем, а?

Литературно-художественное издание

Татьяна Гармаш-Роффе

АНГЕЛ-ТЕЛОХРАНИТЕЛЬ

Издано в авторской редакции
Ответственный редактор *О. Рубис*
Художественный редактор *С. Груздев*
Технический редактор *О. Куликова*
Компьютерная верстка *Р. Куликов*
Корректор *Г. Титова*

ООО «Издательство «Эксмо»
127299, Москва, ул. Клары Цеткин, д. 18/5. Тел. 411-68-86, 956-39-21.
Home page: **www.eksmo.ru**   E-mail: **info@eksmo.ru**

Подписано в печать 24.01.2008.
Формат 84×108 $^1/_{32}$. Гарнитура «Таймс».
Печать офсетная. Бумага тип. Усл. печ. л. 18,48.
Тираж 5000 экз. Заказ № 2168.

Отпечатано с готовых диапозитивов
в ОАО «Рыбинский Дом печати»
152901, г. Рыбинск, ул. Чкалова, 8